Inhalt

Einleitung

Mit der Einführung der neuen Bachelor- und Masterstudiengänge hat ein frischer Wind im deutschen Hochschulsystem Einzug gehalten: Die Studiendauer bis zum ersten Hochschulabschluss hat sich deutlich verkürzt, Studieninhalte sind mehr als früher auf die Berufspraxis ausgerichtet. Es ist zudem leichter geworden, seine Sprachkenntnisse durch ein Auslandssemester zu verbessern und sich die an einer ausländischen Hochschule erbrachten Leistungen für den Abschluss an der deutschen Universität anrechnen zu lassen.

Mittlerweile laufen viele der alten Studiengänge langsam aus oder sind bereits ganz abgeschafft worden. Als Wendepunkt gilt das Wintersemester 2006/2007, denn in diesem Semester schrieben sich erstmals etwa 50 Prozent der Studienanfänger für ein Bachelor- beziehungsweise Masterstudium ein. Auf dem Arbeitsmarkt für Hochschulabsolventen wird es also noch viele Jahre lang ein Miteinander von Beschäftigten mit einem Diplom, Magister, Examen, Bachelor oder Master geben.

Bachelor und Master werden immer beliebter

Was sich für Hochschulabsolventen nicht geändert hat, ist die Erkenntnis, dass sich allein aus dem Abschluss eines Studiums noch nicht die Befähigung für den Berufseinstieg ergibt. Aus unseren Bewerbungsseminaren, Workshops und Einzelberatungen wissen wir, dass Studierende einerseits eine Menge zu bieten haben, aber andererseits oft auch große Probleme damit haben, ihre Qualifikationen und Erfahrungen zielgerichtet aufzubereiten. Und bei der Lösung dieses Problems setzt unser Ratgeber an. Wir zeigen Ihnen, wie Sie Ihr Fachwissen und Ihre Praxiserfahrungen so darstellen, dass Firmen Interesse an Ihnen entwickeln. Unsere Übersicht 1 zeigt Ihnen, was Sie erwartet.

Die erfolgreiche schriftliche Bewerbung

1. Vorbereitungsphase

↓

Was kann ich? Ihr Tätigkeitsprofil

↓

Stellenanzeigen richtig auswerten

↓

die eigenen fachlichen Kenntnisse und persönlichen Fähigkeiten analysieren

↓

den ersten Arbeitgeber finden

↓

Initiativbewerbungen vorbereiten

↓

das Telefon: der schnelle Weg zum ersten Arbeitsplatz

↓

2. Bewerbungsunterlagen aufbereiten

↓

Bewerbungsmappe zusammenstellen

↓

Anschreiben ausformulieren

↓

Gehaltsvorstellungen ermitteln

Übersicht 1

Lebenslauf ausarbeiten

Bewerbungsfoto anfertigen lassen

Praktikumsbestätigungen erstellen

telefonisch nachfassen

3. Einladung zum Vorstellungsgespräch

Mit unserem Ratgeber erläutern wir Ihnen, wie Sie typische Bewerberfehler vermeiden und wie Sie zukünftige Arbeitgeber mit
einer überzeugenden Bewerbungsmappe für sich einnehmen.

Im Mittelpunkt der von uns vorgestellten Bewerbungsstrate-
gien steht immer die Umsetzung durch Sie als Hochschulabsolventin oder Hochschulabsolvent. Daher finden Sie viele Übungen und Beispiele, die Ihnen helfen, Ihr neues Wissen bei der
Aufbereitung Ihrer Bewerbungsmappe umzusetzen.

Bevor Sie sich an die Aufbereitung Ihrer Bewerbungsunterlagen
machen, werden Sie sich mit Ihrem Tätigkeitsprofil auseinandersetzen. Aus einer Bestandsaufnahme Ihres bisherigen Werde- **Vorlieben- und**
gangs werden Sie Ihre Vorlieben und Stärken ermitteln. Erst **Stärkenprofil**
wenn Sie wissen, was Sie selbst wollen, können Sie auf die Wün- **ermitteln**
sche anderer eingehen. Mit der Erstellung eines Tätigkeitsprofils
erwerben Sie eine Argumentationsbasis, auf die Sie bei der Ausarbeitung von Anschreiben und Lebensläufen zurückgreifen werden.

Durch die Analyse von Stellenanzeigen wird Ihnen klar werden, was Unternehmen von Ihnen erwarten. Um diese Anforderungen zu erfüllen, müssen Sie sich mit Ihren eigenen fachlichen

Kenntnissen und persönlichen Fähigkeiten auseinandersetzen. Geeignete Beispiele aus Ihrer Bestandsaufnahme werden Sie einsetzen, um sich als passgenauer Bewerber darzustellen.

Zeigen Sie Initiative

Bei der Suche nach einem Arbeitgeber gibt es verschiedene Wege: Sie können sich auf Stellenanzeigen bewerben, das Internet nutzen, aber auch persönliche Kontakte aufbauen, die Ihnen einen direkten Draht zur Firma sichern.

Wenn Sie Initiativbewerbungen verschicken möchten, müssen Sie neben Ihrem eigenen Profil auch ein Anforderungsprofil Ihrer Wunschposition erarbeiten. Dies gelingt Ihnen am besten mit dem Griff zum Telefon. Initiativbewerbungen haben deutlich mehr Erfolg, wenn Sie sich nicht blind bewerben, sondern die Anforderungen der Firmen selbstständig ermitteln.

Die Vorbereitungsphase Ihrer Bewerbung führt Sie schließlich zur aktiven Bewerbung. Ihre Bewerbungsmappe muss den formalen und inhaltlichen Vorgaben der Personalabteilungen entsprechen. Bestehen Sie in der ersten Runde der formalen Prüfung, und punkten Sie anschließend mit einer guten inhaltlichen Aufbereitung.

Die maßgeschneiderte Bewerbungsmappe

Das Anschreiben ist ein Kurzgutachten über Ihre Qualifikationen. Sie können es mit der Erarbeitung einer Selbstpräsentation inhaltlich vorbereiten. Der Lebenslauf wird Ihre Angaben im Anschreiben unterstützen und den roten Faden Ihrer Entwicklung deutlich machen. Mit dem Bewerbungsfoto können Sie erste Sympathiepunkte sammeln. Aussagekräftige Praktikumsbestätigungen werden den positiven Eindruck abrunden.

Unser Bewerbungsratgeber wird Sie mit den ausgesprochenen und unausgesprochenen Regeln des Bewerbungsverfahrens vertraut machen. Die Tipps, Techniken und Hinweise werden es Ihnen ermöglichen, individuelle, in sich schlüssige und erfolgreiche Bewerbungsunterlagen auszuarbeiten.

1

Die individuelle Selbstdarstellung

Vor der Formulierung Ihres Anschreibens und der Ausgestaltung Ihres Lebenslaufs müssen Sie sich mit Ihren fachlichen Kenntnissen, persönlichen Fähigkeiten, beruflichen Wünschen und Ihren Karrierezielen auseinander setzen. Erarbeiten Sie sich selbst ein individuelles und aussagekräftiges Profil. Verwenden Sie konkrete Belege, um Ihre Qualifikationen zu untermauern, und erarbeiten Sie sich so den Aufstieg vom Bewerber zum Wunschkandidaten.

Im Bewerbungsverfahren müssen Sie sich von der Masse Ihrer Mitbewerber abheben. Die Bewerbung mit einem individuellen Profil ist für Hochschulabsolventinnen und -absolventen der Schlüssel zum Erfolg. Die Einschätzung der Unternehmensseite, ob Sie berufliche Positionen ausfüllen können, ermöglichen Sie erst durch eine aussagekräftige und berufsnahe Darstellung Ihrer Fähigkeiten und Kenntnisse. Auch als Berufseinsteiger sollten Sie mit praxisnahen Beispielen Ihr Profil aufbauen. Ihre Erfahrungen innerhalb und außerhalb der Hochschule sind wichtige Belege für Ihre berufliche Eignung. Beeindrucken Sie Personalverantwortliche, indem Sie sich als praxisnaher Bewerber darstellen.

Das individuelle Profil: der Schlüssel zum Erfolg

Anschreiben und Lebenslauf: schriftliche Überzeugungsarbeit

Das Anschreiben und der Lebenslauf sind die zentralen Elemente in Ihrer Bewerbungsmappe. Aus dem Lebenslauf sollte

Ihre bisherige Entwicklung deutlich werden. Im Anschreiben liefern Sie ein Kurzgutachten über Ihre Qualifikationen. Sie überzeugen Personalverantwortliche mit Ihrem Anschreiben und Ihrem Lebenslauf, wenn Sie das eigene Profil so aufbauen, dass ein Abgleich mit den Anforderungen der ausgeschriebenen Stelle möglich wird.

Die Formulierung eines Anschreibens und die Ausgestaltung eines Lebenslaufs stellen alle Bewerber vor große Probleme: Was soll ich schreiben? Was darf ich nicht erwähnen? Wie schaffe ich es, auf den Punkt zu kommen? Wie setze ich mich von Mitbewerbern positiv ab?

Für viele Hochschulabsolventen scheint die Kunst der Formulierung von Anschreiben und der Ausgestaltung von Lebensläufen darin zu bestehen, möglichst inhaltsleer und abstrakt zu argumentieren. Wer im Anschreiben und im Lebenslauf kein persönliches Profil deutlich macht, wird im schriftlichen Bewerbungsverfahren Schiffbruch erleiden. Eine intensive Auseinandersetzung mit den eigenen beruflichen Wünschen, mit Karrierezielen, mit persönlichen Fähigkeiten und fachlichen Stärken ist für Hochschulabsolventinnen und -absolventen vor der Erarbeitung der schriftlichen Unterlagen unabdingbar.

Setzen Sie sich intensiv mit Ihren Fähigkeiten auseinander

Personalabteilungen überprüfen das mit dem Anschreiben und dem Lebenslauf vermittelte Qualifikationsprofil daraufhin, ob die Anforderungen der zu vergebenden Stelle erfüllt werden. Der Abgleich von Bewerber- und Stellenprofil ist ein Schwerpunkt der Personalarbeit. Für die Definition des individuellen Bewerberprofils sind Personalverantwortliche jedoch nicht zuständig: Personalauswahl ist keine Berufsberatung. Die Bewerber müssen von sich aus deutlich machen, was sie geleistet haben und welche Ziele sie für ihre berufliche Zukunft haben.

Ihnen als Berufseinsteiger gelingt dies, wenn Sie in Ihrem Lebenslauf einen roten Faden Ihrer Entwicklung erkennen lassen, der auf die ausgeschriebene Stelle hinführt. Ihr Anschreiben

Einsatz überzeugt!

sollte Ihre Kompetenz zeigen und so viel Interesse bei Personalverantwortlichen erwecken, dass Sie eine Einladung zum Vorstellungsgespräch erhalten.

Im Verlauf dieses Buches erläutern wir Ihnen, wie Sie sich die Interesse
Geheimnisse des schriftlichen Bewerbungsverfahrens Schritt erwecken
für Schritt erschließen. Wir stellen Ihnen Techniken, Tipps und
Tricks aus unserer Beratungspraxis vor, die Ihnen dabei helfen,
überzeugende Anschreiben und Lebensläufe anzufertigen.

Was stört Personalverantwortliche?

Personalverantwortliche sind Profis in Sachen Bewerberaus-
wahl. Sie beschäftigen sich täglich damit, geeignete von unge-

eigneten Bewerbern zu unterscheiden, und sind ständig auf der Suche nach neuen Mitarbeitern mit Potenzial.

Da auch Personalverantwortliche nur Menschen sind, haben sie persönliche Vorlieben und Abneigungen. Wir haben beispielsweise Personalverantwortliche kennen gelernt, die es nicht schätzen, wenn Bewerber übermäßig sportlichen Aktivitäten nachgehen, da sie darin eine Abwendung von beruflichen Aufgaben vermuten und die Hauptmotivation der Bewerber in der Ausübung von Freizeitaktivitäten sehen. Andere Personalverantwortliche schätzen es sehr, wenn Bewerber Sport treiben, weil sie denken, dass diese dadurch Kraft tanken für die Anforderungen des harten Berufslebens. Beide Einschätzungen sind nicht objektiv belegbar. Die jeweiligen Vorlieben richten sich meistens danach, wie viel Sport ein Personalverantwortlicher selbst treibt. Einer solchen »Hobbyfalle« können Sie im schriftlichen Bewerbungsverfahren entgehen, wenn Sie Ihre persönlichen Fähigkeiten nicht an sportlichen, sondern an fachlichen Leistungen festmachen.

Machen Sie Ihre Fertigkeiten an beruflichen Stärken fest

Überschätzen Sie nicht die persönlichen Abneigungen der Personalverantwortlichen. Diese kommen nur dann zum Tragen, wenn Hochschulabsolventinnen und -absolventen kein individuelles Profil deutlich machen. Profillosigkeit und fehlende berufliche Zielvorstellungen stören alle Personalverantwortlichen. Wenn die Bewerbungsmappe den Eindruck erweckt, dass der Berufseinsteiger nur irgendeinen Job bekommen möchte und mehr am monatlichen Gehalt als an den Aufgaben interessiert ist, sehen Personalverantwortliche rot.

Stellen Sie Ihre fachlichen Leistungen in den Vordergrund

Die meisten Bewerbungsunterlagen vermitteln den Eindruck, dass der Absender sich über sein eigenes Profil im Unklaren ist und nicht weiß, auf welche Stelle er sich eigentlich bewirbt. Selbst wenn Personalverantwortliche mangels anderer Bewerber einen profillosen Absolventen einstellen, bleibt immer ein bitterer Nachgeschmack. Eine optimale Karriereentwicklung wird so nicht eingeleitet. Der Berufseinsteiger startet gleich mit einem Handicap und ist womöglich nach kurzer Zeit wieder auf der Suche nach einem Arbeitgeber.

Wir wissen aus unserer Beratungspraxis, dass jede Hochschulabsolventin und jeder Hochschulabsolvent ein individuelles Profil hat. Die Schwierigkeit besteht aber darin, dieses Profil zu erkennen, Schwerpunkte zu definieren, Vorlieben herauszukristallisieren und sich aussagekräftig darzustellen. Sie müssen dazu einiges an Vorarbeit leisten. Wir erklären Ihnen im Folgenden, wie Sie Ihre fachlichen Kenntnisse und persönlichen Fähigkeiten erfassen und optimal aufbereiten.

Praktische Erfahrung zählt

Sie beeindrucken Personalverantwortliche mit Ihren Unterlagen, wenn Sie Ihre praktischen Erfahrungen in den Vordergrund stellen und auf die Einstiegsposition zuschneiden. Nutzen Sie unsere Übungen, um sich eine optimale schriftliche Bewerbung zu erarbeiten. Liefern Sie Personalverantwortlichen als erste Arbeitsprobe eine gelungene Bewerbungsmappe.

Vom Hochschulabsolventen zum Wunschbewerber

Sie setzen sich im Bewerbungsverfahren durch, wenn Sie den Schritt vom Hochschulabsolventen zum Wunschbewerber schaffen. Lassen Sie nicht zu, dass man Sie als profillosen Durchschnittskandidaten einordnet. Setzen Sie sich mit Ihren Stärken auseinander, machen Sie Personalverantwortlichen klar, was Sie für die ausgeschriebene Stelle an verwertbaren Fähigkeiten und Kenntnissen mitbringen. Erleichtern Sie der Unternehmensseite die Arbeit. Ermöglichen Sie es den Personalverantwortlichen, Sie als Individuum anzusehen und nicht als gesichtslosen Massenbewerber.

Heben Sie sich von der Masse der Bewerber ab

Entscheidungsschwierigkeiten

Beratung

In einem unserer Bewerbungsworkshops zeigte uns eine Absolventin ihre Bewerbungsmappe. Sie hatte sich mit dieser Mappe bereits mehrere Absagen eingehandelt. Sie bat uns darum, die Mappe zu überprüfen; ihrer Meinung nach war der mangelnde Erfolg ihrer bisherigen Bemühungen in formalen Fehlern begründet.

Wir stellten fest, dass ihr Anschreiben aus wenigen allgemein gehaltenen Sätzen bestand. Der dreiseitige Lebenslauf war eine ausführliche Nacherzählung ihres bisherigen Lebenswegs, ließ aber kein Profil deutlich werden. Darauf angesprochen, erzählte uns die Absolventin, dass sie dachte, dass das Anschreiben überhaupt nicht wichtig sei, da im Lebenslauf ja alle Stationen ihres Werdegangs deutlich würden.

Es kostete einige Mühe, sie davon zu überzeugen, inhaltliche Arbeit für ihre Bewerbung zu leisten. Ihr schien eine allgemein gehaltene Bewerbung genau das Richtige, um zu überprüfen, ob nicht irgendjemand Interesse an ihr hätte. Sie wollte sich nicht festlegen und sich alle Optionen offen halten.

Nach und nach entlockten wir ihr, dass sie dennoch bestimmte Vorstellungen von ihrer zukünftigen Tätigkeit hatte. In ihren parallel zum Studium wahrgenommenen Aushilfsjobs und Praktika hatte sie Vorlieben für bestimmte Tätigkeitsfelder entwickelt. Aus diesen Vorlieben und Stärken entwickelten wir drei Bewerbungsprofile: Vertriebsassistentin, Marketing-Assistentin und PR-Assistentin. Für drei dementsprechende Bewerbungen konnten wir auf ihre Erfahrungen aus einem Praktikum in einer Werbeagentur und aus ihren Jobs als Promoterin, als Verkäuferin und als Call-Center-Mitarbeiterin zurückgreifen.

Wir erarbeiteten mit ihr zusammen drei Anschreiben mit jeweils unterschiedlicher Gewichtung der Tätigkeitsangaben. Aus ihrem Lebenslauf strichen wir die für den Berufseinstieg uninteressanten Angaben zu den Eltern, zur Grundschulzeit und zu Ferienlagern. Für die Darstellung ihres Studiums erarbeiteten wir mit ihr drei Schwerpunktversionen. Die für drei Berufsfelder jeweils wesentlichen praktischen Erfahrungen stellten wir mit geeigneten Tätigkeitsangaben heraus.

Mit ihrem neu gewonnenen individuellen Profil konnte sich die Absolventin deutlich von Massenbewerbern abgrenzen. Sie wurde zu Vorstellungsgesprächen eingeladen und schaffte den Berufseinstieg.

Fazit: Hochschulabsolventinnen und -absolventen haben im Bewerbungsverfahren nur dann Erfolg, wenn sie wissen, wo ihre Vorlieben und Stärken liegen, wenn sie sich über ihre Qualifikationen im Klaren sind, mit praktischen Erfahrungen argumentieren und ihre Bewerbung auf die angestrebten Einstiegspositionen konkret zuschneiden.

Wir werden Ihnen im Folgenden dabei helfen, Ihr Potenzial umfassend auszuloten und es so darzustellen, dass Sie als Berufseinsteiger für Arbeitgeber interessant werden.

Die individuelle Selbstdarstellung

Im Blick

- Ihr Anschreiben und Ihr Lebenslauf sind zentrale Elemente Ihrer Bewerbungsmappe.
- Personalauswahl ist keine Berufsberatung. Sie müssen sich vor der Ausformulierung von Anschreiben und Lebenslauf mit Ihren beruflichen Wünschen, Ihren Karrierezielen und Ihren fachlichen Kenntnissen und persönlichen Fähigkeiten auseinander setzen.
- Sie können Personalverantwortliche nur dann überzeugen, wenn Ihre Bewerbung ein klares Profil erkennen lässt und wenn Ihre beruflichen Zielvorstellungen deutlich werden.
- Überzeugen Sie Personalverantwortliche, indem Sie im Anschreiben und im Lebenslauf ein berufsbezogenes Profil herausarbeiten und auf die Einstiegsposition zuschneiden.
- Argumentieren Sie in Ihrem Anschreiben und Ihrem Lebenslauf mit konkreten Beispielen. Abstrakte Formulierungen katapultieren Sie aus dem Bewerberrennen.
- Sie schaffen den Schritt zum Wunschbewerber, wenn Sie Personalverantwortlichen verdeutlichen können, dass Sie für die Einstiegsposition direkt verwertbare Kenntnisse und Fähigkeiten mitbringen.

2

»Was kann ich?«
Ihr Tätigkeitsprofil

Für Ihre Bewerbung müssen Sie wissen, wo Ihre Basis für den Berufseinstieg liegt. Setzen Sie sich damit auseinander, was Sie bisher gemacht haben, welche Aufgaben Sie gern bearbeitet haben und wo Ihre Stärken liegen. Die lückenlose Auflistung der Stationen Ihres bisherigen Werdegangs und der erworbenen Kenntnisse und ausgeübten Tätigkeiten hilft Ihnen dabei, an konkreten Beispielen Ihre Fähigkeiten zu erkennen.

Es gibt keinen »Berufseignungstest«, in dem Berufseinsteiger einen Ankreuztest machen und dann nach Auflegen einer Schablone eine eindeutige Antwort über geeignete und ungeeignete Berufe bekommen.

Das eigene Qualifikationsprofil herausarbeiten

Eine überzeugende Bewerbung von Hochschulabsolventinnen und -absolventen setzt eine intensive Auseinandersetzung mit dem eigenen Qualifikationsprofil voraus. Die Klärung der Frage »Was kann ich?« ist nicht in einem einzigen Schritt möglich. Gehen Sie in drei Schritten vor:

1. Halten Sie fest, was Sie bisher gemacht haben.
2. Erkennen Sie Ihre Vorlieben und Stärken.
3. Erstellen Sie aus Ihren Vorlieben und Stärken ein Tätigkeitsprofil.

»Was habe ich bisher gemacht?« Ihr Blick zurück

Erarbeiten Sie sich zunächst eine lückenlose Inventurliste von der Schulzeit bis zum heutigen Tag, und führen Sie alles auf, was Sie bisher gemacht haben.

Nehmen Sie Ihre Vergangenheit genau unter die Lupe

Wir hören oft von Hochschulabsolventinnen und -absolventen: »Ich habe nichts Besonderes gemacht, sondern einfach nur studiert. Das, was ich zu bieten habe, hat doch auch jeder andere vorzuweisen.« Bei intensivem Nachfragen werden dann aber auf einmal Tätigkeiten aufgezählt, die geeignet sind, ein individuelles Profil auszuarbeiten.

Beispiel

Mitarbeit bei einer Studentenorganisation

Die typische Charakterisierung der Mitarbeit in Studentenorganisationen lautet bei Hochschulabsolventen anfangs fast immer: »Ich war Mitglied in einer Studentengruppe.« Diese Aussage kann jedoch nur der Anfang einer umfassenden Bestandsaufnahme sein.

Wichtig für das spätere Qualifikationsprofil ist, welche Aufgaben konkret übernommen und welche Tätigkeiten ausgeübt wurden. Sie müssen versuchen, mit den Worten von Personalverantwortlichen zu beschreiben, welche Arbeit in Studentenorganisationen geleistet wird.

Eine Hochschulabsolventin, die ein Jahr lang aktives Mitglied einer Studentenorganisation war, erarbeitete sich beispielsweise folgende Tätigkeitsbeschreibung:

- Mitarbeit bei AIESEC
- Organisation von Firmenvorträgen
- Ansprechpartner in Firmen herausgesucht
- Räume organisiert
- gewünschte Präsentationsmedien beschafft
- Transfer Flughafen-Universität bereitgestellt
- mit Firmen wegen Sponsoring verhandelt
- Vortragsthemen abgesprochen
- Plakate drucken lassen
- Handzettel in der Mensa verteilt
- Einladungen an Professoren verschickt

An unserem Beispiel sehen Sie, dass Sie sich für Ihre Bestandsaufnahme Zeit nehmen müssen. Reihen Sie nicht nur die Stationen Ihres Lebens aneinander, sondern überlegen Sie sich in einem zweiten Schritt auch, was Sie konkret gemacht und gelernt haben. Es ist besonders wichtig, dass Sie Ihren Blick dafür schärfen, was Sie getan haben. Üblicherweise geben gerade Hochschulabsolventen nur an, wo sie überall gewesen sind, beispielsweise: »Abitur, Zivildienst, Ferienjob, Magisterstudium.« Diese Auflistung ist aber inhaltsleer und bietet keine Anknüpfungspunkte für Ihr Qualifikationsprofil.

Verknüpfen Sie die Stationen Ihres Lebens mit konkreten Tätigkeiten

Schreiben Sie also für jede Station auch die Tätigkeiten und Aufgaben auf, die Sie wahrgenommen haben. Vielleicht haben Sie ja während Ihres Zivildienstes Hausmeistertätigkeiten übernommen, allgemeine Bürotätigkeiten in der Verwaltung erledigt oder Preise verglichen und Material eingekauft.

Ob diese Tätigkeiten später für Ihren angestrebten Beruf wichtig sind, brauchen Sie an dieser Stelle noch nicht zu entscheiden. Es kommt erst einmal darauf an, so viele Beispiele wie möglich zu sammeln, die deutlich machen, was Sie können. Erst später werden Sie die für eine Bewerbung geeigneten Belege für geforderte Kenntnisse und Fähigkeiten auswählen. Machen Sie sich zuerst einmal klar, dass Sie schon viel können und viel getan haben. Überzeugen Sie sich selbst, bevor Sie daran denken, andere zu überzeugen.

Meine Bestandsaufnahme

Diese Übung dient der vollständigen Erfassung aller Tätigkeiten von Ihrem Schulabschluss bis zum heutigen Tag. Nehmen Sie an dieser Stelle noch keine Unterteilung in wichtig oder unwichtig vor. Nennen Sie, wo Sie tätig wa-

Übung

ren, und dann, was Sie dort gemacht haben. Gehen Sie mit Ihren Angaben in die Tiefe, zählen Sie wirklich alles auf, was Sie gemacht haben.

Damit Sie bei Ihrer Bestandsaufnahme auch nichts vergessen, sollten Sie sich an unserer Liste orientieren:

- Studiengang
- Schwerpunktbildung im Studium
- Nebenfächer
- Studium generale
- Besuch fachfremder Seminare und Vorlesungen
- Aushilfsjobs
- Fachschaftsarbeit
- Mitarbeit in Studentenorganisationen
- Arbeit als Werkstudent
- Betreuung von ausländischen Studierenden
- Wissenschaftliche Hilfskraft
- Auslandspraktikum
- Jobs im Ausland
- Mitarbeit an Projektstudien am Lehrstuhl

- Mitarbeit bei Hochschulzeitungen oder Stadtmagazinen
- Seminarleitung
- Arbeit in den Semesterferien
- selbstständige Tätigkeiten
- Tutorentätigkeit
- Soziales Jahr
- Bundeswehr
- Zivildienst
- Weiterbildungskurse außerhalb der Universität
- Vorbereitung von Messen oder Tagungen
- Praktikum

Erkennen Sie Ihre Vorlieben und Stärken

Wenn Sie Ihre Bestandsaufnahme vor sich liegen haben, können Sie jetzt den zweiten Schritt auf dem Weg zu Ihrem persönlichen Qualifikationsprofil machen. Werten Sie Ihre Bestandsaufnahme anhand dieser Fragen aus:

Werten Sie Ihre Bestandsaufnahme aus

- Welche Aufgaben erledigen Sie besonders gern?
- An welche Erfolge erinnern Sie sich?
- Arbeiten Sie lieber als Generalist oder als Spezialist?
- Bearbeiten Sie lieber umgrenzte Projekte, oder arbeiten Sie bevorzugt an langfristigen Aufgaben?
- Welche Tätigkeiten tauchen öfter auf?
- Erledigen Sie Ihre Aufgaben lieber in der Gruppe oder allein?
- Ist Ihnen die Höhe der Bezahlung wichtiger oder die Aufgabe?
- Brauchen Sie von anderen klare, eindeutige Anweisungen oder erschließen Sie sich Ihre Aufgabenstellungen selbst?
- Haben Sie Spaß daran, Fachwissen zu vertiefen, oder setzen Sie Ihr Wissen lieber unmittelbar in die Praxis um?
- Wann fragt man Sie um Rat?
- Können Sie andere begeistern?
- In welchen Bereichen haben Sie freiwillig Ihr Wissen vertieft?
- Bringen Sie anderen gern etwas bei?
- Organisieren Sie gern?
- Hat es Ihnen Spaß gemacht, Gruppen zu leiten?

Gehen Sie diese Fragen intensiv durch. Werden Sie sich klar darüber, was Ihnen wichtig ist. Überlassen Sie die Einschätzung Ihrer Vorlieben und Stärken nicht Personalverantwortlichen: Lernen Sie, sich selbst zu charakterisieren.

Ihr Tätigkeitsprofil

Aus unserer Beratungstätigkeit wissen wir, dass Hochschulabsolventinnen und -absolventen zumeist genug getan haben, um für Arbeitgeber interessant zu sein. Eine ihrer Hauptschwierigkeiten liegt aber darin, ihre Kenntnisse und Fähigkeiten richtig zu etikettieren. Gerade Berufseinsteiger haben zudem das Problem, dass sie mit dem Sprachgebrauch der Arbeitswelt nicht vertraut sind. Für den Erfolg im Bewerbungsverfahren ist es aber wichtig, den Sprachgebrauch von Unternehmen und Personalabteilungen zu treffen.

Aus unserer Beratungspraxis
Schulungsfähigkeiten

Ein Hochschulabsolvent mit einem sozialwissenschaftlichen Abschluss wollte sich als Software-Schulungsreferent bei einer Bildungseinrichtung bewerben. Die geforderten Software-Kenntnisse hatte er, weil er die PC-Programme ständig benutzte. Er hatte aber Probleme damit, seine Schulungsfähigkeiten zu begründen. Bisher hatte er in keiner Bildungseinrichtung gearbeitet.

Unsere Nachfrage ergab, dass er als Student in seinem Hochschulinstitut Ansprechpartner für Fragen zur Software-Anwendung war. Nicht nur Kommilitonen holten sich bei ihm Rat, sondern auch die Verwaltungsangestellten und die Professoren. Er hatte also schon in Software-Fragen beraten und seine Tipps didaktisch dem Wissensstand seiner »Kunden« angepasst.

Seine Schulungsfähigkeiten stellte der Hochschulabsolvent dementsprechend im Bewerbungsverfahren nun so dar: »Am Sozialwissenschaftlichen Institut der Universität war ich für Softwareschulungen zuständig. Ich habe zielgruppenspezifische Schulungen für die Verwaltung, für Studierende und für wissenschaftliche Mitarbeiter konzipiert und umgesetzt.«

Fazit: Mit dem richtigen Sprachgebrauch können Sie Ihr

> Profil im Bewerbungsverfahren so darstellen, dass berufsnahe Qualifikationen deutlich werden.

Wie wir wissen, lassen sich bei fast allen Hochschulabsolventinnen und -absolventen Anknüpfungspunkte finden, mit denen Forderungen aus der Berufswelt konkret belegt werden können. Es kommt nun darauf an, diese in einer Art und Weise zu benennen und zu beschreiben, dass sie von Personalabteilungen verstanden und eingeordnet werden können.

Die konkrete Beschreibung Ihrer Qualifikationen

Verständigungsschwierigkeiten mit der Unternehmensseite räumen Sie aus dem Weg, wenn Sie Ihre Qualifikationen durch Tätigkeitsbeschreibungen deutlich machen. Beschreiben Sie Ihre Erfahrungen und Tätigkeiten möglichst konkret, und überlassen Sie der Unternehmensseite die Übersetzung in abstrakte Begriffe des Stellenprofils.

Wie studententypische Tätigkeiten von Personalabteilungen eingeordnet und in die Sprache der Arbeitswelt übersetzt werden, wollen wir Ihnen anhand zweier Beispiele zeigen.

Jobben neben dem Studium: Wer sich neben dem Studium Geld für seinen Lebensunterhalt verdient, setzt sich einer besonderen Belastung aus, die andere Studierende nicht betrifft. Aus Sicht der Personalabteilung ist damit eine besondere Belastungsfähigkeit gegeben.

Fachschaftsarbeit: Die Mitarbeit in Fachschaften zeigt zum einen Engagement für die Organisation, der man angehört. Daneben wird je nach den übernommenen Aufgaben Organisationsgeschick und Teamfähigkeit belegt.

Benennen Sie die einzelnen Tätigkeiten

Die beiden Beispiele zeigen, dass sich auch Personalverantwortliche Gedanken darüber machen, was einzelne Stationen im

Werdegang von Hochschulabsolventinnen und -absolventen aussagen. Damit Sie die Stationen Ihres Werdegangs so aufbereiten können, dass Personalverantwortliche hellhörig werden, müssen Sie lernen, die zu den Stationen gehörenden Tätigkeiten in den Vordergrund zu stellen.

Partylöwe der Fachschaft

Beispiel

Ein Student, der regelmäßig Partys für die Fachschaft organisiert hat, macht seine Stärken nicht deutlich, wenn er sich selbst als »Partytyp« beschreibt und nur angibt: »Ich war in der Fachschaft.« Die Selbstbeschreibung wird für das Bewerbungsverfahren erst dann verwertbar, wenn er die in der Fachschaft wahrgenommenen Tätigkeiten nennt. Zu den Tätigkeiten gehört beispielsweise:

- Raum organisieren
- Bands verpflichten
- Konditionen für Getränke aushandeln
- Zeitplan für die Barbetreuung ausarbeiten
- Personal für Aufbau und Abbau rekrutieren
- Abrechnungen machen
- Werbezettel entwerfen
- Plakate drucken lassen
- Sponsoren gewinnen
- Pressenotizen verfassen
- Kontakt zur Tageszeitung und zu Stadtmagazinen aufnehmen
- Absprache mit dem Hausmeister treffen
- Zugangs- und Fluchtwege überprüfen.

Mithilfe der herausgearbeiteten Tätigkeiten kann sich der zukünftige Berufseinsteiger aus unserem Beispiel im Bewerbungsverfahren richtig in Szene setzen. Seine Tätigkeiten in der Fachschaft haben eine große Nähe zum Berufsbild des Event-Managers. Mit der Angabe von konkreten Tätigkeiten kann er seine Stärken und Vorlieben in das Bewerbungsverfahren einbringen: »Ich habe Erfahrung in der Veranstaltungsorganisation. Das Sponsoring, die Veranstaltungsdurchführung und die Öffentlichkeitsarbeit gehörten zu meinen Aufgaben.«

Üben Sie, Ihre Erfahrungen und Kenntnisse ausführlich zu beschreiben. Stellen Sie Ihre Stärken heraus, und machen Sie Ihre Vorlieben klar, indem Sie sie an konkreten Tätigkeiten fest machen. Lernen Sie, Ihr Selbstbild auch für andere verständlich zu machen. Abstrakte Formulierungen sind dabei wenig hilfreich, weil sie nicht aussagekräftig sind. Gehen Sie den von uns vorgeschlagenen Weg: Stellen Sie sich mit der Angabe konkreter Tätigkeiten dar. Liefern Sie eine Selbstbeschreibung, die Ihr Profil erkennen lässt.

Das Selbstbild aussagekräftig formulieren

Aussagekräftige Selbstbeschreibungen

Übung

Suchen Sie sich drei Stationen aus Ihrer Bestandsaufnahme heraus, in denen Sie Ihre Vorlieben und Stärken erkannt haben. Nennen Sie die Tätigkeiten, die Sie in diesen Stationen ausgeübt haben. Orientieren Sie sich an unserem Beispiel »Partylöwe der Fachschaft«. Finden Sie mindestens zehn Tätigkeiten für jede der drei Stationen.

Ihre erste Station: . . . .

Tätigkeiten:

1. . . . .
2. . . . .
3. . . . .
4. . . . .
5. . . . .
6. . . . .
7. . . . .
8. . . . .
9. . . . .
10. . . . .

Ihre zweite Station: . . . .

Tätigkeiten:

1. . . . .
2. . . . .
3. . . . .
4. . . . .
5. . . . .
6. . . . .
7. . . . .
8. . . . .
9. . . . .
10. . . . .

Ihre dritte Station: . . . .

Tätigkeiten:

1. . . . .
2. . . . .
3. . . . .
4. . . . .
5. . . . .
6. . . . .
7. . . . .
8. . . . .
9. . . . .
10. . . . .

Mit der Vorarbeit aus diesem Kapitel sind Sie einen wichtigen Schritt auf dem Weg zum überzeugenden Bewerber weitergekommen. Die Beschreibung dessen, was Sie innerhalb und außerhalb Ihres Studiums gemacht haben, ist wesentlich aussagekräftiger als die bloße Aufzählung der Stationen Ihres Werdegangs. Bei der Aufbereitung Ihrer fachlichen Kenntnisse und persönlichen Fähigkeiten in Ihren Bewerbungsunterlagen wird die Argumentation mit konkreten Beispielen ein Schwerpunkt sein. Ihre bisherigen Tätigkeiten spielen eine wesentliche Rolle beim Verfassen von Anschreiben, bei der Ausgestaltung des Lebenslaufs, bei der Vorbereitung von Telefonkontakten und bei der Planung von Initiativbewerbungen.

Überzeugen durch praxisbezogene Argumente

Auf einen Blick

»Was kann ich?« Ihr Tätigkeitsprofil

Im Blick

- Erarbeiten Sie sich eine Bestandsaufnahme Ihres bisherigen Werdegangs.
- Geben Sie konkret an, was Sie getan haben. Liefern Sie keine inhaltsleere Auflistung der Stationen.
- Reflektieren Sie, was Sie besonders gern getan haben, welche Ziele Sie zusammen mit anderen Menschen erreicht haben, wann Sie um Rat gefragt wurden und an welche Erfolge Sie sich erinnern. So erkennen Sie Ihre Stärken und Vorlieben.
- Machen Sie Ihre Qualifikationen durch Tätigkeitsbeschreibungen deutlich.
- Trainieren Sie, Außenstehenden Ihr Profil plausibel darzustellen.
- Überlassen Sie die Einschätzung Ihrer Person nicht anderen. Erarbeiten Sie sich ein aussagekräftiges Tätigkeitsprofil.

3

Die Anforderungen der Unternehmen erkennen

Das Problem vieler Hochschulabsolventinnen und -absolventen besteht darin, dass sie sich an der Position vorbei bewerben. Sie gehen nicht auf die Anforderungen der Unternehmen ein. Wir zeigen Ihnen, wie Sie erkennen, welche fachlichen Kenntnisse und welche persönlichen Fähigkeiten in Stellenanzeigen gefragt sind. Die Unterscheidung von Muss- und Kann-Anforderungen rundet dieses Kapitel ab.

Welche Erwartungen hat das Unternehmen? Ihre gründliche Auseinandersetzung mit den Erwartungen der Unternehmen in Stellenanzeigen ist der nächste Schritt auf dem Weg zur überzeugenden Bewerbungsmappe. Wenn Sie wissen, was von Ihnen verlangt wird, dann können Sie diese Anforderungen aufgreifen und in Ihre Bewerbungsunterlagen einarbeiten. Damit zeigen Sie, dass die Erwartungen von Ihnen erfüllt werden.

Die Anforderungen von Unternehmen an Hochschulabsolventinnen und -absolventen lassen sich in zwei Gruppen einteilen: in fachliche Kenntnisse und in persönliche Fähigkeiten.

Fachliche Kenntnisse

Weil Sie ohne Fachkenntnisse keinen Beruf ausüben können, nennt man fachliche Kenntnisse auch klassische Anforderungen. Ohne Fachkenntnis geht überhaupt nichts. Fachliche

Kenntnisse werden auch als Fachwissen oder fachliche Kompetenz bezeichnet. Es geht darum, welches Wissen Sie in den Bereichen haben, die für Ihr zukünftiges Tätigkeitsfeld wichtig sind.

Unternehmen suchen fachlich möglichst passgenaue Absolventen. Das heißt, dass die fachliche Kompetenz der Bewerber im Wesentlichen mit den fachlichen Anforderungen der Unternehmen übereinstimmen sollte. Für Hochschulabsolventen gibt es hier einen Spielraum: Wenn Sie mit Ihren Bewerbungsunterlagen verdeutlichen können, dass Sie sich neues Wissen in der Vergangenheit schnell erschlossen haben, traut man Ihnen zu, sich Spezialkenntnisse in der Einarbeitungszeit anzueignen. Im Kern muss Ihr fachliches Profil aber stimmen. **Fachlich passgenaue Absolventen**

Fachkenntnisse unterteilen sich in verschiedene Wissensbereiche. Wenn Sie sich für einen Arbeitsplatz bewerben, bestehen die Anforderungen an Ihre fachlichen Kenntnisse immer aus einer Mischung der folgenden Wissensbereiche:

- Studienrichtung mit Schwerpunkten
- Praktika beziehungsweise Berufskenntnisse
- Fremdsprachenkenntnisse
- Computerkenntnisse

Studienrichtung mit Schwerpunkten: Die bloße Nennung Ihres Studienfachs ist zu wenig. Bewerbungen nach dem Motto »Sie suchen einen Betriebswirt, ich habe Betriebswirtschaft studiert, also passen wir zusammen« haben keine Aussicht auf Erfolg. **Differenzierte Darstellungen**

Sie sollten in der Lage sein, Ihr Studienfach mit den entsprechenden Differenzierungen darzustellen und die Schwerpunkte herauszuarbeiten, die für potenzielle Arbeitgeber interessant sind. Orientieren Sie sich dabei an Ihren offiziellen Studienschwerpunktfächern und an Ihrer Studienordnung.

Praktika beziehungsweise Berufskenntnisse: Da jeder Hochschulabsolvent über einen Hochschulabschluss verfügt, kann dieser kein alleiniges Auswahlkriterium für die Unternehmen sein. Ein Abschluss ist zwar notwendig, aber noch lange nicht ausreichend, da die Unternehmen vorrangig daran interessiert sind, ob Sie berufliche Aufgaben lösen können. Ihr Studienabschluss dokumentiert nur, dass Sie sich Wissen aneignen und es wiedergeben können. Er zeigt jedoch nicht, dass Sie es auch anwenden können.

Sie sollten deshalb mindestens zwei Praktika mit einer jeweiligen Dauer von drei Monaten im Hauptstudium vorweisen können, um zu zeigen, dass Sie Ihr theoretisches Wissen auch **Mindestens** berufsfeldbezogen anwenden können. Wer nur die vorge- **zwei Praktika** schriebenen Pflichtpraktika absolviert, zeigt zu wenig Initiative. Mit Praktika, die eine Nähe zu Ihrem angestrebten Berufsfeld haben, erwerben Sie einen weiteren unschätzbaren Vorteil: Personalabteilungen und Personalberater sind sich darin einig, dass zu Ihrem Berufsfeld passende Praktika und Diplomarbeiten als Berufserfahrung gewertet werden. Durch zwei dreimonatige Praktika und eine sechsmonatige Diplomarbeit in Zusammenarbeit mit einem Unternehmen können Sie bereits mit einem Jahr Berufserfahrung in das Bewerberrennen gehen.

Es ist ein weit verbreiteter Irrglaube, dass ein kurzes Studium ein Pluspunkt ist und quasi automatisch zur ersten Stelle führt. Wer dennoch auf Zeitvorteile nicht verzichten möchte, sollte zumindest studienbegleitende Projekte für Firmen durchführen. Der Vorteil gegenüber Praktika ist der geringere Zeitauf- **Berufserfah-** wand; eine ganztägige Anwesenheit in der Firma ist bei die- **rung durch** sen Projekten nicht erforderlich. Der Nachteil ist die höhere **studienbeglei-** Belastung. Wer vormittags Seminare und Vorlesungen be- **tende Projekte** sucht und nachmittags berufliche Aufgabenstellungen löst, kann während der Prüfungszeit oder in der Endphase des Projekts heftig ins Rotieren kommen. Dafür lassen sich zukünftige Arbeitgeber von der erfolgreichen Bewältigung derartiger Doppelbelastungen natürlich positiv beeindrucken.

Viele Studenteninitiativen bieten in Zusammenarbeit mit Unternehmen zeitlich begrenzte Projekte an, die es Ihnen ermöglichen, Ihr Berufsfeld in der Praxis kennen zu lernen. Ob studentische Unternehmensberatung, Pressearbeit, Gestaltung von Internet-Auftritten, Organisation von Firmenkontakttagen, Marktforschung oder Mitarbeit an EDV-Projekten, die Zahl der angebotenen Projekte ist in der Regel größer als die Nachfrage von studentischer Seite.

Fremdsprachenkenntnisse: Der Trend zur weltweiten Produktion und zur Globalisierung der Märkte führt dazu, dass die Anforderungen der Firmen an die Fremdsprachenkenntnisse ihrer Mitarbeiter ständig steigen. Es geht zumeist nicht darum, dass Hochschulabsolventinnen und -absolventen über perfekte Sprachkenntnisse verfügen, es sei denn, sie sollen als Dolmetscher eingesetzt werden. Wenn aber für eine ausgeschriebene Stelle bestimmte Sprachkenntnisse verlangt werden, sollten Sie deutlich machen, dass Sie in der gewünschten Sprache Verhandlungen am Telefon führen und im Schriftverkehr bestehen können.

Weltweite Kommunikation

Computerkenntnisse: Fachkenntnisse in PC-Softwareprogrammen, wie Textverarbeitung, Tabellenkalkulation oder Datenbanken, sind aus dem Arbeitsalltag nicht mehr wegzudenken. Als Hochschulabsolventin oder -absolvent müssen Sie belegen können, dass Sie über Anwenderkenntnisse verfügen. In informationstechnischen Berufsfeldern sind darüber hinaus auch Ihre Programmierkenntnisse gefragt.

Die tägliche Praxis zählt

Auch wenn sich bestimmte Standardprogramme durchgesetzt haben, verwenden längst nicht alle Unternehmen identische PC-Programme. Werden in Stellenausschreibungen bestimmte PC-Kenntnisse verlangt, über die Sie nicht verfügen, heißt dies nicht, dass Sie mit Ihrer Bewerbung chancenlos sind.

Im Bewerbungsverfahren ist es oft ausreichend, wenn Sie schlüssig belegen, dass Sie über tägliche PC-Praxis verfügen und deshalb in der Lage sind, sich schnell in neue Programme einzuarbeiten.

Fachliche Kenntnisse allein reichen heute jedoch nicht mehr aus, um qualifizierte Berufe erfolgreich ausüben zu können. Deshalb machen wir Sie jetzt mit der zweiten Gruppe von Anforderungen – den persönlichen Fähigkeiten – vertraut.

Persönliche Fähigkeiten

Wenn Sie die Stellenanzeigen einer Zeitung überfliegen, merken Sie schnell, dass bestimmte Worte in den einzelnen Anzeigen immer wieder auftauchen. Beispielsweise die Begriffe Teamfähigkeit, Flexibilität, Motivation, Kommunikationsfähigkeit, Initiative, Organisationsgeschick und viele andere. Diese Worte haben keinen direkten Bezug zu den fachlichen Kenntnissen der Bewerberinnen und Bewerber, sie beziehen sich auf die Person. Daher werden sie auch persönliche Fähigkeiten, außerfachliche Fähigkeiten, Soft Skills oder auch soziale Kompetenz genannt. Es geht bei den persönlichen Fähigkeiten darum,

Wichtig: Wie werden Kenntnisse umgesetzt?

- wie Sie Ihre in der Hochschule erworbenen Fachkenntnisse bei der Lösung von beruflichen Aufgaben einsetzen und
- wie Sie am zukünftigen Arbeitsplatz mit Kollegen, Mitarbeitern und Kunden umgehen werden.

Es reicht nicht aus, über umfassendes Fachwissen zu verfügen, Sie müssen auch zeigen, dass es zur Lösung beruflicher Aufgaben eingesetzt werden kann. Welche Anwendungsfähigkeiten sind gefragt? Die wichtigsten sieben persönlichen Fähigkeiten haben wir für Sie zusammengefasst:

- Kundenorientierung
- Teamarbeit und Projektarbeit

- selbstständiges Arbeiten
- Belastungs- und Kritikfähigkeit
- Lernbereitschaft
- analytisches Denken
- Leistungsbereitschaft

Kundenorientierung: Qualifizierte Tätigkeitsfelder in Marketing, Vertrieb, Öffentlichkeitsarbeit, Beratung, Training, Weiterbildung, Produktion und Entwicklung haben gemeinsam, dass die Orientierung hin zum Kunden und seinen speziellen Wünschen immer wichtiger wird. Der Grund für diese Entwicklung liegt darin, dass Produkte und Dienstleistungen immer austauschbarer werden. Deswegen sind andere Faktoren im Wettbewerb um die Gunst des Kunden entscheidend geworden: Wer behandelt seine Kunden so, dass sie auch noch das nächste Mal zu ihm kommen? Wer bietet den besten Service, nachdem ein Produkt verkauft wurde? Wer ist in der Lage, individuell zu beraten und Terminvorgaben einzuhalten?

Service und Kundennähe sind gefragt

Wenn Sie der Forderung nach Kundenorientierung gerecht werden wollen, müssen Sie im Anschreiben und im Lebenslauf belegen, dass Sie wissen, wie wichtig enge Kundenbindungen für den Unternehmenserfolg sind, dass Sie keine Angst vor Kundenkontakt haben und dass Sie über die notwendigen sprachlichen Ausdrucksfähigkeiten und eine gute Portion Verhandlungsgeschick verfügen.

Teamarbeit und Projektarbeit: Teamfähigkeit nennt man Ihre Befähigung, mit anderen Menschen zusammen eine Aufgabe gemeinsam zu lösen. Diese persönliche Fähigkeit wird von den Unternehmen heutzutage als unverzichtbare Eigenschaft ihrer Mitarbeiter angesehen. Der schweigsame Einzelkämpfer, der Informationen für sich behält, allein vor sich hin arbeitet und keinen Kontakt zu den anderen Beschäftigten hält, ist in der Arbeitswelt von heute nicht lange überlebensfähig.

Unverzichtbar: Teamfähigkeit

Projektarbeit ist eine moderne Form der Teamarbeit. Im Unterschied zur klassischen Teamarbeit werden zur Bewältigung der Aufgaben nicht nur Mitarbeiter aus einer Abteilung oder Arbeitsgruppe, sondern aus verschiedenen Abteilungen eingesetzt. Soll beispielsweise in einer Bank ein neues Modell für Girokonten entwickelt werden, ist für diese Arbeit das Wissen von unterschiedlichen Experten gefragt. Die Werbeprofis schmieden Pläne für eine Marketing-Kampagne, die Kostenexperten errechnen, zu welchen Preisen das neue Konto angeboten werden kann, und die Kundenberater überlegen, wie sie im Gespräch am Schalter möglichst viele Kunden von den Vorzügen des neuen Girokontos überzeugen können. Dies alles geschieht in ständiger Abstimmung untereinander. Regelmäßige Konferenzen und Treffen begleiten den Arbeitsprozess bis zur Markteinführung.

Abteilungs-übergreifende Zusammen-arbeit

Teamfähigkeit und die Fähigkeit zur Projektarbeit müssen erlernt und eingeübt sein. Sie müssen deshalb mit Ihren schriftlichen Unterlagen deutlich machen, dass Sie diese Fähigkeiten bereits im Studium und in Praktika und Projekten entwickelt und ausgebaut haben.

Selbstständiges Arbeiten: Begriffe wie »Eigeninitiative«, »Verantwortung«, »einsatzfreudig«, »engagiert« oder »selbstständig« tauchen in Stellenanzeigen für Hochschulabsolventen ständig auf. Das zeigt, dass das eigenständige Handeln der Mitarbeiter durch die Teamarbeit noch lange nicht abgeschafft worden ist. Um im Team etwas bearbeiten zu können, muss sich jeder Einzelne sorgfältig vorbereiten. Teamarbeit bedeutet nicht, sich hinter einer Gruppe zu verstecken. Optimale Teamergebnisse gelingen nur dann, wenn alle Gruppenmitglieder mitdenken, Vorschläge machen und sich selbst überlegen, wie sie Arbeitsabläufe verbessern können.

Zeigen Sie sich einsatzfreudig

Belastungs- und Kritikfähigkeit: Stärkere Belastungen während der Arbeitsspitzen führen dazu, dass Beschäftigte zeitweise großem Druck ausgesetzt sind. Nimmt die Belastung zu, ist der Umgangston im Betrieb oft etwas rauer. Unternehmen erwarten von ihren Mitarbeitern, dass sie diesen stärkeren Druck eine gewisse Zeit lang aushalten. Ihre Fähigkeiten im Umgang mit Stress am Arbeitsplatz sind also gefragt. Wer unter Stress schnell die Nerven verliert, wer ständig darüber diskutiert, was andere falsch gemacht haben oder wer sich beleidigt oder schmollend zurückzieht, kassiert Minuspunkte. Unternehmen brauchen Mitarbeiter, die sich auch bei Gegenwind nicht gleich unterkriegen lassen. Wenn Sie Belastungen standhalten und auch über die Bereitschaft verfügen, Kritik anzunehmen und sich damit auseinander zu setzen, sind Sie gefragt.

Starke Nerven und positiver Umgang mit Kritik

Lernbereitschaft: Damit Unternehmen im Wettbewerb um die Kunden bestehen, ist die regelmäßige Teilnahme der Mitarbeiter an Fort- und Weiterbildungsmaßnahmen unverzichtbar. Computerkenntnisse veralten besonders schnell. Ständig werden neue EDV-Systeme und -Programme auf den Markt gebracht. Auch die angebotenen Produkte und Dienstleistungen der Unternehmen selbst verändern sich und müssen ständig optimiert werden. Neben der Bereitschaft zur Teilnahme an Weiterbildungsveranstaltungen wird auch erwartet, dass sich die Mitarbeiter selbstständig über Veränderungen informieren.

Hochschulabsolventen wird generell zugetraut, dass sie in der Lage sind, sich neues Fachwissen anzueignen. Ob sie aber auch nach dem Studienabschluss noch bereit sind, sich das für ihr Berufsfeld aktuelle Wissen zu erschließen, oder ob mit dem Erhalt des Diploms jegliche Lernbereitschaft erloschen ist, ist für ein Unternehmen nur schwer einzuschätzen. Wenn Sie also mit Ihrer Bewerbungsmappe dokumentieren können, dass Sie sich während des Studiums freiwillig Inhalte, die über den Pflichtstoff hinausgehen, erschlossen haben, dann zeigen Sie damit konkret, dass Sie Ihre Lernbereitschaft auch am zukünftigen Arbeitsplatz einsetzen werden.

Lernbereitschaft signalisieren

Analytisches Denken: Analytisches Denken beschreibt die Fähigkeit, komplexe Zusammenhänge in einzelne Arbeitsschritte zergliedern zu können. Diese Fähigkeit spielt im zukünftigen beruflichen Alltag von Hochschulabsolventen eine große Rolle. Zum einen müssen Sie in der Lage sein, berufliche Aufgaben so zu strukturieren, dass Teilprobleme lösbar und beherrschbar werden. Zum anderen müssen Sie Teilergebnisse so verwerten, dass das Gesamtziel erreicht wird.

Aufgaben
strukturiert
bewältigen

Gerade beim Führungsnachwuchs ist das analytische Denken auch als Methode der ergebnisorientierten Menschenführung gefragt. Wer später Teams oder Projektgruppen führen will, muss über die Grundfertigkeit verfügen, ein Projektziel für die jeweiligen Gruppenmitglieder in Einzelaufgaben zu zerlegen, sodass über die Lösung dieser Teile letztendlich das gesamte Projekt erfolgreich bewältigt wird.

Ob angehende Fachkraft oder Führungskraft: Ohne analytisches Denken bei der Zielverfolgung lassen sich anspruchsvolle berufliche Aufgaben nicht erfüllen. Es kommt darauf an, bereits mit dem Anschreiben und dem Lebenslauf zu zeigen, dass Sie in der Lage sind, Aufgaben strukturiert zu bewältigen.

Leistungsbereitschaft: Interessante Einstiegspositionen für Hochschulabsolventen sind fachlich anspruchsvoll, bieten Aufstiegs- und Karrierechancen und werden von den Unternehmen entsprechend finanziell honoriert. Allerdings befürchten viele Unternehmen, diese Positionen an Absolventen zu vergeben, deren Bereitschaft zur (Gegen-)Leistung mit dem Ende der Probezeit erschöpft ist.

Ihre Bewerbung
zeigt Ihre
Motivation

Die Leistungsbereitschaft steht in direktem Zusammenhang mit der Fähigkeit zur Selbstmotivation. Daher überprüfen die Unternehmen bereits bei der ersten Sichtung von Anschreiben und Lebenslauf, welche Ziele sich die Absolventen innerhalb und außerhalb des Studiums gesteckt haben und wie sie mit Rückschlägen umgegangen sind. Wer anhand von be-

Die Suche nach der passenden Stellenanzeige

rufsbezogenen Beispielen aus Praktika oder Projekten zeigen kann, wie er auf Ziele hingearbeitet und sie erreicht hat, veranschaulicht die geforderte Leistungsbereitschaft am besten.

Bewertung persönlicher Fähigkeiten

Die Unternehmen legen bei der Ausschreibung einer Stelle die ihrer Meinung nach unabdingbaren persönlichen Fähigkeiten für die Ausübung des Berufs fest. Bei der Auswertung von Bewerbungen liegt die Schwierigkeit darin, dass sich persönliche Fähigkeiten nicht so leicht erfassen und auch nicht in Noten ausdrücken lassen wie Fachkenntnisse. In Schul- und Ausbildungszeugnissen gibt es keine Noten für Flexibilität, Kreativität oder Teamfähigkeit.

Worthülsen vermeiden

Hinzu kommt das Problem, dass es sich herumgesprochen hat, dass Firmen bestimmte persönliche Fähigkeiten von ihren Mitarbeitern erwarten. Deshalb bezeichnet sich mittlerweile jede Hochschulabsolventin und jeder Hochschulabsolvent im Anschreiben als »motiviert, kreativ und teamfähig«.

Persönliche Fähigkeiten überzeugend belegen
Das Herumwerfen mit Schlagworten erinnert aber unangenehm an die Kontaktanzeigen in den Stadtmagazinen oder an die Party-Lines im Radio: Jeder Zweite beschreibt sich dort als spontan, witzig oder ausgeflippt, aber trotzdem wird man das Gefühl nicht los, dass all diese tollen Typen am liebsten mit Chips und Bier vorm Fernseher hocken.

Eine der wesentlichen Aufgaben von Personalabteilungen ist es deshalb, diejenigen Bewerberinnen und Bewerber, die über die gewünschten persönlichen Fähigkeiten verfügen, von denen zu unterscheiden, die es nur behaupten. Wir werden Ihnen deshalb zeigen, wie Sie gegenüber Firmen die gefragten persönlichen Fähigkeiten in Ihrem Anschreiben und Ihrem Lebenslauf überzeugend belegen.

Muss- und Kann-Anforderungen in Stellenanzeigen

Die Unterscheidung zwischen fachlichen Kenntnissen und persönlichen Fähigkeiten in Stellenanzeigen haben wir Ihnen erläutert. Für die Ausarbeitung Ihrer Bewerbungsmappe ist

Spielräume ausnutzen
weiter noch wichtig, dass Sie lernen, Muss- und Kann-Anforderungen in den Anzeigen zu unterscheiden. Auf diese Vorgaben eines potenziellen Arbeitgebers haben Sie entsprechend zu reagieren.

Wenn Sie mit Ihren Unterlagen Muss-Vorgaben nicht erfüllen, können Sie sich Ihre Bewerbung in der Regel sparen. Wenn Sie dagegen Kann-Vorgaben nicht erfüllen, lohnt sich die Bewerbung trotzdem. Es steht Ihnen ein größerer Spielraum zur Verfügung, den Sie taktisch nutzen können.

Sie erkennen Muss- und Kann-Vorgaben an der Wortwahl in der Stellenanzeige. Wir haben für Sie Originalformulierungen aus Anzeigen, die auf Muss-Anforderungen und auf Kann-Anforderungen hinweisen, zusammengefasst.

Die folgenden Formulierungen verweisen auf Muss-Anforderungen, die die jeweiligen Unternehmen als unverzichtbar für die Ausübung der ausgeschriebenen Stelle ansehen:

So erkennen Sie Muss-Anforderungen

- »Sie wissen, dass Mobilität ein wesentlicher Karrierefaktor ist.«
- »Aufgrund der Internationalität des Hauses werden gute englische und französische Sprachkenntnisse vorausgesetzt.«
- »Vorausgesetzt werden praktische Erfahrungen in Netzwerkprojekten.«
- »Es werden nur Bewerbungen berücksichtigt, bei denen die ... Kenntnisse nachgewiesen sind.«
- »Sie verfügen über mindestens fünf Jahre Berufserfahrung.«
- »Kenntnisse in ... müssen wir voraussetzen.«
- »Der sichere Umgang mit ... ist unabdingbar.«

Wenn Unternehmen dagegen bestimmte Kenntnisse und Fähigkeiten bei der Besetzung einer neuen Stelle für wünschenswert, aber nicht zwingend notwendig halten, werden in Stellenanzeigen die folgenden Kann-Formulierungen gewählt. Mit Kann-Formulierungen sagen die Firmen nicht, dass ihnen die genannten Qualifikationen eigentlich egal sind. Versuchen Sie daher, auch für Kann-Formulierungen Anknüpfungspunkte zu finden, mit denen Sie verdeutlichen, dass Sie ausbaufähige Grundlagen in den geforderten Bereichen besitzen.

Bei den Kann-Qualifikationen anknüpfen

Die folgenden Formulierungen weisen auf Kann-Anforderungen hin:

- »Erste Erfahrungen im Vertrieb wären ideale Voraussetzungen, aber Engagement und das Interesse, sich dieser neuen Aufgabe zu stellen, sind entscheidend.«
- »Branchenkenntnisse wären von Vorteil.«

Muss- und Kann-Anforderungen in Stellenanzeigen **43**

- »Projekterfahrung ist wünschenswert.«
- »Sie verfügen idealerweise über ...«
- »Für diese Aufgabenstellung haben Sie vorzugsweise bereits redaktionelle Erfahrungen gesammelt.«
- »Wenn Sie über ... verfügen, haben Sie die besten Voraussetzungen.«
- »Erfahrungen mit ... sind erwünscht.«

Auf gleichwertige Kenntnisse verweisen

Überlegen Sie bei Kann-Vorgaben, die Sie nicht unmittelbar belegen können, zuerst, ob Sie über Qualifikationen verfügen, die der neue Arbeitgeber als gleichwertig akzeptieren könnte. Selbst wenn andere Bewerber die Kann-Vorgaben besser erfüllen, können Sie dennoch überzeugen, wenn Sie zusätzliche Kenntnisse und Fähigkeiten anbieten, die für die ausgeschriebene Position wichtig sind.

Kann-Anforderung SAP-Kenntnisse

Eine Firma verwendet in der Stellenanzeige für einen IT-Supporter diese Kann-Vorgabe: »Sie verfügen idealerweise über SAP-Kenntnisse.«

Beispiele

Wenn ein Hochschulabsolvent die anderen Vorgaben aus der Stellenanzeige erfüllt, aber keine SAP-Kenntnisse hat, sollte er versuchen, diesen Mangel im Anschreiben durch Flexibilität und Lernbereitschaft auszugleichen.

Beispiel 1   Beispielsweise so: »Die Arbeit mit unterschiedlichen Tabellenkalkulations- und Datenbankprogrammen gehört zu meinen täglichen Aufgaben. In neue Programme habe ich mich stets schnell eingearbeitet.«

Kann-Anforderung Berufserfahrung im Marketing

Wenn sich eine Hochschulabsolventin auf eine in einer Stellenanzeige ausgeschriebene Position als Marketing-Assistentin bewirbt, kann sie die Kann-Anforderung »Wir erwarten von Ihnen erste Berufserfahrung im Marketing« durch Kenntnisse aus einem Praktikum so belegen:

Beispiel 2

»Während meines Praktikums bei der Versandhandel GmbH & Co. KG habe ich im Marketing bereits selbstständig Aufgaben bearbeitet. Dazu gehörten die zielgruppenspezifische Ausarbeitung von Marketingmaßnahmen und die aktive Unterstützung des Sales-Teams.«

Sie sind nun in der Lage, die Anforderungen in Stellenanzeigen zu analysieren. Sie wissen, welche fachlichen Kenntnisse und welche persönlichen Fähigkeiten bei Absolventen gefragt sind. Sie haben darüber hinaus erfahren, dass Sie die Muss-Anforderungen unbedingt erfüllen müssen, Kann-Anforderungen Ihnen jedoch mehr Spielraum beim Abgleich mit Ihren persönlichen Fähigkeiten und Kenntnissen bieten.

Nutzen Sie die Analyse der Stellenanzeige für Ihre persönliche Bewerbung

Jetzt geht es darum, dieses Wissen anzuwenden. Üben Sie, aus Stellenanzeigen die Anforderungen an fachliche Kenntnisse und persönliche Fähigkeiten herauszuschreiben, und lernen Sie, Muss- von Kann-Anforderungen zu unterscheiden.

Stellenanzeigen auswerten

Versuchen Sie, in den folgenden Stellenanzeigen die Anforderungen zu erkennen, und ordnen Sie die einzelnen Anforderungsmerkmale dem Bereich der Fachkenntnisse oder dem der persönlichen Fähigkeiten zu. Unterscheiden Sie zusätzlich Muss- von Kann-Anforderungen. Zunächst ein Beispiel dafür, wie Sie bei der Übung vorgehen.

Kundenberater/in (Fach-)Hochschulabsolvent/in

Sie suchen eine Aufgabe mit Freiraum, in der Sie Ihre Energie, Ihr Kommunikationstalent, Ihre Selbstständigkeit und Dynamik voll einsetzen können? Dann ist dies Ihre Einstiegschance. Sie beraten unsere Kunden vor Ort, informieren über unser umfangreiches Sortiment und stehen als servicebewusster und kompetenter Ansprechpartner jederzeit zur Verfügung. Sie bauen Ihren Kundenstamm kontinuierlich selbstständig aus, realisieren unsere ehrgeizigen Umsatzpläne und verfolgen die Umsetzung von Marketingstrategien. Ihr Arbeitsstil ist durch ein hohes Maß an Eigeninitiative, Organisationstalent und Flexibilität geprägt. Sie verfügen über einen (Fach-)Hochschulabschluss und haben idealerweise im Studium bereits erste Erfahrungen im Einzelhandel gesammelt.

Auswertung

- *Studienrichtung mit Schwerpunkten* . . . .
- *Praktika/Berufskenntnisse:* »Erste Erfahrungen im Einzelhandel«, »Umsetzung von Marketingstrategien«, »Umsatzpläne realisieren«
- *Sprachkenntnisse:* . . . .
- *Computerkenntnisse:* . . . .

- *Kundenorientierung:* »Sie beraten unsere Kunden vor Ort«, »servicebewusster Ansprechpartner«
- *Teamarbeit/Projektarbeit:* »Umsetzung von Marketingstrategien«
- *selbstständiges Arbeiten:* »Aufgabe mit Freiraum«, »Organisationstalent«, »Ihre Selbstständigkeit«
- *Belastungs- und Kritikfähigkeit:* . . . .

- *Lernbereitschaft:* »Informieren über unser umfangreiches Sortiment«
- *analytisches Denken:* »Stehen als kompetenter Ansprechpartner zur Verfügung«
- *Leistungsbereitschaft:* »Ihre Energie und Dynamik einsetzen«, »Kundenstamm ausbauen«, »Umsatzpläne realisieren«

- *Muss-Anforderungen:* »(Fach-)Hochschulabschluss«

- *Kann-Anforderungen:* »Erste Erfahrungen im Einzelhandel«

Die Auswertung dieser Anzeige zeigt Ihnen, dass die Hauptanforderungen auf »selbstständigem Arbeiten« und »hoher Leistungsbereitschaft« liegen. Als Basis wird »Kundenorientierung« und »Lernbereitschaft« verlangt. Fachkenntnisse treten in den Hintergrund. Wer erste Berufskenntnisse in Praktika gesammelt hat, kann mit Akquisitionserfahrung (Kundenstamm ausbauen) und Erfahrung in der Umsetzung von Marketingstrategien punkten. Wer neben dem Studium als Verkäufer gejobbt hat, kann erste Erfahrungen im Einzelhandel nachweisen.

Jetzt sind Sie am Zug. Werten Sie bitte die folgenden Stellenanzeigen aus.

Sales-Trainee

Im Rahmen eines einjährigen Trainee-Programms bieten wir qualifizierten und engagierten Hochschulabsolventen eine praxisnahe Vertriebsausbildung. Schwerpunkte der Trainee-Zeit werden die Bezirksleitung im Außendienst und die Projektarbeit in angrenzenden Bereichen sein. Sie sollten ein abgeschlossenes Studium sowie erste Praxiserfahrungen durch entsprechende Praktika mitbringen. Als international agierendes Unternehmen setzen wir sehr gute Englischkenntnisse in Wort und Schrift voraus. Flexibilität und Mobilität, Durchsetzungsvermögen sowie sehr gute PC-Kenntnisse runden Ihr Profil ab.

Ihre Auswertung

- Studienrichtung mit Schwerpunkten: . . . .
- Praktika/Berufskenntnisse: . . . .
- Sprachkenntnisse: . . . .
- Computerkenntnisse: . . . .

- Kundenorientierung: . . . .
- Teamarbeit/Projektarbeit: . . . .
- selbstständiges Arbeiten: . . . .
- Belastungs- und Kritikfähigkeit: . . . .
- Lernbereitschaft: . . . .
- analytisches Denken: . . . .
- Leistungsbereitschaft: . . . .

- Muss-Anforderungen: . . . .

- Kann-Anforderungen: . . . .

Assistant Consultant für Medienarbeit, Events und Aktionen

Bringen Sie Redaktionserfahrung in der beratenden Medienarbeit von der Exklusivkooperation bis zur Journalistenreise mit? Sind Sie vertraut mit der Organisation und Durchführung von Veranstaltungen, Aktionstagen oder Road-Shows?
Wenn Sie über ein abgeschlossenes Hochschulstudium verfügen und durch mehrere anspruchsvolle Praktika Umsetzungskompetenz in den o.g. Bereichen nachweisen können, freuen wir uns über Ihre Bewerbung. Wir bieten Ihnen motivierte und engagierte Teams, individuelle Qualifizierungsmaßnahmen und eine langfristige Partnerschaft.

Anzeige 3

Ihre Auswertung

- Studienrichtung mit Schwerpunkten: . . . .
- Praktika/Berufskenntnisse: . . . .
- Sprachkenntnisse: . . . .
- Computerkenntnisse: . . . .

- Kundenorientierung: . . . .
- Teamarbeit/Projektarbeit: . . . .
- selbstständiges Arbeiten: . . . .
- Belastungs- und Kritikfähigkeit: . . . .
- Lernbereitschaft: . . . .
- analytisches Denken: . . . .
- Leistungsbereitschaft: . . . .

- Muss-Anforderungen: . . . .

- Kann-Anforderungen: . . . .

Diplomchemiker/in mit abgeschlossener Promotion

Ihre Hauptaufgaben werden die an der Praxis orientierte Entwicklung von Analyseverfahren, die anleitende Betreuung von Mitarbeitern sowie die verantwortliche Auswertung und qualifizierte Beurteilung von Analysedaten sein. Zusätzliche Aufgabe ist die Abfassung projektbezogener analytischer Gutachten.

Für die ausgeschriebene Position erwarten wir Erfahrungen in der instrumentellen Analytik (GC, GC/MS, GC/MS/MS, HPLC). Gute Kenntnisse mit Labordatensystemen und GLP- beziehungsweise ISO 9000.x-Kenntnisse sind von Vorteil. Aufgrund unserer internationalen Ausrichtung sind englische Sprachkenntnisse erforderlich.

Ihre Auswertung

- Studienrichtung mit Schwerpunkten: . . . .
- Praktika/Berufskenntnisse: . . . .
- Sprachkenntnisse: . . . .
- Computerkenntnisse: . . . .

- Kundenorientierung: . . . .
- Teamarbeit/Projektarbeit: . . . .
- selbstständiges Arbeiten: . . . .
- Belastungs- und Kritikfähigkeit: . . . .
- Lernbereitschaft: . . . .
- analytisches Denken: . . . .
- Leistungsbereitschaft: . . . .

- Muss-Anforderungen: . . . .

- Kann-Anforderungen: . . . .

Führungskraft im Medienbereich

Neben einem Studium an einer Universität oder Fachhochschule, analytischer Begabung und mindestens einer Fremdsprache erwarten wir von Ihnen hohe Mobilität und den Willen, eine Führungsaufgabe zu übernehmen. Wenn für Sie überdurchschnittliche Leistungsbereitschaft eine Selbstverständlichkeit ist und Sie Spaß an ständig wechselnden Herausforderungen haben, würden wir Sie gern kennen lernen.

Anzeige 5

Ihre Auswertung

- Studienrichtung mit Schwerpunkten: . . . .
- Praktika/Berufskenntnisse: . . . .
- Sprachkenntnisse: . . . .
- Computerkenntnisse: . . . .

- Kundenorientierung: . . . .
- Teamarbeit/Projektarbeit: . . . .
- selbstständiges Arbeiten: . . . .
- Belastungs- und Kritikfähigkeit: . . . .
- Lernbereitschaft: . . . .
- analytisches Denken: . . . .
- Leistungsbereitschaft: . . . .

- Muss-Anforderungen: . . . .

- Kann-Anforderungen: . . . .

Die Anforderungen
der Unternehmen erkennen

Im Blick

- Für das gesamte Bewerbungsverfahren gilt: Sie müssen die Wünsche der Unternehmen an Ihre fachlichen Kenntnisse und Ihre persönlichen Fähigkeiten erkennen. Sie müssen bereits im Anschreiben und mit dem Lebenslauf nachvollziehbar darstellen, inwieweit Sie diese Anforderungen erfüllen.
- Die fachlichen Kenntnisse lassen sich unterteilen in:
  - Studienrichtung mit Schwerpunkten
  - Praktika beziehungsweise Berufskenntnisse
  - Fremdsprachenkenntnisse
  - Computerkenntnisse
- Die wichtigsten persönlichen Fähigkeiten sind:
  - Kundenorientierung
  - Teamarbeit und Projektarbeit
  - selbstständiges Arbeiten
  - Belastungs- und Kritikfähigkeit
  - Lernbereitschaft
  - analytisches Denken
  - Leistungsbereitschaft
- Welche fachlichen Kenntnisse und welche persönlichen Fähigkeiten gefragt sind, hängt von dem von Ihnen angestrebten Tätigkeitsfeld ab.
- Muss- und Kann-Anforderungen müssen erkannt und unterschieden werden.
- Für Muss-Anforderungen müssen Sie im Anschreiben und im Lebenslauf Belege liefern.
- Bei Kann-Anforderungen ist das Unternehmen bereit, Abstriche zu machen. Erfüllen Sie eine Kann-Anforderung nicht unmittelbar, sollten Sie versuchen, ähnliche Kenntnisse oder Fähigkeiten anzubieten.

4

Die eigenen fachlichen Kenntnisse und persönlichen Fähigkeiten analysieren und belegen

Hochschulabsolventinnen und -absolventen haben mit ihrer schriftlichen Bewerbung nur dann Erfolg, wenn sie sich über ihre Qualifikationen im Klaren sind. Wir zeigen Ihnen nun, wie Sie sich eine Liste Ihrer fachlichen Kenntnisse und persönlichen Fähigkeiten erarbeiten und wie Sie sie belegen können.

Wir wissen aus unserer Beratungspraxis, dass es den meisten Hochschulabsolventen schwer fällt, die Anforderungen des Arbeitsmarktes zu erkennen und geeignet zu belegen. Dies resultiert daraus, dass das vorrangige Ziel von Studierenden erst einmal der Hochschulabschluss und nicht der Berufseinstieg ist. Daher bereitet ihnen die berufsbezogene Darstellung der eigenen fachlichen Kenntnisse und persönlichen Fähigkeiten Schwierigkeiten.

Kenntnisse und Fähigkeiten berufsbezogen darstellen

Fast alle Hochschulabsolventinnen und -absolventen bringen für Arbeitgeber interessante Fähigkeiten und Kenntnisse mit. Sie müssen aber herausgearbeitet und zielgerichtet dargestellt werden.

Ihre fachlichen Kenntnisse

Bei der Herausarbeitung Ihrer fachlichen Kenntnisse können Sie an unsere Unterscheidung in Studienrichtung mit Schwerpunkten, Praktika/Berufskenntnisse, Sprachkenntnisse und Computerkenntnisse anknüpfen. Sie sollten Ihre Fachkenntnisse in mehreren Schritten erfassen:

So erfassen Sie Ihre fachlichen Kenntnisse sinnvoll

1. Werten Sie Ihr Studium aus.
2. Analysieren Sie dann die besonderen Kenntnisse, die Sie sich in Praktika, in Werkstudententätigkeiten, bei Projekten, in der Diplomarbeit, in Jobs und bei Studenteninitiativen angeeignet haben. Haben Sie vor dem Studium eine Berufsausbildung absolviert, sollten Sie die darin erworbenen Kenntnisse ebenfalls herausarbeiten.
3. Erfassen Sie auch außerhalb der Hochschule wahrgenommene Weiterbildungsmaßnahmen und Ihre EDV- und Fremdsprachenkenntnisse.

Fachliche Kenntnisse aus dem Studium

Die Studienschwerpunkte herausarbeiten
Hinter Ihrem Studienabschluss steht eine Fülle von fachlichen Kenntnissen. Schreiben Sie Ihre wesentlichen Studieninhalte auf. Greifen Sie dazu auf Studien- und Prüfungsordnungen zurück. Orientieren Sie sich an den von Ihnen belegten Fächern. Sichten Sie Ihre Seminarscheine und Ihr Vordiplom/ Ihre Bescheinigung über die Zwischenprüfung. Arbeiten Sie Ihre Schwerpunktbildung heraus.

Wir zeigen Ihnen anhand zweier Beispiele, wie Sie dies tun sollten, damit Sie danach in unserer Übung für sich selbst eine solche Zusammenstellung leisten können.

Politologe

Für einen Absolventen der Politologie lassen sich diese fachlichen Kenntnisse ermitteln:

Beispiele

Fachkenntnisse

1. Politische Theorie	3. Systemanalyse
2. Politische Ökonomie	4. Innenpolitik

5. Internationale Beziehungen
6. Empirische Sozialforschung
7. Statistik
8. Wissenschaftstheorie

9. Makroökonomie
10. Staatsrecht
11. Rechtswissenschaften
12. Soziologie

Diplom-Volkswirtin

Eine Diplom-Volkswirtin hat sich in ihrem Studium Wissen in diesen Bereichen angeeignet:

Beispiel 2

Fachkenntnisse

1. Rechnungswesen
2. Rechtswissenschaft
3. Mathematik und Statistik
4. Kostenrechnung und Bilanzen
5. Fertigungs- und Absatzwirtschaft
6. Makroökonomie

7. Wirtschaftspolitik
8. Volkswirtschaftspolitik
9. Außenwirtschaft
10. Preis und Wettbewerb
11. Wachstum und Konjunktur
12. Geld und Kredit

Überlegen Sie sich auch, ob Sie mit Wissensbereichen in Berührung gekommen sind, die nicht zu den eigentlichen Studieninhalten gehören. Was hat Sie seinerzeit besonders interessiert? Wo waren Sie Gasthörer? Welche Gebiete haben Sie sich in Eigenarbeit erschlossen? Welches besondere Wissen haben Sie sich über Ihr Studienfach hinaus erarbeitet?

Kontakt zu anderen Wissensbereichen

Ihre fachlichen Kenntnisse aus Ihrem Studium

Erfassen Sie Ihre fachlichen Kenntnisse aus Ihrem Studium. Finden Sie mindestens zehn Bereiche, in denen Sie sich Wissen angeeignet haben.

Übung

Fachkenntnisse

1.	7. . . . .
2.	8. . . . .
3.	9. . . . .
4.	10. . . . .
5.	11. . . . .
6.	12. . . . .

Fachliche Kenntnisse aus Praktika und anderen beruflichen Erfahrungen

Verknüpfen Sie Wissen und Berufspraxis

Um als Hochschulabsolvent möglichst plausibel darzustellen, dass Sie die Aufgaben der Einstiegsposition bewältigen werden, brauchen Sie Anknüpfungspunkte aus der beruflichen Praxis. Sie müssen deutlich machen, dass Sie Ihr Wissen auch in einem beruflichen Kontext nutzbringend einsetzen können. Wenn Sie klar herausstellen, dass Sie nicht nur gelernt haben, um Hochschulprüfungen zu bestehen, sondern auch um berufliche Aufgaben in den Griff zu bekommen, sind Sie einen entscheidenden Schritt weiter.

Unsere Beispiele zeigen Ihnen, welche Kenntnisse in Praktika oder der Hochschulselbstverwaltung erworben werden können und wie man sie zielgerichtet darstellen sollte. Danach sind Sie mit einer Übung wieder selbst an der Reihe.

Darstellung erworbener Kenntnisse in Praktika und anderen beruflichen Tätigkeiten

Praktikum im Bereich Unternehmensplanung/Controlling

Fachkenntnisse

1. Erstellen von Präsentationsunterlagen, Projektdokumenten, Schaubildern
2. Erarbeitung von Konzepten und Entscheidungsvorlagen
3. Protokollerstellung
4. Vorbereitung von Meetings
5. Projektverfolgung
6. Führen von Statistiken
7. Bearbeitung von internen Anfragen
8. Englisch
9. Arbeit mit MS-Office
10. Internet-Recherche

Praktikum in der Personalentwicklung

Fachkenntnisse

1. Einsatz von Potenzialerfassungsmethoden
2. Terminplanung
3. Reise- und Hotelbuchung
4. Analyse der Erwartungen der Fachabteilungen
5. Review von Kursunterlagen
6. Präsentation von Kursinhalten
7. Erarbeitung von Seminarvorschlägen
8. Entwicklung von Kursunterlagen
9. Angebote von externen Trainern einholen
10. Datenbankpflege

Beispiel 2

Pressereferentin beim AStA

Fachkenntnisse

Beispiel 3

1. Pressemitteilungen verfassen
2. Aufbau und Pflege eines Presseverteilers
3. Versand von Serien-E-Mails
4. Pflege der AStA-Homepage
5. Desktop-Publishing

Ausbildung zum Bankkaufmann

Fachkenntnisse

Beispiel 4

1. Zahlungsverkehr
2. Kontoführung
3. Kassenführung
4. Kreditberechnung
5. Datenbanken

Unterstreichen Sie Ihre Nähe zur beruflichen Praxis

Nehmen Sie Ihre Auflistung Ihrer Praktika, Jobs und Hochschulaktivitäten zur Hand. Listen Sie für alle Tätigkeiten auf, welches Wissen Sie eingesetzt haben, um berufliche Aufgaben zu bewältigen. Sie bereiten jetzt schon den wichtigen Schritt zu einer inhaltlichen Ausgestaltung Ihrer Bewerbung vor. Machen Sie Ihre Nähe zur Berufspraxis deutlich. Durch unsere Übung »Fachliche Kenntnisse aus Ihren Praktika und anderen beruflichen Erfahrungen« erarbeiten Sie sich die Möglichkeit, Fachkenntnisse berufsnah darzustellen.

Fachliche Kenntnisse aus Ihren Praktika und anderen beruflichen Erfahrungen

Stellen Sie möglichst detailliert und umfassend die Kenntnisse heraus, die Sie sich in Praktika angeeignet haben. Dazu gehören auch Sprachkenntnisse und Computerkenntnisse.

Praktikum Nr. 1

Fachkenntnisse

1. . . . .   6. . . . .
2. . . . .   7. . . . .
3. . . . .   8. . . . .
4. . . . .   9. . . . .
5. . . . .   10. . . . .

Praktikum Nr. 2

Fachkenntnisse

1. . . . .   6. . . . .
2. . . . .   7. . . . .
3. . . . .   8. . . . .
4. . . . .   9. . . . .
5. . . . .   10. . . . .

Neben den Kenntnissen aus Ihren Praktika sollten Sie auch die aus anderen Erfahrungsfeldern systematisch erfassen. Analysieren Sie, was Sie in Jobs, in Studenteninitiativen oder in der Hochschulselbstverwaltung gemacht haben und welche Kenntnisse Sie sich dafür aneignen mussten.

Jobs/Studenteninitiativen/ Hochschulselbstverwaltung

Fachkenntnisse

1. . . . .   6. . . . .
2. . . . .   7. . . . .
3. . . . .   8. . . . .
4. . . . .   9. . . . .
5. . . . .   10. . . . .

EDV- und Sprachkenntnisse

Abgerundet wird die Darstellung Ihrer fachlichen Kenntnisse durch Ihre EDV- und Sprachkenntnisse. Nennen Sie die Inhalte der Computer-Kurse, die Sie belegt haben. Führen Sie aber auch die Programme auf, die Sie sich selbst angeeignet haben. Auch bei Ihren Sprachkenntnissen sollten Sie detailliert ausführen, ob es Schulkenntnisse, Auslandsaufenthalte oder spezielle Kenntnisse sind.

Listen Sie Ihre Kenntnisse detailliert auf

Absolvent Wirtschaftsingenieurwesen

Beispiel

EDV-Kenntnisse:
- Rechnerarchitekturen: PC-Netzwerke, UNIX-Workstation
- Betriebssysteme: Windows, WindowsNT, UNIX
- Programmiersprachen: C++, Java
- Anwendungsprogramme: Word, AmiPro, Access, PowerPoint, Excel

Sprachkenntnisse:
- Englisch: Schulkenntnisse, zusätzlich Auslandssemester, Seminar technisches Englisch
- Französisch: Schulkenntnisse

Jetzt sind Sie wieder am Zug. Erfassen Sie Ihre EDV- und Sprachkenntnisse nach Art unseres Beispiels.

Ihre EDV- und Sprachkenntnisse

EDV-Kenntnisse
- Anwendungsprogramme: . . . .
- Betriebssysteme: . . . .
- Programmiersprachen: . . . .
- Rechnerarchitekturen: . . . .

Übung

Sprachkenntnisse:
- Sprache 1: . . . .
- Sprache 2: . . . .
- Sprache 3: . . . .

Ihre persönlichen Fähigkeiten

Auch die intensive Auseinandersetzung mit Ihren persönlichen Fähigkeiten ist unerlässlich. Die Bedeutung der Soft Skills im Arbeitsalltag haben wir Ihnen bereits erläutert. Für Sie kommt es nun darauf an, Ihre individuellen Fertigkeiten zu erkennen. Damit Sie später Personalverantwortliche überzeugen können, sollten Ihre Fähigkeiten möglichst in einem beruflichen Kontext erkennbar werden.

Wichtig:
der berufliche
Kontext

Arbeiten Sie die Fertigkeiten heraus, auf die Sie bei der Lösung erster beruflicher Aufgaben in Praktika oder anderen berufsnahen Erfahrungen zurückgegriffen haben. Viele der schlagwortartig in Stellenausschreibungen genannten Fähigkeiten werden Sie bei sich selbst entdecken. Analysieren Sie, wie Sie Aufgaben lösen, welche Arbeitsweisen Ihnen liegen und welche Form der Zusammenarbeit mit anderen Sie bevorzugen.

Wenn Sie die von Unternehmen gefragten persönlichen Fähigkeiten mit Beispielen aus der beruflichen Praxis belegen können, wird Ihr Bewerberprofil aussagekräftig. Sie setzen sich damit von Durchschnittskandidaten ab, die Schlagworte aneinander reihen, ohne einen Bezug zur eigenen Person und ihren Erfahrungen herzustellen. Überzeugen Sie Personalverantwortliche, indem Sie Ihre persönlichen Fähigkeiten so präsentieren, dass ein Zusammenhang mit der Lösung beruflicher Aufgaben deutlich wird.

So heben Sie
sich von
Durchschnitts-
kandidaten ab

Gehen Sie bei der Analyse Ihrer Soft Skills in zwei Schritten vor. Setzen Sie sich zunächst mit den sieben wichtigsten persönlichen Fähigkeiten auseinander. Anschließend werden Sie sich mit darüber hinausgehenden Fertigkeiten beschäftigen.

Die wichtigsten persönlichen Fähigkeiten

Kundenorientierung, Teamarbeit, selbstständiges Arbeiten, Belastungsfähigkeit, Lernbereitschaft, analytisches Denken und Leistungsbereitschaft – diese Fähigkeiten sollten sich auf jeden Fall in Ihrem persönlichen Repertoire finden. Wir wissen aus unserer Beratungstätigkeit, dass alle Hochschulabsolventinnen und -absolventen diese Anforderungen erfüllen können. Daher sollten Sie sich darauf konzentrieren, sie durch Beispiele zu belegen.

Wir wissen, dass es für Hochschulabsolventen manchmal schwierig ist, ihre Tätigkeiten in adäquater Weise darzustellen. Aber schließlich sollen Personalabteilungen und Personalberatungen aus Ihren Belegen und Beispielen Ihre Befähigung erkennen. Unser Beispiel wird Ihnen verdeutlichen, dass sich in Praktika viele Belege für persönliche Fähigkeiten finden lassen.

Praktika können Ihre persönlichen Fähigkeiten belegen

Praktikum bei einer Internet-Sales-Agentur

Wer ein Praktikum in einer Internet-Sales-Agentur gemacht hat, kann mit diesem Praktikum die sieben wichtigsten persönlichen Fähigkeiten dokumentieren:

Kundenorientierung

Beleg 1: Kunden über Produkte beraten
Beleg 2: Zielgruppenspezifische Erstellung von Angeboten

Teamarbeit/Projektarbeit

Beleg 1: Zusammenarbeit mit Providern
Beleg 2: Zusammenarbeit mit Programmierern

Selbstständiges Arbeiten

Beleg 1: Verkaufsstatistiken erstellt
Beleg 2: Produkt-Mix festgelegt

Belastungs- und Kritikfähigkeit

Beleg 1: Reklamationen bearbeitet
Beleg 2: In der Aufbauphase des Start-Up mitgearbeitet

Lernbereitschaft

Beleg 1: Mit HTML-Programmierung vertraut gemacht
Beleg 2: In Bildbearbeitungs-Software eingearbeitet
Beleg 3: Am Seminar Telefonverkauf teilgenommen

Analytisches Denken

Beleg 1: Verkaufspotenzial von Produkten ermittelt
Beleg 2: Internet-Präsentation von Produkten mit Programmierern abgestimmt

Leistungsbereitschaft

Beleg 1: Arbeit im 24-Stunden-Bestellservice
Beleg 2: HTML-Programmierung neben dem Tagesgeschäft und am Feierabend erlernt

Finden Sie aussagekräftige Belege

Finden Sie aussagekräftige Belege dafür, dass Sie über die sieben wesentlichen persönlichen Fähigkeiten verfügen. Ein Aufgabengebiet aus dem Praktikum kann Ihnen durchaus als Beleg für mehrere Soft Skills dienen. Wer sich, wie in unserem Beispiel, mit der HTML-Programmierung vertraut gemacht hat, belegt damit gleichzeitig seine Lernbereitschaft und seine Leistungsbereitschaft. Die Bearbeitung von Reklamationen belegt die Belastungs- und Kritikfähigkeit sowie die Kundenorientierung.

Die Bedeutung der persönlichen Fähigkeiten variiert hinsichtlich des Berufsfeldes, der Branche und der Größe des Unternehmens. Die Kundenorientierung spielt im Marketing und

Vertrieb naturgemäß eine größere Rolle als in der Konzernrevision. Die Belastungs- und Kritikfähigkeit ist beim Führungsnachwuchs wichtiger als bei Sachbearbeiterstellen. Trotzdem wird für alle Arbeitsfelder sowohl die generelle Kundenorientierung als auch die Belastungsfähigkeit gefordert. Gleiches gilt für die Teamfähigkeit, die Fähigkeit zum selbstständigen Arbeiten, die Lernbereitschaft, die Fähigkeit, analytisch zu denken, und die Leistungsbereitschaft.

Und nun wieder zu Ihnen: Jetzt sollen Sie die sieben persönlichen Fähigkeiten mit Belegen aus Ihren Praktika untermauern. Orientieren Sie sich dazu an unserem obigen Beispiel.

Ihre Belege für die sieben wichtigsten persönlichen Fähigkeiten

Übung

Überlegen Sie sich, in welchen beruflichen Zusammenhängen Ihre Kundenorientierung gefragt war, wann Sie mit anderen zusammengearbeitet haben, wo Sie eigenständig tätig waren, welche Belastungssituationen Sie bewältigt haben, bei welcher Gelegenheit Sie etwas Neues gelernt haben, wo Sie sich komplexe Thematiken Schritt für Schritt erschließen mussten und wo Sie überdurchschnittliches Engagement gezeigt haben.

Kundenorientierung

Beleg 1: . . . .
Beleg 2: . . . .

Teamarbeit/Projektarbeit

Beleg 1: . . . .
Beleg 2: . . . .

Selbstständiges Arbeiten

Beleg 1: . . . .

Beleg 2: . . . .

Belastungs- und Kritikfähigkeit

Beleg 1: . . . .

Beleg 2: . . . .

Lernbereitschaft

Beleg 1: . . . .

Beleg 2: . . . .

Analytisches Denken

Beleg 1: . . . .

Beleg 2: . . . .

Leistungsbereitschaft

Beleg 1: . . . .

Beleg 2: . . . .

Spezielle persönliche Fähigkeiten

Wenn Sie die Stellenanzeigen von Zeitungen überfliegen, sehen Sie, dass neben den generell geforderten persönlichen Fähigkeiten auch spezielle Fertigkeiten gefragt sind. Verlangt wird beispielsweise:

- Flexibilität
- Verantwortungsbewusstsein
- Engagement
- Zielorientierung
- kommunikatives Geschick
- unternehmerisches Denken
- Kreativität

- Eigeninitiative
- Mobilität
- Organisationstalent
- Motivationsfähigkeit

- Präsentationsstärke
- Durchsetzungsvermögen
- Geschäftssinn
- Kontaktstärke

Sie werden mit Ihrem Anschreiben und Ihrem Lebenslauf nur dann überzeugen können, wenn Sie auf die geforderten Soft Skills eingehen. Es genügt auch hier nicht, die Fertigkeiten im Anschreiben stichwortartig aufzuzählen und dann zu behaupten, darüber zu verfügen. Persönliche Fähigkeiten sind erklärungsbedürftig: Sie müssen in einen beruflichen Zusammenhang eingeordnet werden, um Aussagekraft zu gewinnen. Erst wenn Sie konkrete Beispiele nennen, wird für Personalverantwortliche ersichtlich, dass Sie tatsächlich über die gewünschten Anforderungen erfüllen.

Nennen Sie Beispiele für Ihre speziellen persönlichen Fähigkeiten

In unseren Kapiteln »Das Anschreiben: die erste Arbeitsprobe« und »Der aussagekräftige Lebenslauf« werden Sie sehen, wie wir die von Ihnen ausgearbeiteten Beispiele einsetzen, um persönliche Fähigkeiten zu belegen. Erarbeiten auch Sie sich die Möglichkeit, Ihre individuellen Fertigkeiten so darzustellen, dass für die Firmen deutlich wird, warum gerade Sie die Aufgaben der Einstiegsposition bewältigen können.

In unserer Beratungspraxis stellen wir häufig fest, dass sich Hochschulabsolventinnen und -absolventen bei der Ausformulierung von Anschreiben und Lebensläufen selbst blockieren. Zum einen ist vielen Berufseinsteigern nicht klar, dass es in der Bewerbung nicht um die wissenschaftliche Definition einer persönlichen Fähigkeit geht, sondern um den Einsatz der Fertigkeit im zukünftigen Berufsalltag. Zum anderen wollen Absolventen oft für jede Fähigkeit einen eigenen Beleg finden.

Formulieren Sie berufsbezogen

Sie räumen diese Selbstblockade aus dem Weg, wenn Sie sich nochmals vor Augen führen, dass Sie bei der Lösung auch nur einer beruflichen Aufgabe zahlreiche persönliche Fähigkeiten einsetzen.

Praktikum in der Produktentwicklung

Beispiel

Wenn Sie ein Praktikum in der Produktentwicklung gemacht haben, können Sie im Bereich der persönlichen Fähigkeiten so argumentieren: »Ich habe

- Produktideen mitentwickelt (Beleg für die persönlichen Fähigkeiten: Kreativität, Engagement),
- Marktchancen beurteilt (Beleg für die persönlichen Fähigkeiten: unternehmerisches Denken, Geschäftssinn)
- einen Fragebogen erstellt, um die Vorstellungen des Vertriebs, des Marketing und des Service zu erfassen (Beleg für die persönlichen Fähigkeiten: Teamfähigkeit/Projektarbeit, Organisationstalent, Kommunikationsfähigkeit)
- meine Ergebnisse der Geschäftsleitung präsentiert (Beleg für die persönlichen Fähigkeiten: Präsentationsstärke, kommunikatives Geschick)«

Wenn Sie mit konkreten Belegen aus beruflichen Situationen arbeiten, gelingt Personalverantwortlichen die Übersetzung in die geforderten persönlichen Fähigkeiten ganz automatisch. An unserem Beispiel »Praktikum in der Produktentwicklung« haben Sie gesehen, welche persönlichen Fähigkeiten Personalverantwortliche den einzelnen Tätigkeiten zuordnen würden. Jetzt geht es um die Belege für Ihre speziellen persönlichen Fähigkeiten.

Ihre speziellen persönlichen Fähigkeiten

Übung

Suchen Sie sich eine für Sie interessante Stellenanzeige heraus und unterstreichen Sie die geforderten persönlichen Fähigkeiten. Ersatzweise können Sie unseren oben aufgeführten speziellen persönlichen Fähigkeiten vier Anforderungen entnehmen.

Finden Sie berufliche Situationen, in denen Sie die speziellen persönlichen Fähigkeiten eingesetzt haben. Orientieren Sie sich an unserem Beispiel »Praktikum in der Produktentwicklung«. Ordnen Sie den beruflichen Erfahrungen die dahinter stehenden persönlichen Fähigkeiten zu.

Konkrete berufliche Tätigkeit: . . . .
. . . .
. . . .

(Beleg für Fähigkeit 1, Beleg für Fähigkeit 2)

Konkrete berufliche Tätigkeit: . . . .
. . . .
. . . .

(Beleg für Fähigkeit 3, Beleg für Fähigkeit 4)

Auf einen Blick

Eigene fachliche Kenntnisse und persönliche Fähigkeiten erkennen und belegen

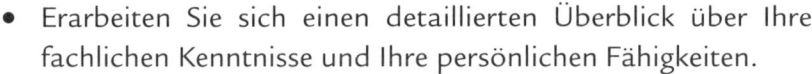

Im Blick

- Erarbeiten Sie sich einen detaillierten Überblick über Ihre fachlichen Kenntnisse und Ihre persönlichen Fähigkeiten.
- Die fachlichen Kenntnisse aus Ihrem Studium können Sie sich mithilfe von Prüfungs- und Studienordnungen verdeutlichen.
- Erfassen Sie ausführlich die Fachkenntnisse aus Praktika, aus Werkstudententätigkeiten, aus Aushilfsjobs, aus Projekten, aus der Mitarbeit in Studenteninitiativen oder eventuell aus vor dem Studium durchlaufenen Ausbildungen.
- Suchen Sie in Ihrem Werdegang nach Belegen für die von Unternehmen gefragten wichtigsten persönlichen Fähigkeiten: Kundenorientierung, Teamarbeit, selbstständiges Arbeiten,

Belastungsfähigkeit, Lernbereitschaft, analytisches Denken, Leistungsbereitschaft.

- Stellen Sie Ihre persönlichen Fähigkeiten anhand dieser Belege über berufliche Erfahrungen dar.
- Auch geforderte spezielle persönliche Fähigkeiten belegen Sie, indem Sie sie in einen konkreten beruflichen Zusammenhang einordnen.
- Mit einer einzelnen beruflichen Erfahrung können Sie mehrere persönliche Fähigkeiten belegen.

5

Den ersten Arbeitgeber finden

Für die gezielte Ansprache von Arbeitgebern gibt es verschiedene Wege. Sie können den offenen Stellenmarkt für sich nutzen, indem Sie auf Zeitungen und Fachzeitschriften oder das Internet zurückgreifen. Oder Sie sprechen Firmenvertreter direkt an, beispielsweise auf Bewerbermessen und Kontakttagen. Wir stellen Ihnen in diesem Kapitel klassische und kreative Wege bei der Suche nach einem Arbeitgeber vor.

Bei der Suche nach potenziellen Arbeitgebern gibt es unterschiedliche Wege, die zum Ziel führen. Einige Wege sind leichter zu gehen, bei anderen müssen Sie mehr Vorarbeit leisten. Neben dem Aufspüren von möglichen Arbeitgebern müssen Sie auch in der Lage sein, einen Kontakt zur Firma herzustellen. Bevor wir Ihnen erläutern, wie Sie am Telefon oder mit Ihrer Bewerbungsmappe überzeugen, stellen wir Ihnen zuerst die Möglichkeiten vor, wie Sie geeignete Unternehmen finden.

Verschiedene Wege zum ersten Arbeitgeber

Klassische Suche

Um Unternehmen zu finden, die Berufseinsteiger suchen, können Sie:

- den Stellenteil in den Wochenendausgaben der Tageszeitungen und/oder branchentypische Fachmagazine mit Stellenmarkt lesen

- gezielt im Internet suchen
- Firmenverzeichnisse bei den Industrie- und Handelskammern und den Handwerkskammern einsehen
- Karrieremagazine auswerten
- Nachschlagewerke nutzen

Der Stellenteil in Zeitungen und Fachmagazinen

Die Bewerbung aufgrund einer Stellenanzeige in den Wochenausgaben der Tageszeitungen ist nach wie vor ein erfolgversprechender Weg, einen Arbeitsplatz zu finden. Gerade weil der Umfang des Stellenangebotes im Internet immer größer und unübersichtlicher wird, bleiben Stellenanzeigen in Zeitungen für Arbeitgeber genauso wie für Stellensuchende interessant. Regionale Zeitungen haben den Vorteil, dass sich Bewerberinnen und Bewerber aus dem lokalen Umfeld der Firma ansprechen lassen. Überregionale Zeitungen ermöglichen eine gezielte Kontaktanbahnung mit speziellen Zielgruppen.

Einer der erfolgversprechendsten Wege

Beschränken Sie sich bei der Suche nach einem Arbeitgeber allerdings nicht auf Ihre Tageszeitung. Kaufen Sie lieber die Samstagsausgaben von verschiedenen Zeitungen. Arbeiten Sie den Stellenmarkt in den Zeitungen durch. Achten Sie darauf, alle Anzeigen zu erfassen, die interessant sein könnten. Nicht nur in großformatigen Stellenausschreibungen bekannter Unternehmen wird Ihre Wunschposition angeboten, manchmal versteckt sie sich auch in einer unauffälligen Anzeige. Schneiden Sie die für Sie interessanten Anzeigen aus, und vermerken Sie dabei das Erscheinungsdatum und den Namen der Zeitung.

Werten Sie ein möglichst breites Zeitungsspektrum aus

Nutzen Sie bei Ihrer Stellensuche auch Fachmagazine. Monatlich oder quartalsweise erscheinende Fachmagazine gibt es mittlerweile für fast alle Branchen. Üblicherweise enthalten sie einen eigenen Stellenteil. Unternehmen greifen bei der Bewerbersuche gern auf Fachmagazine zurück, weil die Bewerberansprache in ihnen gezielt erfolgen kann. Je spezieller die nach-gefragten Kenntnisse sind, desto eher wird eine Anzeige in Fachmagazinen geschaltet.

Stellensuche im Internet

Eine immer wichtigere Rolle bei der Stellensuche spielt das In-ternet. Viele Unternehmen machen ihren Bedarf an neuen Mit-arbeitern meist parallel zu Stellenanzeigen, zum Teil aber auch ausschließlich im Internet bekannt.

Wie Sie wissen, dringt das Internet in viele Bereiche des Le-bens vor. Die Zahl der Nutzer steigt täglich an. In den meisten Branchen und Berufsfeldern gehört die Internetnutzung mittlerweile zum Arbeitsalltag. Aus diesem Grund hat sich das Internet auch als Stellenmarkt etabliert. Immer mehr Firmen machen ihren aktuellen Einstellungsbedarf (zusätzlich) über das Internet bekannt. Sie finden im In-ternet Stellenangebote

Nutzen Sie parallel die Möglichkeiten des Internet

- direkt auf den Homepages der Unternehmen
- in Jobbörsen
- in den Online-Stellenmärkten von Zeitungen

Homepages der Unternehmen: Wenn Sie schon wissen, wel-che Firmen für Sie interessant sind, sollten Sie unbedingt auch einen Blick auf die Firmenhomepages werfen. Dort finden Sie bei vielen Firmen eine Übersicht über die angebotenen Ein-stiegswege. Darüber hinaus bekommen Sie wichtige Informati-onen über Bewerbungstermine, Einstiegsvoraussetzungen und Ansprechpartner. Nutzen Sie dieses Angebot und verschaffen Sie sich mithilfe eines Telefonanrufs Klarheit über die besonde-ren Anforderungen der zu vergebenden Stelle. Wenn Sie nicht sicher sind, wie die Homepage des Unternehmens lautet, geben Sie den Firmennamen einfach in eine Suchmaschine ein.

Jobbörsen: Alle großen Internet-Jobbörsen halten Angebote für Hochschulabsolventen bereit. Geben Sie das Stichwort »Hochschulabsolvent« in der Freitextsuche ein oder nutzen Sie die Detailsuche. Es gibt aber auch spezielle Jobbörsen, zum Beispiel für Informatiker, Naturwissenschaftler, Pädagogen oder Mediziner, die Sie bei Bedarf ebenfalls nutzen können. Interessant sind auch die sogenannten »Job-Robots«, hierbei handelt es sich um Suchmaschinen, die mehrere Jobbörsen, oder auch mehrere Firmenhomepages, gleichzeitig nach Ihren Wünschen durchsuchen. Eine Übersicht mit mehr als 100 aktuellen Jobbörsen und Job-Robots haben wir für Sie auf unserer Homepage *www.karriereakademie.de* zusammengestellt. Hier eine Auswahl von nützlichen Jobbörsen:

Branchenspezifische und allgemeine Suchangebote

Allgemeine Jobbörsen

www.monster.de   www.stellenanzeigen.de
www.jobscout24.de   www.stepstone.de
www.stellen-online.de   www.arbeitsagentur.de
www.jobstairs.de (vorwiegend Großunternehmen)

Job-Robots

www.karriere.de/jobturbo   www.jobrapido.de
www.cesar.de   www.jobscanner.de
www.yovadis.de

Spezielle Jobbörsen

www.aerztestellen.de (Medizin)
www.jobcenter-medizin.de (Gesundheitswesen)
www.klinikstellen.de (Gesundheitswesen)
www.medizinischer-stellenmarkt.de (Gesundheitswesen)
www.jobs.medica.de (Medizin & Medizintechnik)
www.karriere-jura.de (Recht)

www.hochschulstellen.de (Hochschulen und Universitäten)
www.greenjobs.de (Umweltfachkräfte)
www.joborama.de (Sport & Wellness)
www.welljob.de (Wellness)
www.horizont.net (Werbung & Marketing)
www.werbeagentur.de (Werbung & Marketing)
www.karriereundjob.de (Medien)
www.verlagsjobs.de (Medien, Buchhandel, Verlage)
www.kulturmanagement.net (Kultur)
www.ingenieur24.de (Ingenieure, Informatiker,
    Naturwissenschaftler)
www.ingenieurweb.de (Ingenieure, Naturwissenschaftler)
www.bau.net/inserate (Bauingenieure, Architekten)
www.bauingenieur24.de (Bauingenieure, Architekten)
www.biokarriere.net (Biotechnologie, Pharma)
www.chemiekarriere.net (Chemie)
www.jobvector.de (Biotechnologie)
www.dkm.de (Kirche, Caritas)
www.bankjob.de (Banken)
www.assekuranz-stellenmarkt.de (Versicherungen)
www.geojobs.de (Geologie)
www.automotive-job.net (Automobilindustrie)

Jobbörsen Ausland

www.monster.co.uk (Jobbörse Großbritannien)
www.cadresonline.com (Jobbörse Frankreich)
www.job-net.it (Jobbörse Italien)
www.jobbankinfo.org (Jobbörse USA)
www.careerone.com.au (Jobbörse Australien)

Online-Stellenmärkte der Zeitungen: Die in den Wochenendausgaben der Tageszeitungen geschalteten Stellenanzeigen
finden Sie ebenfalls im Internet. Der Vorteil für Sie: Die Anzei-

gen sind dort länger geschaltet als in der parallel erschienenen Printausgabe, Sie können also ein größeres Angebot nutzen. Sie können sich daher auch auf Anzeigen bewerben, die bis zu vier Wochen alt sind. Sind die Internet-Stellenanzeigen älter als vier Wochen, empfiehlt sich ein Anruf bei der Firma, ob es sich noch lohnt, die Bewerbungsunterlagen abzusenden.

Karrieremagazine auswerten

Da Hochschulabsolventen schon immer zu den besonders umworbenen Einsteigern zählten, gibt es für sie viele Karrieremagazine, die zahlreiche Stellenangebote enthalten. Die Stellenangebote aus diesen Printausgaben finden Sie auch im Internet, beispielsweise:

Handelsblatt: Karriere (www.karriere.de)
Karriereführer (www.karrierefuehrer.de)
FAZ-Hochschulanzeiger (www.hochschulanzeiger.de)
Der Hobsons (www.hobsons.de)
Staufenbiel (www.staufenbiel.de)

Firmenverzeichnisse der Industrie- und Handelskammern und der Handwerkskammern

Wenn Sie einen Arbeitgeber in einer ganz bestimmten Region suchen, können Sie in den Industrie- und Handelskammern und Handwerkskammern nach Firmenverzeichnissen fragen. Schreiben Sie die für Sie interessanten Firmenanschriften aus den Verzeichnissen heraus oder lassen Sie sich einen Ausdruck aus der Firmendatenbank der Kammer anfertigen. Einige Kammern machen dies kostenlos, andere verlangen von Ihnen Gebühren für diese Dienstleistung. Erkundigen Sie sich vorher über Gebühren, damit Sie keine unangenehme Überraschung erleben. Die Verzeichnisse enthalten jedoch keine Informationen darüber, ob die Unternehmen aktuellen Einstellungsbedarf haben. Dies müssen Sie selbst mit einem Anruf erfragen.

Wie kommen Sie an Firmenanschriften in bestimmten Regionen?

In vielen Kammern bekommen Sie auch Verzeichnisse der Adressen von Wirtschaftsorganisationen. In diesen Verzeichnissen sind die Verbände, Vereinigungen und Interessengruppen in den einzelnen Wirtschaftszweigen aufgeführt. Es gibt beispielsweise spezielle Verbände innerhalb des Groß- und Außenhandels, des Kreditgewerbes, der Industrie und des Einzelhandels. Im Einzelhandel finden sich unter anderem der Fachverband Deutscher Floristen, der Fachverband Tabakwaren, der Verband des Textileinzelhandels, die Vereinigten Inhaber optischer Geschäfte und der Verband des Kraftfahrzeuggewerbes.

Verbände, Vereinigungen und sonstige Interessengruppen

Sie können gezielt Arbeitgeber in Ihrer Wunschbranche herausfinden, wenn Sie den für Sie interessanten Fachverband anschreiben und um eine Mitgliederliste bitten. Auf diese Weise haben Sie die Möglichkeit, alle für Sie interessanten Arbeitgeber in Ihrer Nähe festzustellen.

Nachschlagewerke

Sie können bei der Suche nach Arbeitgebern auch auf Nachschlagewerke zugreifen. Sie finden darin in der Regel Firmeninformationen über große Unternehmen. Diese Unternehmen haben regelmäßig Bedarf an interessanten Hochschulabsolventen.

Nachschlagewerke enthalten natürlich Informationen über sehr viele Arbeitgeber. Aus diesem Grund müssen Sie selektiv vorgehen. Bereiten Sie Ihre Selbstpräsentation vor, und nutzen Sie die Möglichkeit, vorab telefonisch mit den Personalabteilungen zu klären, ob es Bedarf an Absolventen mit Ihrem Qualifikationsprofil gibt. Dazu können Sie im Kapitel

Gehen Sie gezielt vor

Den Absolventenkongress hatte er sich anders vorgestellt …

»Das Telefon: der schnelle Weg zum ersten Arbeitsplatz« weitere Informationen finden.

Die Nachschlagewerke finden Sie in Stadtbüchereien, Hochschulbibliotheken oder den Berufsinformationszentren der Arbeitsämter. Wenn Sie die Informationen auch auf CD-ROM erhalten können, erleichtert dies die Recherche. Fragen Sie in Ihrer Bücherei oder Hochschulbibliothek nach der Möglichkeit, die CD-ROM an einem Computerarbeitsplatz auszuwerten. Sie können auf diese Nachschlagewerke zurückgreifen:

Die wichtigsten Nachschlagewerke

- *Firmendatenbank. Auskunft-CD* (CD-ROM), Hoppenstedt Verlag, Darmstadt (halbjährliche Aktualisierung)

- *Handbuch der Großunternehmen*, Hoppenstedt Verlag, Darmstadt (halbjährliche Aktualisierung)

- *Mittelständische Unternehmen.* Hoppenstedt Verlag, Darmstadt (erscheint jährlich)

- *Seibt Industriekatalog. Produkte – Lieferanten – Dienstleister mit DIN-Bezugsquellenteil*, Seibt Verlag (regelmäßige Aktualisierung)

- *Verbände, Behörden, Organisationen der Wirtschaft* (CD-ROM), Hoppenstedt Verlag, Darmstadt (regelmäßige Aktualisierung)

- Peter Jüde, *Berufsplanung für Geistes- und Sozialwissenschaftler. Oder die Kunst, einer Karriere zu planen*, Staufenbiel Institut, Köln, 1. Auflage 1999

- Albert Oeckel u. a. (Hg.), *Taschenbuch des öffentlichen Lebens. Deutschland* (CD-ROM), Festland Verlag, Bonn (jährliche Aktualisierung)

Kreative Suche

Die eben beschriebenen traditionellen Suchwege nach einem Arbeitgeber haben den Vorteil, dass Sie die Adressen von sehr vielen Unternehmen bekommen. Das ist gleichzeitig auch der Nachteil an dieser Methode. Vielleicht möchten Sie ja zielgerichteter vorgehen. Wenn ja, können Sie unsere folgenden Tipps und Hinweise berücksichtigen.

Ein effektiver Weg zu einem Arbeitsplatz ist die Kontaktaufnahme mit Unternehmensvertretern, die Sie in Ihre Bewerbungsstrategie einbinden. Kontakte mit Unternehmensvertretern können Sie bei Bewerbertagen, Kontaktmessen, Firmenvorträgen, Fachmessen oder Kongressen knüpfen.

Suchen Sie Kontakt zu Unternehmensvertretern

Hier sollten Sie nach der Devise vorgehen: »Ich bin an der Aufgabe und nicht nur am Geld interessiert.« Diese Devise sollten Sie immer beherzigen, wenn Sie auf Firmenvertreter treffen, mit denen Sie ein kurzes Gespräch führen können. Bauen Sie sich Ihre eigenen Kontakte in die Firmen auf. Bereiten Sie Ihren Berufseinstieg strategisch vor.

Die wichtigste Regel hierbei ist: Sprechen Sie das Wort »Bewerbung« beim ersten Kontakt nicht zu früh aus. Viele Firmenvertreter schalten ab, wenn Absolventen auch nur die leiseste Andeutung machen, dass sie einen Arbeitsplatz suchen. Deshalb sollten Sie anfangs nur »Fachgespräche« führen und keine Bemerkung über ein Interesse an einer Anstellung machen.

So sammeln Sie Pluspunkte

Der Hintergrund solcher Vorgehensweise ist, dass in großen Unternehmen die Personalabteilungen oft als Letzte erfahren, in welchen Fachabteilungen künftig Einstellungsbedarf ist, da das Vertrauen in die Arbeit der Personalexperten gelegentlich erschüttert ist. Daher halten Fachvorgesetzte bei Tagungen und Kongressen selbst die Augen und Ohren nach geeigneten Bewerbern auf.

Signalisieren Sie Interesse an der Berufspraxis

Sie sammeln bei Mitarbeitern aus den Fachabteilungen Punkte, wenn Sie gleich am Anfang des Gesprächs Ihr Interesse an der Berufspraxis verdeutlichen. Stellen Sie sich nicht als Bewerber, sondern als am Fach interessierter Student dar. Firmenvertreter fühlen sich geschmeichelt, wenn Sie um Rat fragen, wie Sie Ihr Studium am besten auf spätere Berufstätigkeiten zuschneiden können. Auch auf die Frage nach dem eigenen Werdegang geben Firmenvertreter erfahrungsgemäß gern Auskunft. Wenn sich im Gespräch eine gegenseitige Sympathie entwickelt, können Sie am Ende ruhig zu erkennen geben, dass Sie nach Ihrem Studium an einem Einstieg in dieser Firma interessiert wären.

Kreative Kontaktaufnahme

Beispiele

Kontaktaufnahme während einer Messe: »Guten Tag Herr Schmidt, mein Name ist Claudia Reisig, ich studiere Informatik. Was kann ich in meinem Studium noch machen, um mich mit aktuellen Anforderungen an Informatik-Spezialisten vertraut zu machen?«

Beispiel 2

Kontaktaufnahme nach einem Vortrag: »Vielen Dank für den interessanten Vortrag. Für mich als Studenten ist die praktische Umsetzung von Marketing-Strategien besonders interessant gewesen. Haben Sie einen Tipp für mich, wie ich noch besser mit der Praxis in Berührung kommen kann?«

Wenn Sie einen Kontakt zu Ihrem Gesprächspartner gefunden haben und sich ein kurzes Gespräch ergeben hat, sollten Sie sich die Möglichkeit schaffen, den Kontakt zu Ihrem Gesprächspartner auch fortführen zu können. Fragen Sie nach der Visitenkarte Ihres Gesprächspartners. Beispielsweise so: »Ich würde mich freuen, wenn ich mich noch einmal bei Ihnen melden könnte. Haben Sie vielleicht eine Visitenkarte für mich?«

Nach einiger Zeit können Sie sich telefonisch melden. Erinnern Sie an den persönlichen Kontakt auf der Veranstaltung, und betonen Sie kurz Ihr Interesse an der Firma. Zeigt Ihr Gesprächspartner dann prinzipielles Interesse an Ihnen und verweist auf einen Einstellungsbedarf, können Sie weitermachen. Schicken Sie Ihre Bewerbungsunterlagen an Ihren Ansprechpartner aus der Fachabteilung.

Halten Sie den Kontakt aufrecht

Bitten Sie Ihren Gesprächspartner im Unternehmen darum, Ihre Bewerbungsunterlagen an die Personalabteilung weiterzuleiten. Argumentieren Sie damit, dass Ihnen der Einstieg in gerade diese Firma zu wichtig ist, um den üblichen Bewerbungsweg zu gehen, und dass Sie sich deshalb über einen persönlichen Kontakt bewerben möchten.

Als Erfolgsregel für diese Bewerbungsart gilt: Je höher der Ansprechpartner aus der Fachabteilung in der Firmenhierarchie steht, desto größer sind Ihre Chancen auf ein Vorstellungsgespräch. Versuchen Sie daher, die Stellung Ihrer Gesprächspartner in der Firmenhierarchie möglichst schnell zu erfahren. Bitten Sie schon bei den ersten zwanglosen Kontakten um eine Visitenkarte.

Achten Sie auch darauf: Bei der Direktansprache von Mitarbeitern aus den Fachabteilungen darf man Sie nicht für einen Bewerber halten, der auf der Suche nach »irgendeinem« Arbeitgeber ist. Diese Art Bewerber erkennt man daran, dass sie auf Messen mit einem kompletten Satz von Bewerbungsunterlagen unter dem Arm aufgeregt von Stand zu Stand laufen und in penetranten Gesprächen die Firmenvertreter drängen, die Unterlagen mitzunehmen und zu prüfen. Aller-

Machen Sie deutlich, warum Sie sich gerade für diese Firma interessieren

dings werden jeder Firma die gleichen Unterlagen angeboten. Die Individualität der schriftlichen Bewerbung, die sich daran zeigt, dass der Bewerber sich nach einem ersten Kontakt noch weiter mit den Anforderungen einer Firma auseinander gesetzt hat, bleibt hier auf der Strecke.

Setzen Sie sich bei der persönlichen Kontaktaufnahme realistische Ziele. Zunächst geht es darum, überhaupt einen Ansprechpartner im Unternehmen zu finden. Sie müssen nicht gleich als Bewerber überzeugen. Eine Kontaktaufnahme zu Firmenvertretern ist schon eine Leistung an sich. Damit unterscheiden Sie sich bereits von der Masse Hochschulabsolventen. Mit Ihrer schriftlichen Bewerbung können Sie dann den Sympathiebonus ausbauen und sich so eine Einladung zum Vorstellungsgespräch verschaffen.

Auf einen Blick

Den ersten Arbeitgeber finden

Im Blick

- Nutzen Sie den Stellenteil in Zeitungen und Fachmagazinen.
- Das Stellenangebot im Internet ist vielfältig. Sie können die Homepages der Unternehmen sichten, auf Jobbörsen zugreifen, die Online-Stellenmärkte von Zeitungen und Zeitschriften auswerten.
- In den Firmenverzeichnissen der Industrie- und Handelskammern und der Handwerkskammern finden Sie Informationen und Adressen von Unternehmen.
- Nachschlagewerke enthalten Adressen interessanter Arbeitgeber.
- Bauen Sie sich im Vorfeld Ihrer Bewerbung persönliche Kontakte auf. Bewerbertage, Kontaktmessen, Firmenvorträge, Tagungen und Weiterbildungskongresse sind das ideale Umfeld, um Ansprechpartner kennen zu lernen.

6
Initiativbewerbungen:
der aktive Berufseinstieg

Initiativbewerbungen sind für Hochschulabsolventinnen und -absolventen eine wichtige Bewerbungsstrategie. Nicht alle Unternehmen suchen Nachwuchs gezielt über Stellenanzeigen. Der Einstellungsbedarf kleiner und mittelgroßer Unternehmen muss wegen fehlender Personalmarketingmaßnahmen von den Bewerbern oft selbst ermittelt werden. Größere Firmen sind immer an leistungsstarken Absolventen interessiert.

Initiativbewerbungen bedeuten für Personalverantwortliche zusätzliche Arbeit, denn neben der Überprüfung des Bewerberprofils müssen die Personalverantwortlichen bei Hochschulabsolventinnen und -absolventen auch geeignete Einstiegsmöglichkeiten in das Unternehmen suchen. Die Entwicklung eines neuen Mitarbeiters muss bei einem Direkteinstieg zusammen mit den Fachabteilungen geklärt werden.

Durch eine Initiativbewerbung zum Trainee werden

Wenn Trainee-Programme angeboten werden, ist ein Teil dieser Vorarbeit im Unternehmen bereits geleistet worden. Gerade für den Einstieg in Trainee-Programme ist eine Initiativbewerbung sinnvoll. Sie sollten eine Initiativbewerbung jedoch nicht mit einer Blindbewerbung verwechseln.

Initiative zeigen, statt blind bewerben

Hochschulabsolventen verschicken gern Bewerbungsmappen an Unternehmen, ohne sich vorher mit den Wünschen der Unternehmen auseinander zu setzen und das eigene Profil darauf abzustimmen. Diese Vorgehensweise nennen Personalverantwortliche Blindbewerbung. Typische Negativmerkmale von Blindbewerbungen sind der immer gleiche Standardtext im Anschreiben und der standardisierte Lebenslauf. Blindbewerbungen werden gern mithilfe von Adresssammlungen am PC mit der Funktion Serienbrief erstellt.

Initiativbewerbungen unterscheiden sich deutlich von Blindbewerbungen durch die geleistete Vorarbeit der Bewerber. Zwar gilt auch für Initiativbewerbungen, dass es keine konkreten Stellenanzeigen in Zeitungen, Fachmagazinen oder im Internet gibt. Bevor Sie Ihre Bewerbungsmappe an die für Sie interessanten Firmen schicken, zeigen Sie jedoch »Initiative«: beispielsweise durch ein erstes Telefonat oder durch ein Gespräch mit Firmenvertretern auf Kontaktmessen, bei Firmenvorträgen, auf Fachmessen, bei Bewerber-Workshops oder auf Recruiting-Veranstaltungen.

Gute Vorarbeit ist wichtig

Für Personalabteilungen sind Initiativbewerbungen Ihre erste Arbeitsprobe. Da Sie nicht auf ein ausgeschriebenes Stellenprofil zugreifen können, müssen Sie mit Ihren Kenntnissen und Fähigkeiten von sich aus Interesse erwecken. Überzeugende Initiativbewerbungen zeigen Personalverantwortlichen Ihre persönlichen Fähigkeiten »Kundenorientierung«, »selbstständiges Arbeiten«, »analytisches Denken« und »Leistungsbereitschaft«. Sie ermöglichen ihnen den Rückschluss, dass Sie diese persönlichen Fähigkeiten auch im zukünftigen Arbeitsalltag zur Umsetzung Ihrer Kenntnisse einsetzen werden.

Erst Kontakte knüpfen, dann eine Initiativbewerbung losschicken

Sie entsprechen mit Ihrer Initiativbewerbung den Anforderungen der Personalabteilungen, wenn Sie sich vor Ihrer Bewerbung auf Informationssuche begeben und diese Informationen in Ihr Anschreiben und Ihren Lebenslauf einfließen lassen.

Initiativbewerbungen ohne einen vorherigen Kontakt zum Unternehmen halten wir aus unserer Beratungserfahrung für reine Zeitverschwendung. Die schnellen und positiven Rückmeldungen, die man im Gegensatz dazu durch gut vorbereitete Initiativbewerbungen erreichen kann, können auch Sie sich erarbeiten.

Der sinnvolle Einsatz von Initiativbewerbungen

Aus unserer Beratungspraxis wissen wir, dass sich Hochschulabsolventen oft überlegen, ob für sie Initiativbewerbungen Sinn machen. Diese Frage lässt sich nicht allgemeingültig beantworten. Es kommt darauf an,

- ob Sie sich für ein Trainee-Programm bewerben wollen
- wie gut Ihre Vorarbeit vor der Initiativbewerbung ist
- bei wie vielen Unternehmen Sie sich initiativ bewerben möchten
- wie individuell Ihre Initiativbewerbung auf das jeweilige Unternehmen zugeschnitten ist und
- wie groß die von Ihnen beworbenen Unternehmen sind

Gezielte Vorbereitung

Generell raten wir Ihnen, auch Initiativbewerbungen gut vorzubereiten und auf das einzelne Unternehmen zuzuschneiden. Der Massenversand von Bewerbungen belastet Sie nicht nur finanziell, er kann Ihnen bei einigen Unternehmen auch offene Türen für immer zuschlagen: Es ist bekannt, dass manche Unternehmen Verzeichnisse abgelehnter Bewerber führen. Wenn Sie also aufgrund einer standardisierten Bewerbung eine Ablehnung erhalten, wird die Personalabteilung Ihre Daten mit dem Vermerk »Bewerber ungeeignet« abspeichern. Bei späteren Bewerbungen werden Sie dann automatisch aussortiert. Bereiten Sie schon allein aus diesem Grund Ihre Initiativbewerbungen gezielt vor.

Individuelle Bewerbungen sind unabdingbar

Trainee-Programm: Trainee-Programme dienen hauptsächlich zur Rekrutierung von Führungsnachwuchs. Aus diesem Grund richten die Unternehmen ihr Augenmerk verstärkt auf die persönlichen Fähigkeiten der Berufseinsteiger. Wie Sie wissen, müssen Sie im Bewerbungsverfahren Ihre persönlichen Fähigkeiten plausibel darstellen können.

Wenn Sie vor einer Initiativbewerbung persönlich oder telefonisch Kontakt zu Unternehmensvertretern aufnehmen, liefern Sie damit einen ersten Beleg für die nachgefragten persönlichen Fähigkeiten selbstständiges Arbeiten, Leistungsbereitschaft und Kommunikationsfähigkeit. Damit erwerben Sie sich einen Startvorteil, den Sie mit Ihren Bewerbungsunterlagen ausbauen können.

Um den Startvorteil zu nutzen, muss Ihre Initiativbewerbung deutlich machen, dass Sie über Potenzial verfügen. Liefern Sie konkrete Belege für Ihre überdurchschnittlichen persönlichen Fähigkeiten. Stellen Sie heraus, was Sie im Studium über die normalen Anforderungen hinaus getan haben, verdeutlichen Sie Ihr Engagement und Ihre Leistungsbereitschaft. Beschreiben Sie beispielsweise, wie Sie in Studenteninitiativen mitgearbeitet haben, welche Kontakte Sie zu Unternehmen aufgebaut haben oder an welchen Projekten Sie beteiligt waren.

Mitarbeit in der Studenteninitiative

Beispiele

Eine Hochschulabsolventin mit der Studienrichtung Betriebswirtschaft hat bei der Studenteninitiative Market Team e.V. zwei Jahre mitgearbeitet. Im ersten Jahr übernahm sie die Aufgabe, allgemeine Veranstaltungen wie Partys, Erstsemestertreffen und Firmenbesichtigungen zu organisieren. Im zweiten Jahr wurde sie in den Vorstand gewählt und war dort hauptsächlich für Kontakte zu Unternehmen und das Einwerben von Sponsorengeldern zuständig. Im Anschreiben ihrer Initiativbewerbung konnte sie die Belege für ihre persönlichen Fähigkeiten so darstellen:

»Neben dem Studium habe ich für die Studenteninitiative Market Team e.V. einen Förderkreis aus regionalen Unternehmen aufgebaut, den Firmen die Möglichkeit zur Selbstdarstellung in der Hochschule ermöglicht und Sponsorengelder eingeworben.«

Projektmitarbeit am Lehrstuhl

Ein wissenschaftlicher Assistent am Lehrstuhl für theoretische Physik hatte Teilaufgaben des internationalen Projektes »Der Einsatz von Supraleitern« bearbeitet. In seinem Initiativanschreiben konnte er seine persönlichen Fähigkeiten aus der Projektmitarbeit so belegen:

Beispiel 2

»Ich verfüge über Projekterfahrung. Die Abstimmung mit Kollegen aus anderen Fachgebieten ist mir ebenso vertraut wie die Ergebnispräsentation auf internationalen Tagungen.«

Weitere Anregungen für Formulierungen finden Sie im Kapitel »Gelungene Initiativanschreiben und Lebensläufe«.

Vorarbeit: Initiativbewerbungen ohne vorherige Kontaktaufnahme sind wenig sinnvoll. Sie sollten im Vorfeld Ihrer Initiativbewerbung immer einen konkreten Ansprechpartner für Ihre Bewerbung herausfinden, damit Sie Ihre Unterlagen nicht wahllos »An die Personalabteilung« senden müssen. Initiativbewerbungen, die mit der Anrede »Sehr geehrte Damen und Herren« beginnen, bekommen von Personalverantwortlichen schon am Anfang der Prüfung den ersten Minuspunkt. Bestätigt der anschließende Text des Anschreibens die Vermutung, dass ein Bewerber standardisierte Serienbewerbungen verschickt, hat er die Chance auf positive Aufmerksamkeit verspielt.

Greifen Sie vor einer Initiativbewerbung zum Telefon. Bringen Sie in einem ersten telefonischen Kontakt Ihr Qualifikationsprofil ins Spiel, und finden Sie heraus, ob das Unternehmen kurz- oder mittelfristig dieses Profil nachfragt. Im Kapitel »Das Telefon: der schnelle Weg zum ersten Arbeitsplatz« erklären wir Ihnen, wie Sie telefonische Kontakte erfolgversprechend gestalten. Oder Sie erarbeiten sich einen persönlichen Kontakt auf Bewerbertagen, in Workshops, bei Recruiting-Veranstaltungen, nach Firmenvorträgen, auf Fachmessen oder über die aktive Mitarbeit in Studenteninitiativen.

Wie Sie Kontakt aufnehmen können

Tipps für Ihre Kontaktaufnahme finden Sie im Kapitel »Den ersten Arbeitgeber finden«.

Anzahl der Unternehmen: Es gibt Hochschulabsolventinnen und -absolventen, die bei ihren Bewerbungen auf eine bestimmte Erfolgsquote hoffen. Sie gehen nach dem Motto »Wenn ich möglichst viele Bewerbungen versende, dann wird schon irgendwann eine Stelle für mich herausspringen« ins Bewerbungsverfahren. Leider trifft diese Ansicht nicht zu. Wir kennen aus unserer Beratungstätigkeit Hochschulabsolventen, die auch auf die 120ste Bewerbung keine positive Resonanz erhalten haben. Die Spielregel der Bewerbung lautet nicht »Viel hilft viel«, sondern »Klasse statt Masse«.

Qualität statt Quantität

Für manche Berufseinsteiger ist es allerdings durchaus sinnvoll, Kontakt zu vielen Unternehmen aufzunehmen, um einen geeigneten Arbeitsplatz zu finden. Wer über sehr spezielle Kenntnisse verfügt und davon ausgehen muss, dass sein Profil nur selten in Stellenanzeigen nachgefragt wird, muss breiter recherchieren.

Beratung

Aus unserer Beratungspraxis

Der Sinologe

Ein von uns betreuter Student der Sinologie hatte den Wunsch, in betriebswirtschaftlichen Arbeitsfeldern tätig zu werden. Eine Arbeit als Übersetzer nach dem Studium erschien ihm wenig reizvoll. Er hatte im Hauptstudium einen einjährigen Aufenthalt an der Universität von Shanghai absolviert. Dabei hatte er Vertreter deutscher Firmen kennen gelernt. Diese Kontakte vertiefte er nach seinem China-Aufenthalt in der Deutsch-Chinesischen-

Gesellschaft. Sein Berufseinstieg gelang ihm dadurch, dass er sein von uns ausgearbeitetes Profil telefonisch Industrieunternehmen vorstellte, die in China tätig waren. Die Firmenrecherche betrieb er über seine persönlichen Kontakte und über die Abteilung für Außenwirtschaftskontakte des Deutschen Industrie- und Handelstages, DIHT.

Fazit: Ist das Profil von Berufseinsteigern sehr speziell, empfiehlt sich die gezielte Kontaktanbahnung. Eigeninitiative ist notwendig, um geeignete Unternehmen von der Nützlichkeit der erworbenen Kenntnisse und Fähigkeiten zu überzeugen.

Für andere Absolventen ist es wichtig, sich eine möglichst große Auswahl von potenziellen Arbeitgebern zu erschließen, um daraus den Wunscharbeitgeber herauszufiltern. Hier steht der Wunsch nach einem möglichst optimalen Arbeitsumfeld im Vordergrund. Für diese Bewerber ist es nicht wichtig, überhaupt einen Arbeitgeber zu finden. Sie wollen den perfekten Karrierestart und haben genaue Vorstellungen hinsichtlich der Unternehmenskultur und unternehmensinterner Karrierewege.

Gleichen Sie Ihre Vorstellungen mit den Wünschen des Unternehmens ab

Wer mit möglichst vielen Unternehmen Kontakt aufnehmen möchte, sollte jedoch sein Profil nicht schriftlich in alle Winde verstreuen, sondern auch bei einer größeren Zahl von Bewerbungen darauf achten, die Wünsche der einzelnen Unternehmen mit seinen Vorstellungen abzugleichen. Dies gelingt nur durch eine vorherige telefonische Kontaktaufnahme.

Individualität der Bewerbungsunterlagen: Auch für Initiativbewerbungen gilt: Individualität überzeugt. Vergeuden Sie nicht Ihre mentalen und finanziellen Ressourcen. Gehen Sie auch bei Initiativbewerbungen gezielt vor. Gerade bei Initiativbewerbungen ist Ihr aussagekräftiges Profil besonders wichtig, denn Initiativbewerbungen unterliegen höheren Anforderungen als Bewerbungen auf Stellenanzeigen.

Bei einer Stellenanzeige rechnen die Personalabteilungen mit Bewerbungen. Deshalb ist die Bereitschaft, sich mit Ihrer Bewerbungsmappe auseinander zu setzen, bei einer offen ausgeschriebenen Stelle automatisch vorhanden. Bei Initiativbewerbungen müssen Personalverantwortliche nicht nur Ihr Bewerberprofil erfassen, sondern auch überlegen, wie es im Unternehmen einsetzbar wäre. Um Personalverantwortliche zu dieser zusätzlichen Arbeit zu bewegen, müssen Sie Vorarbeit leisten. Die Anforderungen, die Sie sonst Stellenanzeigen entnehmen können, müssen Sie für Initiativbewerbungen zum großen Teil selbst definieren.

Machen Sie deutlich, welche Anforderungen Sie erfüllen

Dazu sollten Sie als Vorarbeit aus ähnlichen Stellenanzeigen die für Ihre angestrebte Berufstätigkeit gängigen Anforderungen heraussuchen und schriftlich fixieren. Damit erstellen Sie sich ein Basisprofil. Dieses Basisprofil sollten Sie bei Ihrer telefonischen Kontaktaufnahme einsetzen. Wenn Sie dadurch interessant für das Unternehmen erscheinen, wird man Ihnen auch gern zusätzliche Anforderungen nennen, die Sie erfüllen müssen. Sie wissen dann, worauf die Firmenseite »anspringt«. Die besonders herausgestellten Anforderungen sollten Sie in Ihrem Initiativanschreiben aufgreifen und belegen. Auf diese Weise erarbeiten Sie sich ein konkretes und individuelles Profil.

Initiativbewerbung als Führungsnachwuchs-Trainee

Eine Studentin bewirbt sich für Trainee-Programme für Führungsnachwuchs. Bei der Durchsicht von Imagebroschüren und Informationsmaterialien über Trainee-Programme ergeben sich diese Anforderungen:

- Kenntnis von Marktstrategien
- solide betriebswirtschaftliche Basis
- zügiges Studium
- fachbezogene Praktika
- Auslandsaufenthalte
- Teamfähigkeit
- verhandlungssicheres Englisch
- Kreativität
- Bereitschaft zur ständigen Weiterentwicklung
- ausgeprägte Sozialkompetenz

Im Telefongespräch zur Vorbereitung ihrer Initiativbewerbung werden diese zusätzlichen Anforderungen genannt:

- Aktivitäten außerhalb der Hochschule
- Bereitschaft zur Übernahme von Verantwortung

Im Anschreiben kann die Bewerberin die erfragten Informationen dann so aufgreifen: »Vielen Dank für Ihr Interesse an meinen Bewerbungsunterlagen. Für Ihr Trainee-Programm Führungsnachwuchs bringe ich ein zügig durchlaufenes Betriebswirtschaftsstudium mit. Neben dem Studium habe ich in einer studentischen Unternehmensberatung mitgearbeitet. Als Leiterin eines Beratungsteams habe ich die von meiner Gruppe durchgeführten Analysen der Geschäftsleitung präsentiert und daraus zusammen mit Firmenvertretern innovative Marktstrategien erarbeitet.«

Größe des Unternehmens: Je kleiner Unternehmen sind, desto geringer sind die Chancen, im Stellenmarkt der Zeitungen eine ausgeschriebene Stelle gerade zum Ende Ihres Studiums zu finden. Hochschulabsolventinnen und -absolventen, die in kleinen und mittelständischen Unternehmen in den Beruf einsteigen wollen, sollten sich rechtzeitig ins Gespräch bringen. Schon ab der Mitte des Hauptstudiums sollten Sie von sich aus auf Unternehmen zugehen, um den Übergang von der Hochschule ins Berufsleben reibungslos zu gestalten.

Schon im Hauptstudium auf Unternehmen zugehen

Gerade kleinere Unternehmen sichten gerne Initiativbewerbungen, um geeigneten Nachwuchs rekrutieren zu können. Ihre Bewerbung hilft Ihnen dabei, in den Pool interessanter Absolventen aufgenommen zu werden. Damit steigen Ihre Chancen, dass das Unternehmen sich bei frei werdenden Einstiegspositionen direkt an Sie wendet, statt die Stelle öffentlich auszuschreiben.

Große Unternehmen und Beratungsgesellschaften haben ständig Interesse an interessanten Absolventen. Sie erkennen dies auch am aufwändigen Personal-Marketing. Dazu gehören regelmäßig geschaltete Imageanzeigen in Zeitungen, Zeitschriften und Nachschlagewerken für akademische Berufseinsteiger, Vorträge an Hochschulen, die Teilnahme an Firmenkontakttagen und die Durchführung von Bewerber-Workshops. Das umfassende Personal-Marketing größerer Unternehmen hat für Sie zwar den Vorteil, dass Sie leicht Adressen herausfinden, an die Sie Ihre Initiativbewerbung schicken können. Aber der Nachteil besteht darin, dass die entsprechenden Adressen für Initiativbewerbungen bei großen Unternehmen allgemein bekannt sind. Große Firmen gehören traditionell zu den Wuncharbeitgebern von Hochschulabsolventen. Für Ihre Bewerbungsstrategie bedeutet dies, dass Sie sich mit Ihren Unterlagen von der Masse Ihrer Mitbewerber abheben müssen.

Das Personal-Marketing bei großen Unternehmen

Der richtige Zeitpunkt

Ein wichtiger Erfolgsfaktor für Initiativbewerbungen ist die Wahl des richtigen Zeitpunkts. Absolventen, die erst nach dem Abschluss ihres Studiums in die aktive Bewerbungsphase gehen, sind bei den Unternehmen, die sich den Top 300 zugehörig fühlen, ungern gesehen. Einen Sympathiebonus erzielen die Bewerber, die sich vor dem Ende des Studiums bewerben, also parallel zur Stressphase Diplomarbeit und Diplomprüfung. Dies zeigt der Unternehmensseite, dass der Bewerber besonders belastungsfähig ist, in seiner Karriereplanung nichts dem Zufall überlässt und über überdurchschnittliche Leistungsreserven verfügt.

Bewerben Sie sich schon in der Diplomphase

Hinzu kommt, dass viele Trainee-Programme der Unternehmen in einem festgelegten Zeitrahmen stattfinden, der natürlich nicht für einzelne Bewerber abgeändert wird. Wenn Sie nicht schon vor dem Studienende als geeigneter Kandidat gesichtet worden sind, kann man Ihnen keinen optimalen Starttermin für das Trainee-Programm anbieten. Absolventen, die ein Interesse an Trainee-Programmen haben, sollten mit ihren Initiativbewerbungen circa neun Monate vor dem offiziellen Studienende beginnen.

Kurzbewerbung oder vollständige Bewerbungsmappe?

Bei Initiativbewerbungen können Sie sowohl Kurzbewerbungen als auch komplette Bewerbungsmappen versenden.

Kurzbewerbungen bestehen aus dem Anschreiben und dem Lebenslauf mit Foto. Es fehlen die Bewerbungsmappe, die Praktikumsbestätigungen, das Vordiplom, der vorläufige Notenspiegel, eventuell vorhandene Ausbildungszeugnisse und sonstige Leistungsnachweise. Kurzbewerbungen umfassen zwei bis drei DIN A4-Seiten und sind deshalb kostengünstiger zu versenden als vollständige Bewerbungsunterlagen.

Wenn Sie am Telefon Interesse für Ihr Qualifikationsprofil erzielt haben, sollten Sie immer eine vollständige Bewerbungsmappe versenden. So unterstreichen Sie, dass Ihnen die Bewerbung bei dieser Firma besonders wichtig ist. Wenn Sie Kurzbewerbungen versenden, entsteht außerdem auch schnell der Eindruck, dass Sie zur Gruppe der Massenbewerber gehören.

Die vollständige Bewerbungsmappe unterstreicht, wie wichtig Ihre Bewerbung ist

Kurzbewerbungen sind dann sinnvoll, wenn Ihnen von Unternehmensseite am Telefon mitgeteilt wurde, dass eine Kurzbewerbung erwünscht ist. Sie macht auch dann Sinn, wenn Sie im Telefongespräch keine konkreten Informationen über Einstiegsmöglichkeiten und Anforderungen ermitteln konnten, sich aber trotzdem bewerben möchten.

Der von Absolventen gern vorgeschobene Kostenvorteil beim Versand von Kurzbewerbungen greift ins Leere: Der Griff zum Telefon ist eine noch kostengünstigere Alternative, die zudem auch erfolgversprechender ist. Bündeln Sie Ihre Aktivitäten, und verzetteln Sie sich nicht. Wenn Sie Ihre Initiativbewerbung mit der Suche nach einer Kontaktperson im Unternehmen beginnen, die Bewerbung telefonisch vorbereiten, Anschreiben und Lebenslauf aussagekräftig ausarbeiten und gezielt vollständige Bewerbungsmappen verschicken, werden Sie mehr Erfolg haben, als wenn Sie mangelhaft vorbereitete Kurzbewerbungen mit Standardtext wahllos in alle Winde verstreuen.

Auf Wunsch des Unternehmens eine Kurzbewerbung verschicken

Auf einen Blick

Initiativbewerbungen: der aktive Berufseinstieg

Im Blick

- Die Beschäftigung mit einer Initiativbewerbung bedeutet für Personalverantwortliche zusätzliche Arbeit. Sie bringen Personalverantwortliche nur dann dazu, diese Mehrarbeit zu leisten, wenn Sie in Ihrer Initiativbewerbung Ihren Nutzen für die Firma deutlich machen können.
- Sie überzeugen Personalverantwortliche nur dann, wenn Sie sich vor der Initiativbewerbung auf Informationssuche begeben und diese Informationen in Ihr Anschreiben und Ihren Lebenslauf einfließen lassen.
- Nehmen Sie vor dem Abschicken der Bewerbung telefonischen Kontakt auf.
- Senden Sie Ihre Initiativbewerbung immer an einen konkreten Ansprechpartner.
- Schneiden Sie Ihre Initiativbewerbung auf das jeweilige Unter-

nehmen zu. Erkundigen Sie sich vorab, welche Kenntnisse und Fähigkeiten für dieses Unternehmen besonders wichtig sind.

- Wenn Sie sich mit Ihrer Initiativbewerbung für Trainee-Programme bewerben, steht die Überprüfung Ihrer persönlichen Fähigkeiten im Vordergrund. Führen Sie deshalb in Ihrem Initiativanschreiben konkrete Belege für die nachgefragten persönlichen Fähigkeiten an.

- Erstellen Sie vor Initiativbewerbungen anhand von Stellenausschreibungen ein Basisprofil, das für Personalverantwortliche interessant sein könnte. Gleichen Sie das Basisprofil im Telefongespräch mit Personalverantwortlichen ab, und erweitern Sie es gegebenenfalls.

- Absolventen, die davon ausgehen können, dass ihr Profil nur selten in Stellenanzeigen nachgefragt wird, müssen von sich aus mit Initiativbewerbungen aktiv werden.

- Kleine und mittelgroße Unternehmen schätzen Initiativbewerber, weil diese helfen, Zeit und Kosten für offene Stellenausschreibungen zu sparen.

- Große Unternehmen haben ständig Interesse an interessantem Nachwuchs. Mit einer überzeugenden Initiativbewerbung erarbeiten Sie sich einen Startvorteil im Auswahlverfahren.

- Wenn Sie sich für Trainee-Programme interessieren, sollten Sie mit Ihren Initiativbewerbungen neun Monate vor dem offiziellen Studienende beginnen.

- Nach einem positiv verlaufenen Telefongespräch sollten Sie eine vollständige Bewerbungsmappe verschicken. Kurzbewerbungen sind sinnvoll, wenn das Unternehmen sie verlangt oder wenn Sie am Telefon keine Ergebnisse erzielen konnten, sich aber trotzdem bewerben möchten.

7

Das Telefon: der schnelle Weg zum ersten Arbeitsplatz

Der Griff zum Telefonhörer vor der Ausarbeitung der Bewerbungsunterlagen fällt erfahrungsgemäß schwer. Die Angst, sich am Telefon zu blamieren, sich durch falsche Antworten auf Fragen der Unternehmensvertreter frühzeitig aus dem Rennen zu werfen, und die Unklarheit über die Ziele eines Telefongesprächs halten die meisten Absolventen davon ab, Bewerbungen mit einem telefonischen Kontakt vorzubereiten. Erarbeiten Sie sich einen Startvorteil. Die Vorbereitung von Bewerbungen auf Stellenausschreibungen und von Initiativbewerbungen durch das Telefon ist in jedem Fall sinnvoll. Lernen Sie, Telefonkontakte in Ihre Bewerbungsstrategie einzubinden.

»Für Vorabinformationen steht Ihnen Frau Müller unter der Telefonnummer (040) 1 23 45 67 gern zur Verfügung.« Anmerkungen wie diese finden sich in vielen Stellenanzeigen. Von Personalverantwortlichen und Personalberatern wird jedoch beklagt, dass nur wenige Bewerber tatsächlich anrufen. Und von diesen wenigen Bewerbern sind dann die meisten auch noch unvorbereitet.

Bewerbungen auf Stellenanzeigen und Initiativbewerbungen haben aber wesentlich mehr Erfolg, wenn Hochschulabsolventinnen und -absolventen die Möglichkeit zum telefonischen Kontakt nutzen und damit Eigeninitiative zeigen. Darüber hinaus lassen sich im Gespräch erfragte Zusatzinformationen in die Bewerbungsunterlagen einarbeiten.

Telefonkontakt bedeutet Eigeninitiative

Der Vorteil für Sie: Schon nach drei Minuten Gespräch mit potenziellen Arbeitgebern können Sie einschätzen, ob sich das Anforderungsprofil des Unternehmens und Ihr Bewerberprofil zur Deckung bringen lassen. Sie erfahren mehr über die Anforderungen der Stelle und finden Schlüsselbegriffe heraus, auf die die Unternehmensvertreter »anspringen«. Wenn Sie diese Informationen in Ihre schriftlichen Bewerbungsunterlagen einfließen lassen, heben Sie sich wohltuend von passiven Massenbewerbern ab.

Der erste Eindruck ist entscheidend

Der Nachteil für Sie: Es gibt niemals eine zweite Chance für den ersten Eindruck. Das bedeutet, dass Sie den besonderen Anforderungen der Selbstdarstellung am Telefon gerecht werden müssen. Die Devise: »Mal gucken, was passiert, wenn ich bei dem Unternehmen anrufe« befördert Sie schnell ins Aus.

Die Bewerbung am Telefon unterliegt besonderen Anforderungen, die nicht ohne weiteres ersichtlich sind. Sie sollten die Grundregeln des überzeugenden Telefonierens vor dem Anruf kennen und trainieren. Telefontraining für das Bewerbungsverfahren gehört in unserer Beratungspraxis mit zu den klassischen Übungseinheiten.

Die richtige Stimmung erzeugen

Vor einem Telefongespräch müssen Sie zunächst die optimalen Rahmenbedingungen herstellen. Überlegen Sie, welche Störfaktoren aus Ihrer Umgebung das Telefonat beeinträchtigen könnten. Schalten Sie die Wohnungsklingel ab. Informieren Sie Mitbewohner darüber, dass Sie ein wichtiges Telefongespräch führen möchten und deshalb nicht gestört werden wollen. Falls Ihr Telefon darüber verfügt, so stellen Sie die Funktion »Anklopfen« aus. Das Tonsignal, mit dem ein parallel ein-

Sorgen Sie für gute Rahmenbedingungen

gehender Anruf gemeldet wird, entnervt sonst Sie und Ihren Gesprächspartner.

Sie sollten sich darüber im Klaren sein, dass am Telefon nur akustische und keine visuellen Signale möglich sind. Im Unterschied zum Vorstellungsgespräch haben beide Gesprächspartner beim Telefonkontakt nur die Stimme des anderen als Eindruck zur Verfügung. Das bedeutet, dass über Klang und **Telefonieren Sie** Ausdruck der Stimme Aufregung, Unsicherheit und Ängst**im Stehen** lichkeit genauso wie Sicherheit und Selbstbewusstsein vermittelt werden. Rufen Sie deshalb nur an, wenn Sie sich topfit fühlen. Telefonieren Sie im Stehen: Sie sind dann länger konzentriert, und der Spannungsbogen reißt nicht so schnell ab.

Für das Gespräch sollten Sie immer Stift und Papier bereithalten. Wenn Sie aufgrund einer Stellenanzeige anrufen, sollten Sie diese so positionieren, dass Sie sie im Blick behalten. Notieren Sie sich Datum und Uhrzeit Ihres Telefonates und, falls bekannt, den Namen Ihres Ansprechpartners in der Firma.

Wenn Sie die Rahmenbedingungen geklärt haben, müssen Sie sich danach mit der inhaltlichen Seite des Gesprächs auseinander setzen. Wir erläutern Ihnen nun, was Sie beachten müssen, wenn Sie aufgrund einer Stellenanzeige anrufen. Anschließend erfahren Sie, welche besonderen Spielregeln gelten, wenn Sie mit einem Telefongespräch eine Initiativbewerbung vorbereiten.

Telefonischer Kontakt bei Stellenanzeigen

Bevor Sie zum Telefonhörer greifen und im Unternehmen anrufen, müssen Sie Ihre Gesprächsziele präzise definieren und sich intensiv mit den Anforderungen der Stellenanzeige beschäftigen, um sich als interessanter Berufseinsteiger darstellen zu können.

Gesprächsziele und eigene Fragen

Aus unserer Beratungspraxis wissen wir, dass Hochschulabsolventinnen und Hochschulabsolventen sich oft über die Ziele ihres Telefonkontaktes nicht im Klaren sind. Die meisten glauben, dass sie am Telefon gleich in eine Art Vorstellungsgespräch verwickelt werden. Damit bauen sie jedoch einen viel zu großen Druck auf, weshalb sie dann als Konsequenz lieber auf einen Anruf verzichten.

Eindeutige Gesprächsziele

Für Hochschulabsolventinnen und -absolventen sollte es bei einem Anruf jedoch nicht um die Beantwortung der Frage »Bekomme ich die ausgeschriebene Stelle oder nicht?« gehen. Im Vordergrund sollte die Vorbereitung der schriftlichen Bewerbung stehen: Im Gespräch erfragte Zusatzinformationen können im Anschreiben und im Lebenslauf aufgegriffen werden. Je individueller Sie auf die Anforderungen des Unternehmens eingehen, desto größer sind Ihre Chancen, zu einem Vorstellungsgespräch eingeladen zu werden.

Legen Sie deshalb vor dem Gespräch fest, an welchen Punkten Sie noch Klärungsbedarf haben:

Bei welchen Punkten besteht noch Klärungsbedarf?

- Möchten Sie mehr Informationen über die ausgeschriebene Stelle haben, weil die Stellenanzeige sehr allgemein formuliert ist?
- Möchten Sie herausfinden, auf welche Kenntnisse und Fähigkeiten die Firma besonderen Wert legt?
- Möchten Sie erfahren, in welchem Verhältnis einzelne Tätigkeiten innerhalb der Stelle zueinander stehen (Innendienst zu Außendienst, Projekttätigkeiten zu Routineaufgaben, Dienstreisen zu Aufenthalt in der Firma)?
- Möchten Sie herausfinden, ob Sie Ihr Profil ausbauen müssen?
- Möchten Sie im Anschreiben auf ein Telefongespräch verweisen können?

- Möchten Sie sich über die Einstiegsmöglichkeiten informieren (Trainee-Programm, Direkteinstieg, Training-On-The-Job)?
- Möchten Sie wissen, ob noch andere als in der Stellenanzeige genannte Positionen zu besetzen sind?
- Möchten Sie den optimalen Bewerbungszeitpunkt erfragen?
- Möchten Sie Informationen über die Firma anfordern (Produktkataloge, Unternehmensbroschüren, Geschäftsberichte)?

Wichtig: zielorientierte Fragen

Wenn Sie für sich Ihre Gesprächsziele definiert haben, können Sie die dazu passenden Fragen stellen und sich auf diese Weise die von Ihnen gewünschten Informationen verschaffen. Wenn Sie Ihren Informationsbedarf im Telefongespräch vermitteln können, zeigt dies auch, dass Sie sich auf das Gespräch angemessen vorbereitet haben.

Definieren Sie realistische Gesprächsziele

Es gibt keine Geheimnisse oder Zaubertricks, mit denen Hochschulabsolventinnen und -absolventen ihre Gesprächspartner im Telefongespräch dazu bringen, gleich einen Arbeitsvertrag (und den ersten Gehaltsscheck) durch die Telefonleitung zu schicken. Das Gegenteil ist der Fall. Unternehmensvertreter fühlen sich nicht ernst genommen, wenn Bewerberinnen und Bewerber ihnen die Zeit mit nichtssagenden Frage- und Antwortspielchen stehlen wollen. Definieren Sie realistische Gesprächsziele. Sie beeindrucken Ihre Gesprächspartner, wenn Sie Fragen stellen, deren Beantwortung am Telefon auch aus Sicht des Unternehmens Sinn macht.

An Stellenanzeigen anknüpfen

Mit der Auswertung von Stellenanzeigen haben wir Sie im Kapitel »Stellenanzeigen auswerten: die Anforderungen der Unternehmen erkennen« vertraut gemacht. Sie wissen, dass sich die Anforderungen an Sie aus einer Mischung von fachlichen Kenntnissen und persönlichen Fähigkeiten zusammen-setzen.

Bedenken Sie, dass Sie bei Ihrer telefonischen Kontaktauf-nahme nicht die Möglichkeit haben, Ihre fachlichen Kenntnisse und persönlichen Fähigkeiten so ausführlich darzustellen, wie Sie es im Anschreiben und im Lebenslauf können. In Ihrem Te-lefongespräch müssen Sie sich beschränken. Sie können Ihrem Gesprächspartner am anderen Ende der Leitung nur eine be-grenzte Menge von Informationen über sich vermitteln.

Beim Anruf aufgrund einer Stellenanzeige haben Sie die Chance, Anknüpfungspunkte für Ihr Gespräch aus der Stel-lenanzeige herauszulesen. Selbstverständlich reicht es nicht aus, wenn Sie dem Personalverantwortlichen die Stellenan-zeige vorlesen und behaupten, dass Sie alle Anforderungen erfüllen. Das Interesse wecken Sie erst in dem Moment, in dem Sie anfangen, konkrete Beispiele zu geben, aus denen deutlich wird, dass Sie einzelne Anforderungen erfüllen. Im Telefongespräch erreichen Sie positive Aufmerksamkeit, wenn Sie konkrete Anknüpfungspunkte für die in der Stellen-anzeige aufgeführten Forderungen liefern können.

Wecken Sie das Interesse Ihres Gesprächspart-ners durch konkrete Beispiele

Junior Consultant gesucht

Ein Bewerber für die Einstiegsposition »Junior Consultant« in einer Un-ternehmensberatung hat aus der Stellenanzeige diese Anforderungen he-rausgeschrieben:

- erste praktische Berufserfahrung
- sichere Kommunikation in englischer Sprache
- Bereitschaft zur Übernahme von Verantwortung
- Teamfähigkeit
- kundenorientiertes Arbeiten

Beispiel

Für die Anforderungen hat er in seinem Werdegang diese Belege gefun-den:

Erste praktische Berufserfahrung

Beleg 1: Praktikum bei der Consulting & Training GmbH, Bereich Change Management

Beleg 2: Praktikum in der Industrie- und Handelskammer, Abteilung Außenhandel

Sichere Kommunikation in englischer Sprache

Beleg 1: Ein Jahr USA

Beleg 2: Auslandssemester an der University of Wisconsin/USA

Bereitschaft zur Übernahme von Verantwortung

Beleg 1: Projektverantwortung im Praktikum bei der Industrie- und Handelskammer, Projekt »Wirtschaft in die Schule«

Beleg 2: Vorstandsarbeit bei Marketing Forum Hohenheim, Organisation von Workshops und Seminaren mit Firmenvertretern

Teamfähigkeit

Beleg 1: Workshop- und Seminarorganisation

Beleg 2: Bearbeitung von Fallstudien an der University of Wisconsin

Kundenorientiertes Arbeiten

Beleg 1: Praktikum bei der Consulting & Training GmbH, Vorbereitung von Präsentationen

Beleg 2: Aushilfstätigkeit im Call Center

Für ein Telefongespräch muss er nun diejenigen Belege heraussuchen, die sein Profil am besten deutlich machen. Geeignete Belege für ein Telefongespräch mit einer Unternehmensberatung sind: die beiden Praktika, das Auslandssemester und die Projektverantwortung im Projekt »Wirtschaft in die Schule«.

Damit Sie nicht erst im Telefongespräch mit dem Unternehmen überlegen müssen, wie Sie sich interessant darstellen, sollten Sie sich vorbereiten. Machen Sie dazu die Übung »Belege für die Selbstdarstellung am Telefon finden«, damit Sie am Telefon überzeugen.

Belege für die Selbstdarstellung am Telefon finden

Übung

Nehmen Sie eine für Sie interessante Stellenanzeige zur Hand. Unterstreichen Sie in der Stellenanzeige alle Anforderungen, und suchen Sie für jede Anforderung mehrere passende Beispiele aus Ihrem Werdegang. Nach Möglichkeit sollten Ihre Beispiele außerhalb des eigentlichen Studiums angesiedelt sein. Je praxisnäher Ihre Beispiele sind, desto größer ist die Wirkung auf Personalverantwortliche.

Anforderungen aus der Stellenanzeige auflisten:

....

....

....

....

Anforderung 1:..

   Beleg 1:..

   Beleg 2:..

Anforderung 2:..

   Beleg 1:..

   Beleg 2:..

Anforderung 3:..

   Beleg 1:..

   Beleg 2:..

Anforderung 4: ....

Beleg 1: ....

Beleg 2: ....

Anforderung 5: ....

Beleg 1: ....

Beleg 2: ....

Im nächsten Schritt geht es darum, die gefundenen Belege im Telefongespräch zielgerichtet und wirkungsvoll einzusetzen. Bereiten Sie Ihre Selbstdarstellung am Telefon vor.

Die richtige Selbstdarstellung am Telefon

Wir wissen aus unserer Beratungstätigkeit, dass es vielen Bewerbern – und vor allem Berufseinsteigern – schwer fällt, am Telefon den Ton zu finden, der Personalverantwortliche hellhörig werden lässt. Das Hauptziel eines Telefonates sollte für Sie sein, das Interesse an Ihnen zu erwecken. Dann können Sie im zweiten Schritt mit der Zusendung Ihrer Bewerbungsunterlagen punkten, weil Sie sich erste Aufmerksamkeit und Sympathie gesichert haben. Es geht am Telefon nicht darum, einen kompletten Bewerber- und Stellenabgleich zu liefern. Man wird Ihnen nach einem erfolgreich verlaufenen Telefongespräch keinen Arbeitsvertrag zuschicken. Auch wenn deshalb von Ihnen am Telefon keine Schwerstarbeit bei der Überzeugung von Personalverantwortlichen erwartet wird, dürfen Sie sich dennoch nicht so darstellen, dass das Interesse an Ihnen erlischt.

Sichern Sie sich Aufmerksamkeit und Sympathie

Die Unternehmen haben große Schwierigkeiten damit, wenn sich Hochschulabsolventinnen und -absolventen im Telefongespräch nicht als zukünftige Arbeitskraft, sondern als jobsuchende Studentin oder als jobsuchender Student präsentieren. Diese Verständnisschwierigkeiten gibt es besonders bei kleinen und mittelständischen Unternehmen. Diese erwarten auch von Absolventen, dass sie sich als zukünftige Mitarbeiter präsentieren. Dies liegt daran, dass die Einarbeitung in kleineren Unternehmen meistens als Sprung ins kalte Wasser stattfindet, der Berufseinstieg wird »on the job« vollzogen. Die umfangreichen Trainee- und Einarbeitungsprogramme großer Konzerne fehlen bei kleinen und mittelständischen Firmen.

Präsentieren Sie sich als zukünftiger Mitarbeiter

Es kommt deshalb für Sie im Telefongespräch darauf an, mit wenigen Sätzen zu verdeutlichen, dass Sie einen Draht zur beruflichen Praxis entwickelt haben. Beschreiben Sie sich als aktiv und zupackend, setzen Sie dafür unsere Formulierungen ein.

- Ich habe mich mit. . . . . beschäftigt.

- Ich verfüge über erste Erfahrungen in. . . . .

- Ich habe mich mit. . . . . auseinander gesetzt.

- Ich habe bereits als. . . . . gearbeitet.

So heben Sie Ihre berufliche Praxis hervor

- Die Aufgaben eines. . . . . sind mir bekannt aus . . . .

- Das Tätigkeitsfeld einer. . . . . habe ich im Praktikum bei der. . . . . kennen gelernt.

- In die Bereiche. . . . . und. habe ich mich eingearbeitet.

- Ich habe. . . . . organisiert/geleitet/durchgeführt/koordiniert.

- Erste Projektverantwortung konnte ich als. . . . . übernehmen.

- Mit den Tätigkeiten einer ....
.... habe ich mich vertraut gemacht.

Um Ihnen einen Eindruck der Kontaktaufnahme am Telefon zu vermitteln, möchten wir Ihnen anhand eines Beispiels eine negative und eine positive Variante vorstellen. Zuerst zu unserem Negativbeispiel: So sollten Sie es nicht machen.

Unvorbereitetes Telefongespräch

Eine Mathematikerin, die sich bei einem Versicherungskonzern bewerben möchte, präsentiert sich am Telefon als durchschnittliche und berufsferne Kandidatin, wenn sie nicht auf die Anforderungen der zu besetzenden Stelle eingeht und zeigt, dass sie nicht über das Berufsleben informiert ist. Ein unvorbereitetes Telefongespräch läuft dann so ab:

Negativ-
beispiel

Personalverantwortlicher: »Versicherungs AG, Herbert Holzauer.«
Mathematikstudentin: »Guten Tag, mein Name ist Sabrina Schmidt, ich möchte mich bei Ihnen bewerben.«
Personalverantwortlicher: »Guten Tag, Frau Schmidt, für welche Stelle interessieren Sie sich denn?«
Mathematikstudentin: »In der Zeitung stand doch, Sie suchen eine Versicherungsmathematikerin. Ich studiere Mathematik und suche eine Stelle.«
Personalverantwortlicher: »Welche Fragen kann ich Ihnen zu der Stelle beantworten?«
Mathematikstudentin: »Glauben Sie, dass ich für die Stelle geeignet bin?«
Personalverantwortlicher: »Das weiß ich im Moment nicht, schicken Sie uns doch Ihre Bewerbungsmappe.«
Mathematikstudentin: »Ja, das mache ich, vielen Dank.«
Personalverantwortlicher: »Auf Wiederhören, Frau Schmidt.«

Die Mathematikstudentin hat die Chance verpasst, Interesse auf Seiten des Personalverantwortlichen zu erwecken. Sie hat am Gesprächsanfang nicht deutlich gemacht, um welche Stellenausschreibung es geht. Sie ist mit keinem Wort auf die Inhalte der zu besetzenden Position eingegangen. Sie hat keinen Bezug zur Berufspraxis hergestellt und konnte sich deshalb auch nicht als aktive und leistungsbereite Bewerberin darstellen.

Räumen Sie die typischen Bewerberfehler bei Telefongesprächen mit Unternehmensvertretern durch gezielte Vorbereitung aus. Sie nehmen Personalverantwortliche am Telefon für sich ein, wenn Sie sich an unserem Schema für Telefongespräche orientieren. **Wichtige Tipps für Telefongespräche**

1. Sprechen Sie die Personalverantwortlichen mit Namen an. Den Namen finden Sie üblicherweise in der Stellenanzeige. Sonst fragen Sie in der Telefonzentrale nach, wer die Stellenausschreibung bearbeitet.
2. Nennen Sie die ausgeschriebene Position, für die Sie sich interessieren, und die Fundstelle der Anzeige.
3. Geben Sie ein oder zwei Beispiele dafür, dass Sie mit den Stellenanforderungen in Berührung gekommen sind. Beispielsweise durch Studienschwerpunkte, Praktika, Diplomarbeit, Teilnahme an Kontaktmessen oder Bewerberworkshops, Projekte.
4. Stellen Sie ein oder zwei geeignete Fragen, die zeigen, dass Sie sich mit Ihrem Profil und dem Tätigkeitsfeld auseinander gesetzt haben.
5. Bedanken Sie sich für die gegebenen Informationen.
6. Weisen Sie gegebenenfalls darauf hin, dass Sie in Ihrem Wunsch, sich in diesem Unternehmen zu bewerben, bestärkt worden sind und Ihre Bewerbungsmappe unverzüglich zu Händen Ihres Gesprächspartners schicken werden.

Die Umsetzung unserer Regeln für Telefongespräche mit Firmen sieht für das eben dargestellte Negativbeispiel der Mathematikstudentin, die sich bei einer Versicherung bewirbt, dann als Positivbeispiel so aus:

Die vorbereitete Mathematikstudentin

Personalverantwortlicher: »Versicherungs AG, Herbert Holzauer.«

Mathematikstudentin: »Guten Tag, Herr Holzauer, mein Name ist Sabrina Schmidt. Es geht um die Stelle als Versicherungsmathematikerin, die am letzten Samstag in der FAZ erschienen ist. Können Sie mir einige Fragen zu der Stelle beantworten?«

Personalverantwortlicher: »Ja, was interessiert Sie?«

Positiv-
beispiel

Mathematikstudentin: »In meinem Praktikum bei der Rückversicherungs AG habe ich bereits Schadensanalysen durchgeführt und Prognosen für die Unfallversicherung erstellt. Mein Studium der Mathematik hatte den Schwerpunkt Informatikanwendung. Steht bei der ausgeschriebenen Stelle eher die Informatik oder die Statistik im Vordergrund?«

Personalverantwortlicher: »Berufseinsteiger werden in unserem Unternehmen nach und nach an ihre Aufgabenbereiche herangeführt. Für uns ist es wichtig, dass Bewerber solide Kenntnisse der mathematischen Methoden mitbringen. Ich gehe davon aus, dass sich Hochschulabsolventen in unsere EDV einarbeiten können. Besonders wichtig für uns ist Ihre Lernbereitschaft und Ihr Einsatzwille.«

Mathematikstudentin: »Ich habe mich auch bei der Rückversicherungs AG schnell in meine Aufgaben eingearbeitet. Ich habe dort eigenständig eine umfassende Risikobeurteilung zur Altersvorsorge erstellt und mich zu diesem Zweck gründlich in die Firmen-EDV eingearbeitet. Wäre das ein sinnvoller Beleg?«

Personalverantwortlicher: »Schreiben Sie doch in Ihrer Bewerbung ein paar Zeilen über das, was Sie in Ihrem Praktikum gemacht haben. Für mich klingt das schon ganz interessant.«

Mathematikstudentin: »Vielen Dank für die Informationen. Soll ich meine Bewerbung direkt an Sie schicken, Herr Holzauer?«

Personalverantwortlicher: »Machen Sie das bitte, und verweisen Sie kurz auf unser Gespräch.«

Mathematikstudentin: »Auf Wiederhören, Herr Holzauer.«

Personalverantwortlicher: »Auf Wiederhören, Frau Schmidt.«

Sie sehen an unserem Positivbeispiel, dass Personalverantwortliche durchaus ein Ohr für Sie haben, vorausgesetzt, Sie sind in der Lage, auf die ausgeschriebene Position einzugehen. Dies gelingt, indem Sie kurz auf Erfahrungen durch Praktika oder Aushilfstätigkeiten außerhalb der Hochschule verweisen. Dann können die Gesprächspartner auf der Unternehmensseite Sie als interessanten Kandidaten für die ausgeschriebene Position einordnen. Sie gelten dadurch nicht mehr als der uninformierte Bittsteller von der Hochschule, sondern als praxisorientierter Berufseinsteiger.

Überzeugen am Telefon

Werten Sie eine für Sie interessante Stellenanzeige aus. Finden Sie Belege für die Anforderungen. Lassen Sie eine Person Ihres Vertrauens die Rolle des Personalverantwortlichen übernehmen. Rufen Sie diese Person an, und spielen Sie das Telefongespräch mehrmals durch.

Beachten Sie unser Schema für Telefongespräche. Setzen Sie den Namen des in der Anzeige genannten Personalverantwortlichen im Gespräch ein. Stellen Sie Ihre Belege für die Anforderungen aus der Stellenanzeige aktiv, zupackend und praxisnah dar. Stellen Sie eine oder mehrere Fragen. Beenden Sie das Gespräch mit dem Hinweis, dass Sie Ihre Bewerbungsunterlagen zuschicken werden.

Übung

Telefonischer Kontakt bei Initiativbewerbungen

Nicht alle zu besetzenden Stellen werden offen ausgeschrieben. Ein Telefonanruf ist daher für Hochschulabsolventinnen und -absolventen die beste Möglichkeit, sich den verdeckten Stellenmarkt zu erschließen.

Große Unternehmen sind ständig auf der Suche nach geeignetem Nachwuchs, da der Aufstieg von Mitarbeitern immer wieder Positionen für Einsteiger frei werden lässt. Auch Unternehmen, die stark expandieren, haben einen sehr hohen Arbeitskräftebedarf, der sich nicht ausschließlich durch das Suchen über Stellenanzeigen decken lässt. Bei Großunternehmen bestehen zudem oft eigene Abteilungen für das Personalmarketing und die Hochschulkommunikation. Diese Abteilungen beschäftigen sich durchgehend mit der Bewerbersichtung, um zum Unternehmen passende Hochschulabsolventinnen und -absolventen zu finden.

Kleine und mittelständische Unternehmen sind aus finanziellen und personellen Gründen oft nicht in der Lage, ein so offensives Personalmarketing zu betreiben wie Konzerne. Kleinere

Initiativbewerbungen bei mittelständischen Unternehmen

Unternehmen scheuen zum Teil die Ausschreibung offener Stellen auch aus dem Grund, weil sie personell nicht in der Lage sind, die Flut der Bewerbungen in den Griff zu bekommen. Gerade im Mittelstand ergibt sich zudem oft eine für Initiativbewerbungen günstige Situation: Da die Fachabteilungen den Personalbedarf an die Geschäftsführung oder die Personalabteilung melden, vergeht eine gewisse Zeit, bis diese dann von sich aus nach geeigneten Bewerbern suchen. In diese Lücke können Sie mit Ihrer Initiativbewerbung stoßen.

Abgesehen von diesen eher unternehmenspolitischen Aspekten gibt es für Hochschulabsolventinnen und -absolventen noch zwei weitere Gründe, die eine durch einen telefonischen Kontakt vorbereitete Initiativbewerbung sinnvoll erscheinen lassen. Zum einen können Absolventen, die bei der Stellensuche von sich aus tätig werden, sicher sein, bei vielen Unternehmen auf Sympathie wegen ihrer Initiative und ihrer Aktivität zu stoßen. Diese Bewerber heben sich von vornherein positiv von der Masse ihrer Mitbewerber ab.

Zum anderen müssen Absolventen von Studiengängen, die nicht mit einem klar definierten Berufsfeld gekoppelt sind, von sich aus tätig werden. Wer beispielsweise Soziologie, Politologie, Sinologie oder Orientalistik studiert hat, kann nicht damit rechnen, eine zum Studium passende Stellenausschreibung in der Zeitung oder im Internet zu finden. Das individuelle Qualifikationsprofil dieser Absolventinnen und Absolventen kann aber für ein Unternehmen durchaus interessant sein. Wir wissen aus unserer Beratungspraxis, dass auch Studierende wirtschaftsferner Studiengänge auf dem Arbeitsmarkt bestehen können und es ihnen möglich ist, interessante Einstiegspositionen zu finden. Wichtig ist jedoch, dass diese Bewerber in der Lage sind, von sich aus auf Unternehmen zuzugehen, um ihr Stärkenprofil zu vermitteln.

Studierende wirtschaftsferner Studiengänge müssen Initiative zeigen

Bereiten Sie Ihren telefonischen Erstkontakt vor Initiativbewerbungen vor. Lernen Sie, die richtigen Ansprechpartner herauszufinden. Üben Sie, Ihr Qualifikationsprofil am Telefon zu vermitteln. Erfragen Sie gezielt die für Sie wichtigen Informationen und setzen Sie sich mit möglichen Fragen Ihrer Gesprächspartner auf Unternehmensseite auseinander.

Ansprechpartner herausfinden

Einen Ansprechpartner für Ihren Telefonkontakt finden Sie auf verschiedenen Wegen.

- In Nachschlagewerken für die Einstiegsmöglichkeiten von Hochschulabsolventinnen und -absolventen bei Unternehmen sind Telefonnummern für die Kontaktaufnahme aufgeführt.
- Im Informationsmaterial, das Sie von Unternehmen anfordern können, finden Sie fast immer Ansprechpartner für Bewerbungen.
- Firmenpräsentationen im Internet enthalten Telefonnummern von Kontaktpersonen.

- In Stellenanzeigen werden meistens Durchwahlnummern von Personalreferenten angegeben.

Sie können auch einfach die Telefonzentrale eines Unternehmens anrufen und sich die Durchwahlnummer eines geeigneten Ansprechpartners nennen lassen. Beispielsweise so: »Ich habe eine Nachfrage wegen einer Bewerbung. Welche Abteilung ist bei Ihnen für Hochschulabsolventen zuständig? Könnten Sie mir bitte einen Ansprechpartner und seine Durchwahl nennen?«

Wenn Sie einen Ansprechpartner gefunden haben, sollten Sie sich nicht zu schnell abwimmeln lassen. Geben Sie zu erkennen, dass Sie Verständnis dafür haben, dass Ihr Gesprächspartner wenig Zeit hat. Weisen Sie jedoch zugleich darauf hin, dass eine intensive Prüfung Ihrer Bewerbungsunterlagen weitaus mehr Zeit, Mühe und Kosten verursacht als das kurze Telefongespräch. Der Widerstand am anderen Ende der Leitung ist dann meistens nicht sehr groß. Schlimmstenfalls fragen Sie, ob Sie zu einem geeigneteren Zeitpunkt noch einmal anrufen können.

Lassen Sie sich nicht zu schnell abwimmeln

Das eigene Profil vermitteln

Wir haben Ihnen für Telefonanrufe aufgrund von Stellenanzeigen erläutert, wie Sie geeignete Belege aus Ihrem Werdegang für Telefongespräche aufbereiten und wie Sie sie vermitteln.

Das Problem bei Initiativbewerbungen besteht darin, dass keine Anzeige für die Auswahl Ihrer im Telefongespräch darzustellenden Kenntnisse und Fähigkeiten vorliegt. Aus unserer Beratungspraxis wissen wir, dass gerade Hochschulabsolventinnen und -absolventen sich sehr schwer damit tun, Schwerpunkte bei der Darstellung ihrer Qualifikationen zu setzen.

Setzen Sie Schwerpunkte

Wenn Sie kein konkretes Profil haben, auf das Sie sich bewerben, müssen Sie bei der Darstellung am Telefon auf diejenigen Erfahrungen in Ihrem Werdegang zurückgreifen, die eine größtmögliche Praxisnähe haben. Idealerweise sind dies Praktika und Werkstudententätigkeiten. Geeignet ist aber jede Art des Theorie-Praxis-Transfers. Sie punkten im Gespräch immer dann, wenn Sie glaubhaft machen, dass Sie Wissen in Handlung umsetzen können.

Weisen Sie auf Theorie-Praxis-Transfers hin

Die Beispiele aus unserer Beratungspraxis zeigen Ihnen, dass Sie das Telefongespräch nach der üblichen Begrüßung mit einem Aufhänger beginnen müssen, der das Interesse Ihres Gesprächspartners weckt.

Aus unserer Beratungspraxis

Interesse in Telefonkontakten wecken

Beratung

Politologe als PR-Referent

Ein von uns betreuter promovierter Diplom-Politologe konnte in seinen Telefongesprächen mit seinen Erfahrungen im Auslandsdienst eines großen Zeitschriftenverlags Interesse erwecken. Er hatte Artikel und kleine Reportagen verfasst und sich mit der Öffentlichkeitsarbeit der Tabakkonzerne als Reaktion auf Schadenersatzsammelklagen der Anti-Raucher-Bewegung in den USA auseinander gesetzt. Am Telefon erweckte er das Interesse mit dem Gesprächsaufhänger:

»Ich interessiere mich für eine Tätigkeit als PR-Referent. Im Auslandsdienst der Alpha-Verlags AG habe ich PR-Konzepte internationaler Konzerne analysiert und in Agenturmeldungen umgesetzt.«

Ökotrophologin als Internet-Redakteurin

Eine Ökotrophologin hatte gute Internet-Anwender-kenntnisse und ein Praktikum bei einer Ernährungszeitschrift vorzuweisen. Ihr Aufhänger für Telefongespräche lautete:

»Ich möchte als Internet-Redakteurin arbeiten. Dafür bringe ich ein Praktikum in der Redaktion einer Ernährungszeitschrift mit. Ich habe dort in der Versuchsküche Rezepte für Diäten entwickelt. Mit dem Internet kenne ich mich gut aus.«

Geologe als Software-Berater

Der Geologe hatte keine praktischen Erfahrungen außerhalb der Hochschule gesammelt, sich aber immer wieder in spezielle Software eingearbeitet und war in seinem Institut ein begehrter Ansprechpartner bei Soft- und Hardware-Problemen. Diese Stärken stellte er im Telefongespräch so in den Vordergrund:

»Ich möchte als Software-Berater bei Ihnen arbeiten. Ich verfüge über umfassende Software-Kenntnisse. An meinem Hochschulinstitut war ich Beauftragter für Hard- und Software-Lösungen und habe Computerschulungen durchgeführt.«

Fazit: Ein gelungener Gesprächseinstieg ist wichtig. Personalverantwortliche sind nur dann bereit, ernsthaft zuzuhören, wenn Sie Ihre beruflichen Ziele definieren und die Anwendbarkeit Ihrer Kenntnisse und Fähigkeiten deutlich machen.

Das Interesse der Firma nutzen

Wenn Ihnen nach der Gesprächseröffnung Fragen des Unternehmensvertreters gestellt werden, wissen Sie, dass Sie es geschafft haben, Interesse zu erwecken. Üblicherweise wird man Sie fragen:

- Was haben Sie studiert?
- Wann werden Sie Ihr Studium beenden?
- Wie kommen Sie auf unsere Firma?
- Was haben Sie noch gemacht?
- Wie sind Ihre PC-Kenntnisse?
- Welche Sprachen sprechen Sie?
- Haben Sie sich schon auf Ihren Berufswunsch festgelegt?

Setzen Sie sich vor Ihren Telefongesprächen mit diesen Fragen auseinander. Beantworten Sie die Fragen möglichst konkret mit der Angabe von Beispielen. Beim telefonischen Erstkontakt wird kein tiefer gehendes Bewerbungsgespräch mit Ihnen geführt. Ihr vorrangiges Gesprächsziel sollte sein, Interesse zu erwecken, damit die anschließende Initiativbewerbung Erfolg hat.

Bereiten Sie sich auf interessierte Fragen von Unternehmensseite vor

Sie müssen das Telefongespräch aktiv beenden. Bei einem positiven Verlauf fassen Sie das Ergebnis kurz zusammen und halten fest, dass Sie dem Unternehmen gern Ihre Bewerbungsunterlagen zusenden möchten. Bedanken Sie sich für die Zeit, die sich Ihr Gesprächspartner für Sie genommen hat, und für die Informationen, die Sie erhalten haben.

Wenn Sie den Namen Ihres Gesprächspartners am Ende des Telefonats nicht mehr präsent haben, bitten Sie ihn, seinen Namen noch einmal zu nennen und eventuell zu buchstabieren. Wir wissen, dass es Bewerbern häufig passiert, dass Telefongespräche positiv verlaufen, sie ihre Bewerbungsunterlagen aber unpersönlich adressieren, da sie den Namen ihres Gesprächspartners wieder vergessen haben. Damit verspielen sie jedoch wieder die durch den telefonischen Kontakt erarbeiteten Vorteile.

Weisen Sie im Anschreiben auf den Telefonkontakt hin Setzen Sie sich im Anschreiben Ihrer Initiativbewerbung mit einer persönlichen Ansprache und dem Hinweis auf Ihren telefonischen Erstkontakt positiv in Szene. Beispielsweise so:

- »Sehr geehrte Frau Schmidt,
  vielen Dank für die Informationen zur Tätigkeit als ABC bei der XYZ AG, die Sie mir in unserem Telefongespräch gegeben haben.«
- »Sehr geehrter Herr Baumann,
  hier die ergänzenden Informationen zu unserem Telefongespräch vom ...
- »Sehr geehrte Frau Tscheslog,
  wie besprochen übersende ich Ihnen die gewünschten Bewerbungsunterlagen.«

Um den Startvorteil, den Sie sich aufgebaut haben, zu nutzen, sollten Ihre Bewerbungsunterlagen spätestens vier Tage nach dem Telefonat bei Ihrem Gesprächspartner ankommen. Sonst erlischt die Erinnerung an Sie.

Auf einen Blick

Das Telefon: der schnelle Weg zum ersten Arbeitsplatz

Im Blick

- Bewerbungen auf Stellenanzeigen haben mehr Erfolg, wenn Sie vor dem Absenden der Bewerbungsmappe einen Telefonkontakt zu diesem Unternehmen herstellen.
- Stellen Sie vor dem Telefongespräch optimale Rahmenbedingungen her. Schalten Sie Störfaktoren aus. Halten Sie Stift und Papier bereit.
- Definieren Sie Ihre Gesprächsziele vor dem Gespräch. Haben

Sie Fragen zur Stellenanzeige? Möchten Sie im Anschreiben auf ein Telefongespräch verweisen können? Wollen Sie schriftliche Informationen anfordern? Haben Sie Fragen zu einem Trainee-Programm?

- Geben Sie im Gespräch konkrete Belege, aus denen deutlich wird, dass Sie einzelne Anforderungen der ausgeschriebenen Stelle erfüllen.
- Überlegen Sie sich vor dem Gespräch geeignete Belege aus Ihrer Berufspraxis.
- Nutzen Sie unser Schema für erfolgreiche Telefongespräche.
- Bereiten Sie Ihre Initiativbewerbung durch ein Telefongespräch vor. Finden Sie den richtigen Ansprechpartner für Ihre Bewerbung heraus.
- Zur Vorbereitung einer Initiativbewerbung können Sie sich nicht auf eine Stellenanzeige beziehen. Überlegen Sie sich einen Gesprächsaufhänger, der Bezug zur Berufspraxis hat.
- Setzen Sie sich vor Telefongesprächen mit den möglichen Fragen von Unternehmensseite auseinander.
- Notieren Sie den Namen Ihres Gesprächspartners für Ihr Anschreiben. Nehmen Sie im Anschreiben Bezug auf das Telefongespräch.

8

Gelungene Initiativanschreiben und Lebensläufe

Initiativbewerbungen können sehr erfolgreich sein, wenn sie gut vorbereitet sind. Zur Vorbereitung gehört, dass Sie ein Basisprofil Ihrer Qualifikationen ausarbeiten, mit dem Sie Interesse erwecken können. Kernpunkte dieses Profils sollten Sie in Telefongesprächen mit Firmenvertretern nutzen, um sich als interessanter Absolvent darzustellen.

Nachdem Sie einen ersten Kontakt zu Firmenvertretern aufgebaut haben, ist der Versand einer Bewerbungsmappe der nächste Schritt. Unsere Beispiele für gelungene Initiativanschreiben und gezielt aufbereitete Lebensläufe sollen Ihnen zeigen, wie sich unsere Tipps und Hinweise aus den Kapiteln »Initiativbewerbungen: der aktive Berufseinstieg« und »Das Telefon: der schnelle Weg zum ersten Arbeitsplatz« umsetzen lassen.

Versenden Sie keine Initiativbewerbung, ohne eine Person als Empfänger anzugeben. Die Anschrift »Personalabteilung« bedeutet nicht, dass Ihre Bewerbungsunterlagen automatisch an den richtigen Ansprechpartner weitergeleitet werden. In-

Adressieren Sie die Bewerbungsmappe korrekt

formieren Sie sich auch über die richtige Bezeichnung der Abteilung, in der Ihr Ansprechpartner tätig ist. Statt der Personalabteilung kann dies auch das zentrale Personalwesen, das Human Resource Management, die Abteilung für Personal und Ausbildung, das Recruitment oder die Abteilung für Hochschulkommunikation sein.

Vorab geführte Telefongespräche oder Gespräche auf Firmenkontaktmessen, Bewerbertagen oder Firmenvorträgen führen Sie im Initiativanschreiben auf. So gelingt den Firmenvertretern die Einordnung Ihrer Person.

Im Telefongespräch erfragte Anforderungen der Firmen an Hochschulabsolventinnen und -absolventen sollten Sie in Ihrem Anschreiben aufgreifen. Bewerben Sie sich auch auf eine möglichst konkrete Einstiegsposition. Wenn Sie im Gespräch eine Bezeichnung für eine für Sie interessante Einstiegsposition erfahren haben, sollten Sie sich auf genau diese Position bewerben. **Beziehen Sie sich auf eine konkrete Einstiegsposition**

Argumentieren Sie in Ihrem Initiativanschreiben inhaltlich. Stellen Sie Ihre Erfahrungen aus Praktika, Werkstudententätigkeiten, Diplomarbeiten mit Praxisbezug, Projekten und andere berufliche Erfahrungen in den Mittelpunkt. So gelingt Ihnen auch bei Initiativbewerbungen die stellenbezogene Anpassung Ihrer Bewerbung. Setzen Sie sich von Mitbewerbern ab, die Standardanschreiben und -lebensläufe verschicken. Formulieren Sie individuell und auf die Stelle bezogen.

Unsere Initiativanschreiben und Lebensläufe machen Ihnen anschaulich deutlich, wie Sie mit Ihrer Initiativbewerbung überzeugen können.

Führungsnachwuchs (Master)

Timo Groß, Domplatz 3, 50501 Köln
Tel.: (0171) 999 88 77, E-Mail: TimoGross@aol.com

Initiativanschreiben 1

Markenartikel AG
Personalleitung
Herr Schneider
Grasweg 111
60606 Frankfurt

Köln, 04.02.2008

Initiativbewerbung: Führungsnachwuchs
Unser Gespräch auf dem Absolventenkongress vom 01.02.2008

Sehr geehrter Herr Schneider,

vielen Dank für Ihre Informationen auf dem Absolventenkongress. Gerne möchte ich mich in Ihrem Führungsnachwuchskräfteprogramm zum Produktmanager weiterentwickeln.

Im Produktmanagement bringe ich erste Erfahrungen mit. In den marketingrelevanten Bereichen Marktforschung, Online-Marketing und Verkaufsförderung habe ich bereits erste berufliche Aufgaben übernommen.

Bei der Sportartikel GmbH in Köln habe ich als Assistent des Produktmanagers Statistiken und Präsentationen erstellt. In der Marktforschung habe ich für Kundenbefragungen Fragebögen entwickelt und ausgewertet. In meinem Praktikum bei der Handels AG in Düsseldorf wurde ich im Internationalen Marketing eingesetzt. Der Schwerpunkt meiner Tätigkeit lag in der Koordination von Werbe- und Verkaufsförderungsmaßnahmen (Print und Online). Zur Unterstützung von Werbekampagnen habe ich Promotion-Teams gebrieft. Erfahrungen in der internationalen Zusammenarbeit habe ich im Projekt »Umsetzung von Corporate Design Richtlinien« gesammelt. Meine sehr guten Englischkenntnisse (Auslandssemester) kamen mir bei der Abstimmung mit dem US-Headquarter zugute.

Mein Masterstudium Wirtschaft an der Universität Köln werde ich im August 2008 abschließen. Meine Studienschwerpunkte sind Absatzwirtschaft und Marketing. Neben meinen Englischkenntnissen verfüge ich über gute Französischkenntnisse und grundlegende Spanischkenntnisse.

Ich möchte gern Ihren Vorschlag aufgreifen, mit Ihnen schon vor meinem Studienende in Kontakt zu kommen.

Über eine Einladung zu einem persönlichen Gespräch würde ich mich sehr freuen.

Mit freundlichen Grüßen

Timo Groß

Timo Groß
Domplatz 3
50501 Köln

Tel.: (0221) 99 88 77
E-Mail: TimoGross@aol.com

Lebenslauf

Lebenslauf 1

Persönliche Daten

geb. am 12.04.1983 in Frankfurt am Main
ledig

Schule, Wehrdienst

28.06.2002	Abitur an der Gesamtschule Köln Nord
11/2002 – 09/2003	Wehrdienst, Luftwaffe, Roth bei Nürnberg, Technische Kompanie der Radarführungsabteilung

Studium (Bachelor und Master)

10/2003 – 02/2007	Bachelorstudium Betriebswirtschaftslehre an der Universität Mainz Studienschwerpunkte: Controlling, Kostenmanagement
02/2006 – 07/2006	Auslandssemester am University College of Dublin, Irland
02.02.2007	Bachelor of Arts (B.A.)

04/2007 – heute	Masterstudium Betriebswirtschaftslehre an der Universität Köln Studienschwerpunkte: Absatzwirtschaft, Marketing Masterarbeit: »Online-Marketing – die Wachstumskonzepte der Marktführer«
09/2008	voraussichtlicher Abschluss: Master of Arts (M.A.)

Praktika

08/2005 – 10/2005	Sportartikel GmbH, Köln, Produktmanagement, Praktikant: Marktforschung, Erstellen von Statistiken und Präsentationen
07/2006 – 09/2006	Online Auktionsplattform GmbH, Köln, Abteilung Online-Marketing: Analyse von Onlinemaßnahmen der Wettbewerber, Vorbereitung von Präsentationen, Teilnahme an Meetings
02/2008 – 04/2008	Handels AG, Düsseldorf, Abteilung Internationales Marketing, Praktikant: Planung und Organisation von Messeauftritten, Koordination von Werbe- und Verkaufsförderungsmaßnahmen, Mitarbeit im Projekt »Umsetzung von Corporate Design Richtlinien«

Sonstiges

10/2004 – 10/2007	Studenteninitiative Marketing zwischen Theorie und Praxis e.V. (MTP), Public Relations, Aufbau und Pflege eines Sponsorenkreises

Zusatzqualifikationen

Sprachen:	Englisch (sehr gut), Französisch (gut), Spanisch (Grundkenntnisse)
EDV-Kenntnisse:	Windows und MS-Office (sehr gut), MS-Access (gut)

Köln, 04.02.2008	*Timo Groß*

Young Professional E-Commerce (Diplom)

Andrea Scheffler, Katharinenstraße 38, 10111 Berlin
Tel.: (030) 88 77 88, E-Mail: AndreaScheffler@hotmail.de

Software GmbH
Abteilung Human Resources
Frau Bärbel Hartwig
Süderstraße 55
10321 Berlin

Berlin, 17.04.2008

Bewerbung als Young Professional E-Commerce
Unser Telefongespräch vom 14.04.2008

Initiativ-
anschreiben 2

Sehr geehrte Frau Hartwig,

ich habe mich sehr darüber gefreut, dass Sie sich am Telefon noch an unser Gespräch auf der Multimedia Messe Berlin erinnern konnten.

Die von Ihnen aufgezeigte Einstiegsmöglichkeit als Young Professional E-Commerce würde ich gern wahrnehmen. In der Abstimmung von Kundenwünschen mit der Redaktion und der Programmierung habe ich bereits Erfahrungen gesammelt. Daneben habe ich in einer Werbeagentur für Start-Up-Unternehmen Internet-Business-Szenarien entwickelt. Der Verkaufsbereich ist mir aus der Mitarbeit bei einem Stadtmagazin vertraut.

Für die Werbeagentur Die Sieben habe ich den Bereich E-Commerce bearbeitet. Erfolgversprechende Business-To-Consumer-Konzepte habe ich auf ihre Realisierbarkeit hin überprüft und dabei die Kundenwünsche und die Programmiermöglichkeiten möglichst weitgehend zur Deckung gebracht. Für das Stadtmagazin *Prinzessin* habe ich Anzeigen akquiriert und Artikel verfasst.

In meinem Studium der Kommunikations- und Medienwissenschaft an der Humboldt Universität Berlin habe ich den Schwerpunkt auf neue Medien gelegt. Neben dem Hauptstudium, das ich im Herbst mit der Diplomprüfung abschließen werde, bin ich als verantwortliche Redakteurin der Hochschulzeitung *Klartext* tätig.

Ich könnte bei Ihnen schon vor meinem Studienende einzelne Aufgaben übernehmen. Die Koppelung von redaktionellem Arbeiten, Kundenbetreuung und Verkaufsaktivitäten reizt mich sehr. Für ein Vorstellungsgespräch stehe ich Ihnen gern zur Verfügung.

Mit freundlichen Grüßen

Andrea Scheffler

Andrea Scheffler
Katharinenstraße 38
10111 Berlin

Tel.: (030) 88 77 88
E-Mail: AndreaScheffler@hotmail.de

Lebenslauf 2   **Lebenslauf**

Persönliche Daten

geb. am 15.12.1985 in Berlin
ledig

Schule

12.06.2004   Abitur am Schiller Gymnasium, Berlin,
                   Note: 2,3

Studium

10/2004 – heute	Humboldt Universität Berlin, Kommunikations- und Medienwissenschaft
10/2004 – 09/2006	Grundstudium: Empirische Sozialforschung, Kommunikationswissenschaften, publizistische Arbeitstechniken, Medienkunde
29.09.2006	Vordiplom, Note: 1,5
10/2004 – heute	Hauptstudium: Schwerpunkt Neue Medien

Praktika, berufliche Tätigkeiten

02/2006 – 08/2006	Stadtmagazin *Prinzessin*, freie Mitarbeiterin, Anzeigenakquisition, Recherche, Mitarbeit im Layout
07/2007 – 10/2007	Die Sieben, Werbeagentur, Praktikantin: Entwicklung von Internet-Business-Szenarien, Koordination von Kundenwünschen, Redaktion und Programmierung, Erstellen von Textbeiträgen
10/2005 – heute	Hochschulzeitung *Klartext*, Redaktion, verantwortliche Redakteurin

Zusatzqualifikationen

Sprachen:	Englisch (gut), Russisch (gut)
EDV-Kenntnisse:	Textverarbeitung MS-Word (sehr gut), Desktop-Publishing Pagemaker (gut)

Berlin, 17.04.2008

Andrea Scheffler

Projektassistent Touristik (Bachelor)

Dietrich Stock, Jarrestraße 212, 20095 Hamburg
Tel.: (040) 44 33 22, E-Mail: Stock@t-online.de

Besser Reisen GmbH
Hauptabteilung Personal- und Sozialwesen
Frau Svenja Heer
Kronenweg 118 – 124
22305 Hamburg

Hamburg, 22.09.2007

Initiativ-
anschreiben 3

Initiativbewerbung als DV-Projektassistent Touristik
Unser Telefongespräch vom 20.09.2007

Sehr geehrte Frau Heer,

vielen Dank für das Interesse an meiner Bewerbung. Bei der Nur-Data GmbH habe ich bereits erste berufliche Erfahrungen als DV-Mitarbeiter sammeln können. Der Bereich der Mitarbeiterschulung und der Netzwerkbetreuung ist mir vertraut. Im Tourismusbereich war ich schon in unterschiedlichen Positionen tätig.

Während meines Einsatzes in der Abteilung Datenverarbeitung des Bereichs Organisation der NurData GmbH habe ich Datenbanken installiert und betreut, Netzwerke gepflegt und Mitarbeiterschulungen durchgeführt. Weiter habe ich bei der Innovative Software GmbH daran mitgearbeitet, ein Management-Informations-Systems zu installieren und ein Datawarehouse-System aufzubauen.

Mein Bachelorstudium Informatik werde ich in Kürze abschließen. Neben dem Studium bin ich als Dozent in der PC-Schulung tätig. Dort vermittele ich Kenntnisse an Einsteiger und Spezialisten.

Uneingeschränkte Mobilität ist für mich selbstverständlich. Mein Organisationsgeschick und meine Belastungsfähigkeit kamen mir schon in meinen Tätigkeiten als Animateur und stellvertretender

Leiter eines Ferienclubs zugute. Ich spreche sehr gut Englisch und verfüge über umfassende Hard- und Software-Kenntnisse.

Für ein Vorstellungsgespräch stehe ich Ihnen gern zur Verfügung.

Mit freundlichen Grüßen

Dietrich Stock

Dietrich Stock
Jarrestraße 212
20095 Hamburg

Tel.: (040) 44 33 22
E-Mail: Stock@t-online.de

Lebenslauf

Persönliche Daten

geb. am 30.07.1980 in Kiel
ledig

Lebenslauf 3

Schule, Zivildienst

15.06.2000	Abitur an der Kieler Gelehrtenschule, Note: 2,9
10/2000 – 10/2001	Zivildienst beim Arbeiter Samariter Bund, Rettungssanitäter

Studium

04/2003 – heute	Bachelorstudiengang Informatik, Universität Hamburg Studienschwerpunkte: - Informationsmanagement - eBusiness - Datenbanksysteme

Bachelorthesis: Entwicklung eines internetbasierten Bestellsystems für Logistikleistungen (Praxisarbeit in Zusammenarbeit mit der Logistik GmbH, Dortmund)
Voraussichtlicher Abschluss 12/2007: Bachelor of Science (B.Sc.)

Berufliche Tätigkeiten, Praktika

01/2002 – 11/2002	Touristik AG, Club Fuerteventura, Animateur und stellvertretender Clubleiter
02/2003 – 04/2003	Kreuzfahrt AG; Kreuzfahrtschiff Verdi, Steward
07/2005 – 10/2005	NurData GmbH, Pinneberg, Bereich Organisation, Abteilung Datenverarbeitung, Praktikant: Betreuung von Windows-Netzwerken, Datenbankinstallation, Mitarbeiterschulung
01/2006 – heute	VHS Hamburg, freier Dozent, Konzeption und Durchführung von PC-Schulungen
02/2007 – 04/2007	Innovative Software GmbH, Essen, Abteilung Kundenservice, Praktikant: Mitarbeit bei der Installation eines Management-Informations-Systems, Aufbau und Weiterentwicklung eines Datawarehouse-Systems

Zusatzqualifikationen

Sprachen:	Englisch (sehr gut)
Programmieren:	Java, Java Script, HTML, Flash, C, C++, Fortran, Java2K (alle sehr gut)
Datenbanken:	Progress, MySQL, PostgrSQL, Oracle (alle ständig in Anwendung)
Betriebssysteme:	Windows XP, Vista/NT, Windows CE, Unix, Linux (alle sehr gut)
Büro-Software:	MS-Office (ständig in Anwendung)

Hamburg, 24.09.2007 *Dietrich Stock*

Trainee (Staatsexamen/Magister)

Elke Dobler, Am Sonnenberg 9, 89990 München
Tel.: (089) 33 44 55, E-Mail: ElkeDobler@aol.com

APT GmbH
Recruiting Dept.
Frau Claire Grube
Johnsallee 154
80808 München

München, 09.11.2007

Bewerbung als Trainee
Unser Treffen auf dem Firmenkontakttag der LMU am 07.11.2007

Initiativ-
anschreiben 4

Sehr geehrte Frau Grube,

vielen Dank für den ersten Profilabgleich auf dem Firmenkontakt-tag der Ludwig-Maximilians-Universität. Hier sind die weiterfüh-renden Informationen zu meinem Profil. Für einen Einstieg in das Trainee-Programm der APT GmbH bringe ich Erfahrungen aus der Einkaufsabteilung eines Versandhandelsunternehmens mit. Erste Erfahrungen in der Teamleitung habe ich parallel zum Studium er-worben.

Im Einkauf der Callas Versandhandel AG habe ich Saisonanalysen erstellt, Trends aus der Marktbeobachtung herausgefiltert und di-ese Trends in eine zielgruppengerechte Sortimentserstellung über-führt. Die Recherche von Lieferantenquellen habe ich international durchgeführt.

Während meines Studiums habe ich auch als Verkäuferin gearbei-tet. Momentan bin ich Gruppenleiterin in einem Call-Center, dort bin ich für die Arbeitsorganisation zuständig und betreue den Kundenservice. Zusätzlich zu meinem Lehramtsstudium, das ich mit dem ersten Staatsexamen abgeschlossen habe, mache ich zur

Zeit ein Aufbaustudium, das ich in einem halben Jahr mit dem Magistertitel abschließen werde. Auslandserfahrungen habe ich als Assistant Teacher in England gesammelt.

Meine bisherigen Erfahrungen aus dem Einkauf, dem Verkauf, der Arbeitsorganisation und dem Kundenservice möchte ich in Ihr Trainee-Programm einbringen. Über eine Einladung zu einem Vorstellungsgespräch würde ich mich sehr freuen.

Mit freundlichen Grüßen

Elke Dobler

Elke Dobler
Am Sonnenberg 9
89990 München

Tel.: (089) 33 44 55
E-Mail: ElkeDobler@aol.com

Lebenslauf 4

Lebenslauf

Persönliche Daten

geb. am 05.06.1981 in München
ledig

Schule

10.06.1999	Abitur am Franz-Joseph-Gymnasium, Note: 1,9

Studium

10/1999 – 02/2004	Lehramtsstudium an der Ludwig-Maximilians-Universität, München, Fächerkombination: Deutsch und Englisch

| 12.02.2004 | 1. Staatsexamen |
| 04/2004 – heute | Magisterstudium (viersemestriges Aufbau-studium) an der Ludwig-Maximilians-Universität, München, Fächer: Deutsch, Englisch, Soziologie |

Praktika, berufliche Tätigkeiten

10/2001 – 12/2002	Wollewert Kaufladen AG, München, Verkäuferin
02/2003 – 08/2003	Assistant Teacher an der Manchester Primary School, England
07/2004 – 10/2004	Callas Versandhandel AG, Heilbronn, Einkauf, Praktikantin: Erstellung von Saisonanalysen, zielgruppengerechte Sortimentserstellung, Lieferantensuche
11/2004 – heute	Call-Center GmbH, München, studienbegleitende Teilzeittätigkeit, Gruppenleiterin: Arbeitsorganisation, Umsetzung von Einarbeitungsprogrammen, Kundenservice

Zusatzqualifikationen

| Sprachen: | Englisch (sehr gut) |
| EDV-Kenntnisse: | Textverarbeitung Word (gut) |

München, 09.11.2007
Elke Dobler

Fertigungsingenieur (Diplom)

Winfried Kleber, Valentinskamp 18, 79797 Stuttgart
Tel. und Fax: (0711) 12 34 56, E-Mail: WKleber@hotmail.de

Car Products GmbH & Co. KG
Zentrales Personalwesen
Herr Andreas Barros
Industriestraße 8
77767 Böblingen

Stuttgart, 03.03.2008

Initiativ-
anschreiben 5

Bewerbung als Fertigungsingenieur
Unser Telefongespräch vom 28.02.2008

Sehr geehrter Herr Barros,

wie am Telefon besprochen, würde ich gern in Ihrer Firma als Fertigungsingenieur tätig werden. Ich verfüge über Branchenerfahrung und habe bereits erste Aufgaben als Fertigungsingenieur übernommen.

Für die Sparta GmbH habe ich Produktionstestläufe betreut und Umrüstzeiten in der Fertigung optimiert. Durch meine vor dem Studium absolvierte Ausbildung zum Werkzeugmechaniker fand ich sofort einen guten Draht zu den Mitarbeitern in der Produktion. Zusammen mit den Bedienungsmannschaften konnte ich die Rüstzeiten in der Produktion minimieren.

Mein Studium des Maschinenbaus mit der Studienrichtung Fertigungs- und Betriebstechnik werde ich in einem halben Jahr abschließen. Im Hauptstudium habe ich parallel zum Ingenieurstudium betriebswirtschaftliche Kenntnisse in ausgewählten Seminaren erworben. Diese Kenntnisse kamen mir bei der Teilnahme an dem Projekt »Outsourcing von Baugruppen« in der Sparta GmbH zugute. Das Outsourcing-Projekt vertiefe ich momentan fachlich in meiner Diplomarbeit, in der ich Maßnahmen zur Qualitätssicherung bei der Zuliefererintegration untersuche.

Ich beherrsche die objektorientierten Programmiersprachen, verfüge über gute SPSS-Kenntnisse und kenne mich gut mit der gängigen Büro-Software aus.

Für ein weiterführendes Gespräch stehe ich Ihnen gern zur Verfügung.

Mit freundlichen Grüßen

Winfried Kleber

Winfried Kleber
Valentinskamp 18
79797 Stuttgart

Tel. und Fax (0711) 12 34 56
E-Mail: WKleber@hotmail.de

Lebenslauf

Lebenslauf 5

Persönliche Daten

geb. am 21.08.1981 in Grasstadt
verheiratet

Schule, Wehrdienst

12.06.1998	Realschulabschluss, Realschule Stuttgart-Süd
09/1998 – 06/2000	Fachoberschule Technik, Stuttgart
20.06.2000	Fachabitur, Note: 2,4
09/2000 – 08/2001	Wehrdienst, Fernmeldekompanie III des Heeres, Buxtehude

Ausbildung

09/2001 – 08/2004	Kesselmacher KG, Böblingen, Ausbildung zum Werkzeugmechaniker, Fachrichtung Stanz- und Umformtechnik
30.08.2004	Werkzeugmechaniker

Studium

10/2004 – heute	Studium des Maschinenbaus an der Fachhochschule Stuttgart, Studienrichtung Fertigungs- und Betriebstechnik
10/2004 – 07/2006	Grundstudium
14.07.2006	Vordiplom, Note: 2,5
10/2006 – heute	Hauptstudium, zusätzlich zur Vertiefung der Fertigungstechnik Erwerb betriebswirtschaftlicher Kenntnisse
01/2008 – heute	Diplomarbeit: Externes Qualitätsmanagement, Maßnahmen der Qualitätssicherung bei der Zuliefererintegration

Praktikum

07/2007 – 10/2007	Sparta GmbH, Automobilzulieferer, Böblingen, Produktion, Praktikant: Betreuung von Produktionstestläufen, Montageoptimierung, Unterstützung der Produktionsmitarbeiter, Projekt »Outsourcing von Baugruppen«

Zusatzqualifikationen

Sprachen:	Englisch (gut)
EDV-Kenntnisse:	Anwendungssoftware: Textverarbeitung und Tabellenkalkulation (gut)
Programmiersprachen:	C, C++, HTML, SPSS

Stuttgart, 03.03.2008

Winfried Kleber

9

Die überzeugende
Bewerbungsmappe

Sie müssen wissen, was Personalverantwortliche unter vollständigen Bewerbungsunterlagen verstehen und wie die Unterlagen
in die Bewerbungsmappe einsortiert werden. Vermeiden Sie die
Fehler unvorbereiteter Bewerber. Bereiten Sie Ihre Bewerbungsunterlagen so auf, dass Sie die erste Stufe der Unterlagensich-
tung – die formale Prüfung – überstehen und im Bewerbungsverfahren bleiben.

Bei der Aufbereitung Ihrer Bewerbungsunterlagen wird die Unterscheidung zwischen formalen und inhaltlichen Fehlern
wesentlich. Durch formal einwandfrei gestaltete Unterlagen
bleiben Sie im Bewerbungsverfahren. Aber auch wenn Sie
formale Fehler vermeiden, werden Sie noch nicht automatisch zu einem Vorstellungsgespräch eingeladen. Erst wenn
die anschließende inhaltliche Prüfung Ihrer Unterlagen ergibt, dass Sie interessant sind, erreichen Sie die nächste
Runde. In diesem Kapitel machen wir Sie mit den formalen Anforderungen an Ihre Bewerbungsunterlagen vertraut.

Formale und inhaltliche Aspekte müssen stimmen

Der Inhalt Ihrer Bewerbungsmappe

In kleinen Unternehmen findet die formale und inhaltliche Prüfung Ihrer Bewerbungsunterlagen in einem Arbeitsgang statt.
In mittelgroßen und großen Unternehmen werden jedoch die

vielen täglich eingehenden Bewerbungen im ersten Schritt nur formal geprüft. Fehler auf dieser Stufe führen zum sofortigen Ausscheiden aus dem weiteren Bewerbungsverfahren.

Die Vollständigkeit Ihrer Unterlagen ist die erste Prüfungsstufe. Die Formulierungen in den Stellenanzeigen lauten »Richten Sie bitte Ihre vollständigen Bewerbungsunterlagen an ...«, »Wir freuen uns auf Ihre kompletten Bewerbungsunterlagen« oder auch »Bewerben Sie sich bitte mit aussagekräftigen Unterlagen«. Was gehört nun zu vollständigen, kompletten beziehungsweise aussagekräftigen Bewerbungsunterlagen?

Ihre Bewerbungsunterlagen müssen vollständig sein

Vollständige Unterlagen beinhalten:

- das Anschreiben
- den Lebenslauf mit dem Bewerbungsfoto

sowie Kopien

- des berufsqualifizierenden Zeugnisses (Diplom-/Examensurkunde und Diplom-/Examenszeugnis)
- von Praktikumsbestätigungen und/oder Arbeitszeugnissen
- sonstiger Leistungsnachweise (Weiterbildungsveranstaltungen, Sprach- oder Computerkurse)
- des Vordiploms/des Zeugnisses der Zwischenprüfung und
- des (Fach-)Abiturzeugnisses (Schulabschlusszeugnis der allgemeinen Hochschulreife beziehungsweise der Fachhochschulreife)

Ist Ihre Bewerbungsmappe nicht vollständig, so wird man nicht bei Ihnen anrufen und fehlende Unterlagen nachfordern. Es gibt genügend andere Kandidaten, die vollständige Mappen einsenden. Darum muss Ihre Bewerbungsmappe alle Unterlagen enthalten.

Unterlagen richtig einsortieren

Ihre Unterlagen sortieren Sie in folgender Reihenfolge in die Bewerbungsmappe ein: Ganz oben liegt das Anschreiben, darunter der Lebenslauf mit aufgeklebtem Foto. Dann geht es in chronologischer Reihenfolge weiter mit dem berufsqualifizierenden Abschluss (Diplom-/Examensurkunde und Diplom-/Examenszeugnis), den Praktikumsbestätigungen, eventuell vorhandenen Arbeitszeugnissen, sonstigen Leistungsnachweisen, dem Vordiplom/dem Zeugnis über die Zwischenprüfung und dem letzten Schulabschlusszeugnis.

Chronologische Ordnung beachten

Bewerben Sie sich vor Ihrem Studienende, so legen Sie Ihrer Bewerbungsmappe das Vordiplom oder ein Zeugnis über die Zwischenprüfung bei. Zusätzlich fertigen Sie einen Notenspiegel für die bisher im Hauptstudium erbrachten Leistungen an und fügen diesen nach dem Lebenslauf und vor dem Vordiplom in die Mappe ein. Ein Muster für die Erstellung Ihres vorläufigen Notenspiegels finden Sie im Kapitel »Zeugnisse«.

Seien Sie wählerisch bei den sonstigen Leistungsnachweisen: Legen Sie Ihrer Bewerbung nicht alle Urkunden über Weiterbildungsveranstaltungen oder freiwillig erbrachte Studienleistungen bei. Seminarscheine haben generell nichts in Ihrer Bewerbung zu suchen.

Aus unserer Beratungspraxis

Generalisten gesucht

Eine Magister-Studentin mit der Fächerkombination Spanisch, Französisch und Psychologie hatte gehört, dass Unternehmensberatungen neben Betriebswirten auch Interesse an den Bewerbungen von Geisteswissenschaftlern haben. Die Forderung einer internationalen Unternehmensberatung nach interdisziplinärem Denken und Offenheit für ungewohnte Denkweisen, fremde Kulturen und konträre Meinungen hatte sie angesprochen. Diese Anforderungen stimmten für sie mit ihren eigenen Fähigkeiten überein, die sie für den Arbeitsmarkt mitbrachte.

Um zu belegen, dass sie die genannten Anforderungen auch erfüllte, hatte sie eine umfangreiche Sammlung von Seminarscheinen aus ihrem Studium der Bewerbungsmappe beigelegt. Vom Seminar zum Herrschaftsfreien Diskurs, zur Spanischen Literatur der Neuzeit, zur Wegbereiterrolle der Französischen Revolution, zur Therapie von dissozialem Verhalten von Jugendlichen bis zur Bestätigung ihrer Au-Pair-Tätigkeit durch ihre französische Gastfamilie war in der Bewerbungsmappe alles vertreten – insgesamt 30 spannende Belege.

Die Magister-Studentin war schrecklich enttäuscht darüber, dass sie mit der von ihr vorbereiteten Bewerbungsmappe auf einem Firmenkontakttag keinerlei Interesse bei Unternehmensberatungen erwecken konnte.

Fazit: Vielen Hochschulabsolventinnen und -absolventen ist nicht klar, dass mit dem Berufseinstieg auch ein Abschied von der Hochschule verbunden ist. Unternehmensvertreter schätzen es durchaus, wenn Absolventen ihr Studium intellektuell bewältigen konnten. Viel wichtiger ist für sie jedoch die Einschätzung, wie sie sich in der beruflichen Praxis bewähren werden. Stellen Sie in Ihrer Bewerbung deshalb Ihre praktischen Erfahrungen in den Vordergrund. Zeigen Sie, wie Sie theoretisches Wissen umgesetzt haben. Lösen Sie sich von der Hochschulwirklichkeit. Ihr Studienabschluss ist als Nachweis Ihrer Kenntnisse wichtig. Belege für persönliche Fähigkeiten können Sie Ihrem Studium jedoch nicht entnehmen.

Außerhalb der Hochschule besuchte Weiterbildungsveranstaltungen sollten Sie nur dann dokumentieren, wenn die Weiterbildung zur ausgeschriebenen Stelle passt. Nicht weiter zu belegen brauchen Sie Sprach- oder EDV-Kenntnisse. Hier genügt die Angabe Ihrer Kenntnisse mit Bewertung im Lebenslauf. Mehr dazu in den Kapiteln »Der aussagekräftige Lebenslauf« und »Zeugnisse«.

Nur für die Stelle wesentliche Weiterbildungen dokumentieren

Viele Personalverantwortliche legen Wert darauf, dass das Anschreiben nicht in die Bewerbungsmappe geklemmt oder womöglich gelocht und eingeheftet wird. Legen Sie daher das Anschreiben lose in die Bewerbungsmappe unter den Mappendeckel ein. Sie zeigen damit, dass Sie sich über juristische Vorgaben und die Arbeitsabläufe bei der Personalauswahl informiert haben.

Zum einen hat die Trennung von Anschreiben und Bewerbungsmappe rechtliche Gründe: Das Anschreiben gehört der Firma, die Bewerbungsmappe und deren Inhalt gehört Ihnen. Sie haben einen Anspruch darauf, Ihre Mappe samt Inhalt (ohne das Anschreiben) bei einer Ablehnung zurückzuerhalten. Zum anderen werden Anschreiben und Mappe bei der Prüfung der Unterlagen oft getrennt. So verbleibt das Anschreiben bei der Personalabteilung und wird dort abgeheftet, die Mappe wird an andere Entscheidungsträger, beispielsweise Fachabteilungen, Geschäftsleitung, Betriebsrat, weitergeleitet.

Trennung von Anschreiben und Bewerbungsmappe

Die optimale Präsentation

Als Mappe eignen sich stabile Plastikhefter, wobei es egal ist, ob die Unterlagen gelocht und eingeheftet oder mit einer Klemmschiene eingeklemmt werden. Wählen Sie Bewerbungsmappen in neutralen und eher dunklen Farben, beispielsweise Blau, Schwarz oder Grau. Verschicken Sie keine Mappen in Reizfarben wie Rot, Gelb oder Lila. Manche Personalverantwortliche

Höchstpunktzahl durch passgenaue Bewerbungen

vermuten sonst bei Ihnen eine mangelnde Anpassungsbereitschaft oder andere persönliche Auffälligkeiten.

Auch wenn sich immer mehr Unternehmen zur Schonung
der Umwelt bekennen: Verwenden Sie keine Bewerbungsmappen aus Pappkarton. Es sei denn, Sie bewerben sich bei einer
Umweltstiftung, einer Naturschutzorganisation oder ähn-
Auch Details lichen Institutionen. Dann müssen Sie Pappmappen verwen-
beachten den. Das Gleiche gilt für Recycling-Papier mit Grauschleier.
Verwenden Sie bis auf die genannten Ausnahmen normales,
weißes Schreibmaschinenpapier guter Qualität.

Die Ernsthaftigkeit Ihrer Bewerbung zeigt sich für Personalverantwortliche auch an der Mühe, die Sie sich bei der Aufbereitung Ihrer Bewerbungsmappe geben. Nehmen Sie für alle Unterlagen die
gleiche Papiersorte, damit Ihre Mappe wie aus einem Guss erscheint.
Haben Sie für den Lebenslauf eine andere Papiersorte als für das Anschreiben gewählt, werden Ihnen Personalverantwortliche einen
lieblosen Umgang mit Arbeitsunterlagen unterstellen.

Zum Thema Bewerbungsmappen und Umweltschutz noch Folgendes: Klarsichthüllen stören mehr, als sie nützen. Die Unterlagen von Bewerbern, die in die engere Auswahl gekommen sind, werden oft kopiert, um die Kopien an die Fachabteilungen weiterzureichen. Klarsichthüllen stören den Einzelblatteinzug der Kopierer, und das Vervielfältigen Ihrer Bewerbung wird zum ungeliebten Geduldsspiel.

Fotokopien von Zeugnissen und sonstigen Leistungsnachweisen sollten Sie immer erstklassig anfertigen lassen. Verwenden Sie nicht die billigen Kopien, die man durch Streifen oder Schatten auf der Kopie erkennt. Ihre Kopien sollten perfekt sein. Ökologisches Kopieren, das heißt Verkleinern der Vorlagen, sodass aus vier DIN A4-Originalen plötzlich vier auf einem Blatt angeordnete DIN A6-Verkleinerungen werden, geht auf Kosten der Übersichtlichkeit und Lesbarkeit und ist deshalb nicht zu empfehlen. Kopieren Sie auch doppelseitig bedruckte Originale immer nur einseitig. Da die Firmen Ihre Unterlagen per Einzelblatteinzug vervielfältigen, würden die auf der Blattrückseite abgebildeten Belege sonst verloren gehen. Die Kopien brauchen nicht beglaubigt zu werden. Die einzige Ausnahme ist hier die Bewerbung um einen Arbeitsplatz im öffentlichen Dienst.

Gut lesbare und übersichtliche Kopien

Auf einen Blick
Die überzeugende Bewerbungsmappe

Im Blick

- Eine vollständige Bewerbungsmappe enthält:
  - das Anschreiben
  - den Lebenslauf mit Bewerbungsfoto
  sowie Kopien
  - des berufsqualifizierenden Zeugnisses (Diplom-/Examensurkunde und Diplom-/Examenszeugnis)
  - von Praktikumsbestätigungen und/oder Arbeitszeugnissen

- sonstiger Leistungsnachweise (Weiterbildungsveranstaltungen, Sprach- oder Computerkurse)
- des Vordiploms/des Zeugnisses über die Zwischenprüfung
- des (Fach-)Abiturzeugnisses (Schulabschlusszeugnis der allgemeinen Hochschulreife beziehungsweise der Fachhochschulreife)

- So werden die Unterlagen in die Mappe sortiert: oben das Anschreiben, dann Lebenslauf mit Foto, berufsqualifizierendes Zeugnis, Praktikumsbestätigungen oder Arbeitszeugnisse, sonstige Leistungsnachweise, Vordiplom, Schulabschlusszeugnis.
- Studierende, die sich vor dem Studienende bewerben, legen statt der Diplomurkunde und des Diplomzeugnisses das Vordiplom und einen Notenspiegel mit den bisher im Hauptstudium erbrachten Leistungen bei.
- Das Anschreiben gehört in den Hefter, wird aber lose hineingelegt, das heißt nicht gelocht und nicht eingeklemmt.
- Wählen Sie für Ihre Bewerbungsmappe eine angemessene Farbe. Reizfarben wie Rot, Gelb oder Lila lassen manche Personalverantwortliche auf eine mangelnde Anpassungsbereitschaft des Bewerbers schließen.
- Benutzen Sie keine Klarsichthüllen.
- Verwenden Sie nur gut lesbare Kopien. Die Kopien brauchen nicht beglaubigt zu werden (Ausnahme öffentlicher Dienst).

10

Das Anschreiben: die erste Arbeitsprobe

Das Anschreiben ist das zentrale Schriftstück in Ihrer Bewerbungsmappe: Damit liefern Sie ein Kurzgutachten über sich. Es muss deutlich werden, dass Sie die vom Unternehmen gefragten Kenntnisse und Fähigkeiten mitbringen. Nur wenn Sie mit Ihrem Anschreiben Interesse an Ihren Qualifikationen wecken können, werden sich Personalverantwortliche die Mühe machen, weitere Informationen aus Ihren Unterlagen herauszufiltern.

Die meisten Bewerber haben große Schwierigkeiten mit der inhaltlichen Ausgestaltung des Anschreibens. Unvorbereitete Bewerber ziehen sich gern auf die Argumentation zurück: »Was mich für die Einstiegsposition befähigt, wird doch aus meinen Zeugnissen und dem Lebenslauf deutlich.« Dies überzeugt Personalverantwortliche nicht. Wer als Berufseinsteiger nicht in der Lage ist, sein Profil aufzubereiten, dem trauen Personalverantwortliche auch nicht zu, Aufgaben am Arbeitsplatz bewältigen zu können.

Das Anschreiben als erste Arbeitsprobe

Unterschätzen Sie nicht die Rolle des Anschreibens als erste Arbeitsprobe. Mit einem aussagekräftigen Anschreiben beweisen Sie, dass Sie Entscheidungsvorlagen anfertigen können. Auch in Ihrem späteren Berufsalltag wird es immer wieder darauf ankommen, Informationen zu verdichten und die stichhaltigsten Argumente in kurzer Zeit zu vermitteln. Bei Personalverantwortlichen gilt der Grundsatz: »Was ein Bewerber nicht in drei Minuten vermitteln kann, das kann er auch nicht in dreißig Minuten erklären.«

Die Aufbereitung der Argumente, die für Ihre Einstellung sprechen, gelingt Ihnen am besten, wenn Sie Ihre Stärken in knapper Form präsentieren können. Diese Selbstpräsentation ist die entscheidende Vorbereitung auf die inhaltliche Ausgestaltung Ihrer Anschreiben. Erarbeiten Sie sich die inhaltliche Seite von Anschreiben, indem Sie in Ihrer Selbstpräsentation die Frage beantworten: »Warum sollten wir gerade Sie einstellen?«

»Warum gerade Sie?«

Vorbereitung: Ihre Selbstpräsentation

Die Ausformulierung eines Anschreibens gelingt niemandem aus dem Stegreif. Besonders die inhaltliche Ausgestaltung des Anschreibens bereitet vielen Bewerbern große Schwierigkeiten. Dabei ist dies der Hauptprüfungspunkt bei der Durchsicht von Bewerbungsunterlagen durch Unternehmen. In unserer Beratungspraxis werden wir immer wieder mit Anschreiben konfrontiert, die das besondere Profil des Berufseinsteigers nicht erkennen lassen.

Zu den typischen Fehlern gehören oberflächliche und abstrakte Formulierungen, verschachtelte und unübersichtliche Darstellungen des Werdegangs und der fehlende Bezug zur angestrebten Position. Die von Personalabteilungen geäußerte Klage, dass sich Absolventen mit kaum unterscheidbaren Standardanschreiben bewerben, die für beliebige Positionen und Unternehmen benutzt werden können, sollten Sie ernst nehmen. Wenn Sie mit Ihrem Anschreiben überzeugen wollen, müssen Sie es inhaltlich so ausgestalten, dass Ihr berufliches Qualifikationsprofil deutlich wird.

Ihr Profil muss deutlich erkennbar sein

Um die inhaltliche Seite Ihres Profils in den Griff zu bekommen, werden wir Ihnen jetzt zeigen, wie Sie sich selbst präsentieren sollten. Diese Selbstpräsentation ist die Vorstufe Ihres Anschreibens und wird Ihnen dabei helfen, Ihr individuelles Profil auszuarbeiten. Lernen Sie, wie Sie

- eine Selbstpräsentation aufbauen
- Fehler in der Selbstpräsentation vermeiden
- Überzeugungsregeln in der Selbstpräsentation einsetzen und
- das eigene Profil für das Anschreiben herausarbeiten.

Der Aufbau der Selbstpräsentation

Sie sollten Ihre Selbstpräsentation so aufbauen, dass der Bezug zur ausgeschriebenen Stelle deutlich wird. Das bedeutet für Sie, dass Sie zuerst praxisnahe Erfahrungen darstellen sollten, da dies der beste Beleg dafür ist, dass Sie auch die Aufgaben in Ihrer Einstiegsposition in den Griff bekommen können. Praktika, Projektarbeiten, Werkstudententätigkeiten oder die Zusammenarbeit mit einem Unternehmen in der Diplomarbeit sind für potenzielle Arbeitgeber besonders wichtig. Beginnen Sie deshalb Ihre Selbstpräsentation nicht mit Ihrem Studium oder womöglich mit Ihrer Schulzeit. Belegen Sie Ihre Praxiserfahrung, und stellen Sie diese Erfahrungen in den Vordergrund. Erst danach gehen Sie auf Ihr Studium ein und liefern am Ende Ihrer Selbstpräsentation für die Einstiegsposition wichtige Zusatzqualifikationen.

Stellen Sie Ihre praxisnahen Erfahrungen dar

Orientieren Sie sich bei der Erstellung Ihrer Selbstpräsentation an dem von uns in der Beratungspraxis entwickelten Schema:

1. Stellen Sie Ihre ersten Berufserfahrungen aus Praktika, Projektarbeiten, Werkstudententätigkeiten oder aus der Diplomarbeit an den Anfang Ihrer Selbstpräsentation.
2. Heben Sie die Tätigkeiten hervor, die einen Bezug zur Einstiegsposition haben.

3. Erläutern Sie Ihre Schwerpunktbildung im Studium. Machen Sie klar, welche Zusatzqualifikationen Sie mitbringen.

Die erste Berufserfahrung: Sie sollten Ihre Selbstpräsentation mit der Darstellung von Aufgaben, die Sie in einem berufsnahen Kontext übernommen haben, beginnen. Führen Sie nicht nur auf, dass Sie über erste berufliche Erfahrung verfügen, sondern stellen Sie ausführlich die von Ihnen wahrgenommenen Tätigkeiten dar.

Die erste Berufserfahrung

Viele Hochschulabsolventinnen und -absolventen geben erste berufliche Erfahrungen formal und in einem abwertenden Ton an: »Ich habe Praktika gemacht, um erste berufliche Erfahrungen zu sammeln. In meinen Praktika habe ich erste Einblicke gewonnen.«

Die in einem Praktikum kennen gelernten Aufgaben und die dazugehörigen Tätigkeiten gehen bei einer derart oberflächlichen Darstellung leider unter. Besser wäre diese Formulierung:

»Ich habe bereits erste Aufgaben im Marketing wahrgenommen. Für die Entwicklung einer neuen Dienstleistung habe ich Marktanalysen erstellt, Wettbewerbervergleiche durchgeführt und an der Konzeption einer Markteinführungsstrategie mitgearbeitet.«

An unserem Beispiel sehen Sie, dass Sie formale Angaben besser durch inhaltliche Aussagen ersetzen sollten. Statt einfach zu erwähnen, dass Sie ein Praktikum absolviert haben, sollten Sie lieber die aktiv übernommenen beruflichen Tätigkeiten darstellen.

Der Bezug zur Einstiegsposition: Die Tätigkeiten, die auch für die Einstiegsposition von Belang sind, sollten Sie ausführlicher darstellen. Für Sie als Berufseinsteiger ist es wichtig nachzuweisen, dass Sie im Tagesgeschäft bestehen können. Geben Sie deshalb auch Routineaufgaben detailliert an. Wenn Sie an Projekten teilgenommen oder Sonderaufgaben bewältigt haben, sind dies wichtige Belege, an denen Sie Ihre persönlichen Fähigkeiten deutlich machen sollten.

Bezug zur Einstiegsposition herstellen

»Für eine Tätigkeit als Multimedia-Redakteurin bringe ich journalistische Erfahrung und gute Kenntnisse von DTP-Programmen mit. Ich habe bereits beim Layout von Internetseiten mitgearbeitet und kenne die besonderen Anforderungen des journalistischen Arbeitens bei Multimedia-Projekten. In einer Werbeagentur war ich an einem CD-ROM-Projekt beteiligt. Meine Aufgabe war die Erstellung der Textbeiträge.«

Beispiel

Studium und Zusatzqualifikationen: Wenn Sie durch eine geeignete Schwerpunktbildung im Studium Kenntnisse erworben haben, die für die Einstiegsposition wichtig sind, sollten Sie diese auch hervorheben. Erläutern Sie in diesem Fall, was Sie im Studium besonders interessiert hat, in welchem Bereich Sie vertiefende Seminare belegt haben und welche Kenntnisse Sie sich selbst angeeignet haben.

Schwerpunktbildung im Studium

»In meinem Studium der Ernährungswissenschaften habe ich einen besonderen Schwerpunkt im Bereich Functional Food gesetzt. Dabei habe ich mich besonders mit Marketing-Maßnahmen auseinander gesetzt und meine Kenntnisse im Produkt-Management vertieft.«

Beispiele

Zusatzqualifikationen

Beispiel 2 »Der sichere Umgang mit dem Internet ist für mich ebenso selbstverständlich wie gute Kenntnisse in der Datenbankrecherche. Ich spreche sehr gut Englisch und verfüge über gute Französischkenntnisse.«

Diese drei vorgestellten Elemente der Selbstpräsentation müssen Sie jetzt noch zu einer Einheit zusammenfügen. Dabei hilft Ihnen die folgende Übung.

Der Aufbau der Selbstpräsentation

Übung

Lernen Sie, Ihre Selbstdarstellung richtig aufzubauen. Entwickeln Sie Ihre Selbstpräsentation anhand unseres Schemas:

1. Erste Erfahrungen in (späterer Tätigkeitsbereich) konnte ich bei der ABC GmbH sammeln. Zu meinen Aufgaben gehörte dort (Aufgabe 1), (Aufgabe 2) und (Aufgabe 3).
2. Ich habe (Tätigkeit 1) gemacht, (Tätigkeit 2) übernommen und bei (Tätigkeit 3) mitgearbeitet. An dem Projekt XYZ habe ich teilgenommen. In meiner Diplomarbeit habe ich für die DEF AG eine Untersuchung zum Thema (allgemein verständliche Version des Titels der Diplomarbeit) durchgeführt.
3. In meinem Studium habe ich besonders den Schwerpunkt ABC ausgebaut, als Zusatzkenntnisse bringe ich gute Kenntnisse in XYZ mit.

Präsentieren Sie sich Ihrem ersten Arbeitgeber, indem Sie die für die Einstiegsposition wichtigsten Kenntnisse und

> Fähigkeiten herausstellen. Machen Sie den roten Faden in Ihrer Entwicklung deutlich.

Die Werbung in eigener Sache fällt Hochschulabsolventinnen und -absolventen naturgemäß schwer. Dies liegt daran, dass die Abstufungen zwischen Überheblichkeit und übertriebener Selbstdarstellung auf der einen Seite und Unterwürfigkeit und Graue-Maus-Image auf der anderen Seite sprachlich schwer in den Griff zu bekommen sind. Es ist schwierig, den richtigen Ton für die schriftliche Darstellung der eigenen Person zu finden. Deshalb zeigen wir Ihnen zuerst die häufigsten Fehler, die in Selbstpräsentationen gemacht werden. Anschließend erfahren Sie, wie Sie es besser machen können.

Den richtigen Ton treffen

Fehler in der Selbstpräsentation

Aus unseren Kontakten zu Personalverantwortlichen und Personalberatungen und aus unserer eigenen Beratungstätigkeit wissen wir, dass bei der Selbstdarstellung von Hochschulabsolventinnen und -absolventen im Anschreiben immer die gleichen Fehler auftauchen. Damit Sie sehen, welche Fehler Sie unbedingt vermeiden sollten, erst einmal zwei Negativbeispiele für misslungene Selbstpräsentationen in Anschreiben.

Selbstpräsentationen ohne Aussagekraft

Die Zahlen – ❶, ❷, ❸, ❹, ❺, ❻, ❼ – weisen auf die Art des Fehlers hin. Die Erläuterungen dazu finden Sie im Anschluss an die beiden Negativbeispiele.

Beispiele

Wir suchen eine/einen motivierte/n

Junior-Berater/in Personalauswahl/Training

Hierzu gehören folgende Aufgaben: Entwicklung von Weiterbildungskonzepten, Qualitätssicherung und Umsetzungskontrolle der Trainingsziele. Durchführung von Vertriebstrainings und Verhaltenstrainings. Moderation von Workshops. Sie verfügen über ein abgeschlossenes Hochschulstudium und einschlägige Praktika. Sie sind verkaufsorientiert, kontaktstark und gehen aktiv auf Leute zu. Vor dem Hintergrund unserer internationalen Projekte sprechen Sie Englisch oder Französisch so, dass Sie in der Lage sind, Gruppen zu moderieren. Ihnen macht es Spaß, in einem netten Team zu arbeiten, der höhere Zeiteinsatz in der Beratung und die notwendige Mobilität reizen Sie.

Selbstpräsentation 1

Ich bewerbe mich gern auf Ihre interessante Stelle. Die Möglichkeit, mit Menschen umzugehen, finde ich reizvoll. ❶, ❷

In der Praxis gehen die wissenschaftlichen Ansätze meistens verloren. Das möchte ich ändern. ❶, ❻

Negativbeispiel 1

In meinem sozialwissenschaftlichen Studium bin ich mit Personalauswahl eigentlich nicht in Kontakt gekommen, aber ich kann mich in den Bereich sicherlich einarbeiten. ❸ An Workshops habe ich teilgenommen. ❶

Kontakte zu Menschen sind wichtig, ich gehe deswegen auch aktiv auf andere zu. ❹ Ich habe im Studium viel gejobbt, deswegen hat sich mein Abschluss verzögert, ❼ trotzdem bin ich kein Leistungsverweigerer und nicht orientierungslos. ❺

Sprachen lagen mir schon in der Schule sehr. ❷ Ich weiß, dass ich nicht ganz Ihren Erwartungen entspreche, würde mich aber sehr über eine Chance bei Ihnen freuen. ❼

Hochschulabsolventen, die über ein herausragendes Leistungsvermögen und ausgeprägte Sozialkompetenz verfügen, bieten wir in unserem 2-jährigen

Management-Entwicklungsprogramm Anzeige 2

ein eigenes, zum Teil auch internationales Aufgabengebiet mit wachsender Verantwortung.

Projektarbeit, fachübergreifende Informationsveranstaltungen und systematische Weiterbildung sind weitere wesentliche Elemente, die Sie fit machen für die Übernahme von Fach- und Führungsaufgaben.

Sie erfüllen die von uns gestellten Anforderungen am besten, wenn Sie Ihr Studium zügig und mit gutem Erfolg absolviert haben oder in Kürze beenden werden, über hohe analytische Fähigkeiten verfügen und im Studium bereits erste Kontakte zur Wirtschaft geknüpft haben, zum Beispiel durch mehrere Praktika oder eine praxisorientierte Diplomarbeit. Darüber hinaus legen wir Wert auf außeruniversitäre Aktivitäten, mit denen Sie uns Ihr Engagement und Ihre unternehmerische Orientierung nachweisen. Hierzu zählen auch ein Auslandsaufenthalt oder ein Auslandsstudium.

Selbstpräsentation 2

Ich habe mich durch ein Universitätsstudium für die Management-Laufbahn qualifiziert. ❶, ❷, ❻

Die Professoren unserer Universität verfügen, wie Ihnen bekannt sein sollte, über einen hervorragenden Ruf. ❻ Ich habe fachübergreifend Volkswirtschaft und Politologie studiert und bin jetzt sehr an der Übernahme von Führungsaufgaben interessiert. ❶, ❷ Negativ-beispiel 2

Pflichtpraktika waren in meinem Studium ebenso wenig vorgesehen wie praktische Diplomarbeiten, ich habe aber nicht praxisfern studiert. ❸, ❺

Außeruniversitär habe ich meine Sozialkompetenz als Trainer der Basketball-Universitätsmannschaft eingesetzt. **❶**, **❹**

Auslandseinsätze reizen mich sehr. Ich gehe analytisch vor und verfüge auch über unternehmerisches Denken. **❹**

Die beiden Negativbeispiele enthalten Fehler, die Sie bei der Erstellung Ihres Anschreibens, dieses Verkaufsprospektes in eigener Sache, vermeiden können.

Fehler **❶**: Anforderungen werden nicht erkannt beziehungsweise nicht aufgegriffen

Fehler **❷**: Profillosigkeit

Fehler **❸**: kontraproduktive Ehrlichkeit

Fehler **❹**: Leerfloskeln für persönliche Fähigkeiten

Fehler **❺**: Nicht- und Negativ-Formulierungen

Fehler **❻**: übertriebene positive Selbstbewertung

Fehler **❼**: Selbstanklage

Fehler **❶**: *Anforderungen werden nicht erkannt beziehungsweise nicht aufgegriffen:* Hochschulabsolventinnen und -absolventen, die nicht auf die Anforderungen eingehen, die von den Unternehmen verlangt werden, sammeln Minuspunkte.

Im Negativbeispiel 1 wird an keiner Stelle auf die Anforderungen aus der Anzeige eingegangen. Nur ein Schlagwort wird aufgegriffen (Workshop), dabei jedoch die verlangte Fähigkeit zur Moderation mit bloßer Teilnahme verwechselt. Eine Auseinandersetzung mit den Bereichen Personalauswahl/Training wird nicht deutlich. Nicht einmal ein Studium, das entsprechende Kenntnisse hätte vermitteln können, wird genannt. Im Negativbeispiel 2 werden immerhin die Studienfächer genannt, der Bezug zu (betriebswirtschaftlichen) Managementaufgaben fehlt aber.

Gehen Sie auf die Anforderungen ein

Fehler **❷**: *Profillosigkeit:* Personalverantwortliche suchen Absolventen, die sich von der Masse abheben. Die Bewerber aus den beiden Negativbeispielen vermitteln kein klares Profil. Die Anschreiben sind zu allgemein gehalten und lassen keine Besonderheiten erkennen.

Beide Bewerber argumentieren zu wenig von den zu vergebenden Positionen und deren Anforderungen her. Dadurch entsteht ein Bild von durchschnittlichen und abwartenden Hochschulabsolventen, die auf der Suche nach irgendeiner Tätigkeit in irgendeinem Unternehmen sind.

Fehler ❸: *Kontraproduktive Ehrlichkeit*: Im Bewerbungsverfahren ist die Ehrlichkeit der Bewerber immer dann kontraproduktiv, wenn sie – ohne dazu verpflichtet zu sein – Dinge aussprechen, mit denen sie sich selbst in ein ungünstiges Licht setzen.

Nicht mehr sagen, als erwünscht ist

Im Negativbeispiel 1 weist der Bewerber im dritten Absatz ausdrücklich darauf hin, dass er durch sein Studium keine Kenntnisse im Berufsfeld Personalauswahl gewinnen konnte und dass er keinerlei Anstrengungen unternommen hat, sich das entsprechende Wissen selbst anzueignen. Der Bewerber aus dem Negativbeispiel 2 stellt im vorletzten Absatz heraus, dass er keine Praktika absolviert hat und dass er sich auch nicht darum gekümmert hat, anderweitig Praxisnähe zu erwerben.

Fehler ❹: *Leerfloskeln für persönliche Fähigkeiten:* Die bloße Aufzählung von Schlagworten aus dem Bereich persönliche Fähigkeiten ist ein typischer Fehler von Hochschulabsolventen. Ohne berufsbezogene Beispiele und Belege sind die verwendeten Angaben »Kontaktfähigkeit«, »soziale Kompetenz« und »analytisches Denken« nicht aussagekräftig.

Fähigkeiten durch Beispiele untermauern

Fehler ❺: *Nicht- und Negativ-Formulierungen*: Formulierungen wie »Ich bin kein Leistungsverweigerer und nicht orientierungslos« – Negativbeispiel 1 – und »Ich habe nicht praxisfern studiert« – Negativbeispiel 2 – verwirren den Leser. Die Verwendung des

Wortes »nicht« ist in Selbstpräsentationen grundsätzlich problematisch. Ins Auge springen nur die Reizworte »Leistungsverweigerer«, »orientierungslos« und »praxisfern«. Um den negativen Eindruck, der beim Lesen entsteht, aus dem Weg zu räumen, müsste ein Personalverantwortlicher übersetzen, was der Bewerber eigentlich ausdrücken wollte.

Formulieren Sie positiv

Selbst wenn ein Personalverantwortlicher es schafft, den Übersetzungsschritt zu tun und die negative Aussage in eine positive zu übersetzen, wird die eigentlich gewünschte positive Selbstbeschreibung des Bewerbers nicht deutlich.

Orientierungsloser Leistungsverweigerer

Beispiele

Mit der ungünstigen Formulierung: »Ich bin kein Leistungsverweigerer und nicht orientierungslos« will der Bewerber eigentlich sagen:

»Ich habe neben meinem Studium viel gearbeitet, um mir das Studium zu finanzieren, und die für meinen Berufseinstieg wichtigen Kenntnisse gezielt vertieft.«

Praxisferner Student

Beispiel 2

Die ungeeignete Aussage: »Ich habe nicht praxisfern studiert« soll eigentlich diesen Inhalt vermitteln:

»Ich habe im Studium den Kontakt zur beruflichen Praxis aufgebaut und erste Projekterfahrung gesammelt.«

Vermeiden Sie es deshalb, sich selbst mit Aussagen zu beschreiben, die negativ verstanden werden können. Formulieren Sie in Ihrer Selbstpräsentation eindeutig und positiv.

Fehler ❻: *Übertriebene positive Selbstbewertung:* Vorsicht mit übertriebenen Bewertungen. Wenn Sie Ihre fachlichen Kenntnisse und Ihre persönlichen Fähigkeiten zu sehr loben, zwingen Sie Ihre Leser automatisch dazu, die Gegenposition einzunehmen. Dann wollen diese Ihnen nur noch nachweisen, dass Sie sich irren.

Deshalb dürfen Formulierungen wie »Ich habe mich durch ein Universitätsstudium für die Management-Laufbahn qualifiziert« – Negativbeispiel 2 – oder Formulierungen in der Art von: »Ich glaube, dass ich der Richtige für Sie bin«, »Ich bin der Beste für diese Stelle!«, »Sie können aufhören zu suchen, nehmen Sie mich!« oder »Ich bin mir ganz sicher, dass ich für diese Position optimal geeignet bin!« in Ihrer Selbstpräsentation auf keinen Fall auftauchen. **Übertreibungen fordern zum Beweis des Gegenteils heraus**

Personalverantwortliche, die derartige Selbstbewertungen lesen, finden es überhaupt nicht witzig, dass man ihnen die Arbeit der Kandidatensuche abnehmen will. Sie fühlen sich durch jede übertrieben positive Selbstbewertung eines Bewerbers herausgefordert, besonders gründlich nach den Einwänden zu suchen, die gegen diesen Bewerber sprechen. Bei unseren Negativbeispielen liegen die Einwände auch gleich auf der Hand: Beide Bewerber präsentieren sich durch ihre Überschätzung der universitären Wirklichkeit als praxisferne Theoretiker, die ihren Elfenbeinturm der Wissenschaft lieber nicht verlassen möchten.

Fehler **❼**: *Selbstanklage*: Niemand wird für eine Tätigkeit eingestellt, weil er etwas nicht oder besonders schlecht kann. Vor Gericht wie im Bewerbungsverfahren gilt: Es besteht keine Selbstanklagepflicht. Wer, wie im Negativbeispiel 1, darauf hinweist, dass er die Erwartungen des Unternehmens nicht erfüllt, muss sich die Frage gefallen lassen, warum er dann die Personalabteilung mit seiner Bewerbungsmappe belästigt. Die Kunst der Selbstdarstellung besteht nicht darin, aufzuzählen, wo man bei sich selber Schwächen sieht, sondern darin, zu zeigen, was man für die neue Stelle an Kenntnissen und Fähigkeiten mitbringt. **Erwähnen Sie Fähigkeiten statt Schwächen**

Mit den typischen Fehlern bei der Werbung in eigener Sache haben wir Sie vertraut gemacht, jetzt zeigen wir Ihnen, mit welchen Überzeugungstechniken Sie es besser machen.

Überzeugungsregeln für Ihre Selbstpräsentation

Die nun folgenden Positivbespiele für Selbstpräsentationen beziehen sich ebenso wie die vorherigen Negativbeispiele auf die Stellenausschreibungen für die Positionen Junior-Berater/in Personalauswahl/Training und Management-Nachwuchs.

Gelungene Selbstpräsentationen

Die Zahlen – ❶, ❷, ❸, ❹, ❺, ❻ – weisen auf die eingesetzte Überzeugungstechnik hin. Mehr dazu im Anschluss an die Positivbeispiele.

Beispiele

Selbstpräsentation 1

Sehr geehrte Damen und Herren,
ich verfüge über Erfahrungen in der Definition von Trainingszielen und der dazugehörigen Umsetzung durch Trainingsmaßnahmen. ❶, ❸ In den Bereich Bildungs-Controlling habe ich mich eingearbeitet . ❻

Positiv-
beispiel 1
Praktische Erfahrungen in der Personalentwicklung habe ich in der Personalabteilung der Medienvertriebs AG gesammelt. ❶ Ich habe einen Gesprächsleitfaden für den Außendienst entwickelt und neue Vertriebskonzepte in Workshops vorgestellt. ❹, ❺ Um diese Aufgabe wahrnehmen zu können, habe ich Schulungen zum Themenkreis Moderation wahrgenommen. ❷ Im Praktikum kam mir zugute, dass ich vorher bereits für einen international ausgerichteten Büromöbelhersteller im Verkauf tätig war. ❷, ❹

In einem weiteren Projekt habe ich die Erfolgskontrolle von Trainingsmaßnahmen in einem Call-Center durchgeführt. ❶ Im Bereich der Personalauswahl habe ich Vorstellungsgespräche und Bewerbertage begleitet. ❺

Mein Studium der Psychologie und Sportwissenschaft habe ich mit gutem Erfolg abgeschlossen. In meinem Studium habe ich den Bereich Arbeits-, Betriebs- und Organisationspsychologie als Schwerpunkt gewählt und besonders die Bereiche betriebliche Weiterbildung und Evaluation von Bildungsmaßnahmen vertieft. ❸, ❷

Ich spreche sehr gut Englisch und gut Französisch. ❶

Selbstpräsentation 2

Sehr geehrte Damen und Herren,
neben meinem Studium habe ich Projekterfahrung in der Industrie gesammelt. ❶ In meiner Diplomarbeit habe ich für ein internationales Unternehmen bereichsübergreifende Aspekte eines Produkt-Relaunch untersucht. ❸

Mein Studium der Betriebswirtschaft an der Universität Trier werde ich in Kürze nach neun Semestern mit gutem Erfolg abschließen. In der Studenteninitiative MTP e.V. habe ich das Ressort Firmenkontakte geleitet und ausländische Praktikanten betreut. ❷, ❹, ❺

Um mich umfassend zu qualifizieren, habe ich Praktika im Marketing und in der Produktentwicklung bei der Meiersdorf AG durchgeführt. ❷ Zu meinen Aufgaben gehören die Entwicklung von vertriebsunterstützenden Maßnahmen, das Durchführen von Marktanalysen und die Abstimmung von Entwicklung und Marketing bei ausgewählten Produkten. ❺

Die gewonnenen beruflichen Erfahrungen konnte ich in meiner Diplomarbeit für die Duolever AG einsetzen. Ich habe dort in Zusammenarbeit mit Entwicklung, Vertrieb und Marketing das Projekt Relaunch von Energizer betreut. ❹, ❻

Ich kenne mich sehr gut mit dem Einsatz von Standard-Bürosoftware aus und habe gute Intra- und Internet-Kenntnisse. ❶ Englisch beherrsche ich verhandlungssicher. ❶ Meine Kontakte aus der Praktikantenbetreuung habe ich genutzt, um in zwei jeweils zweimonatigen Aufenthalten bei US-amerikanischen Firmen zu hospitieren. ❷, ❸

Ich möchte meine ersten Berufserfahrungen bei Ihnen ausbauen, um mich in Ihrem Management-Entwicklungsprogramm weiter für internationale Aufgaben zu qualifizieren.

Positiv-
beispiel 2

Unsere Positivbeispiele haben sicherlich auch bei Ihnen eine ganz andere Wirkung hinterlassen, als die vorangegangenen Negativbeispiele. Damit auch Sie sich eine überzeugende Selbstpräsentation für Ihre Bewerbung erarbeiten können, stellen wir Ihnen jetzt die Überzeugungsregeln vor, mit denen Sie Ihr Ziel erreichen:

Regel ❶: Anforderungen erkennen
Regel ❷: Aktivität zeigen
Regel ❸: Individuelles Profil darstellen
Regel ❹: Beispiele für persönliche Fähigkeiten geben
Regel ❺: Beschreiben statt bewerten
Regel ❻: Der Joker: Schlüsselbegriffe aus dem Tagesgeschäft benutzen

Regel ❶: *Anforderungen erkennen*: Die beiden Bewerber aus den Positivbeispielen machen klar, dass sie sich mit den Anforderungen, die an sie gestellt werden, auseinander gesetzt haben. Der Bewerber für die Position Junior-Berater Personalauswahl/Training aus dem Positivbeispiel 1 zeigt, dass er weiß, was in seinem angestrebten Berufsfeld gefragt ist. Er verweist auf seine Kenntnisse und seine Praxiserfahrung in der Definition von Trainingszielen, der Seminardurchführung und der Erfolgskontrolle von Trainingsmaßnahmen. Seine Praxiserfahrung in der Personalentwicklung wird ebenfalls deutlich.

Zeigen Sie an konkreten Beispielen, dass Sie die Anforderungen erfüllen

Der Management-Nachwuchs aus dem Positivbeispiel 2 macht seine Projekterfahrung in der Industrie deutlich und nennt die Bereiche Marketing und Produktentwicklung, in denen er bereits Praxiserfahrung gesammelt hat.

Abgerundet wird der gute Eindruck von beiden Bewerbern durch die konkrete Angabe ihrer PC- und Sprachkenntnisse.

Regel ❷: *Aktivität zeigen*: Absolventen zeigen Aktivität durch Engagement, das über das übliche Maß hinausgeht. Daran können

Personalverantwortliche erkennen, dass diese Bewerber von sich aus danach trachten, sich für ihren Berufseinstig zu qualifizieren.

Der Bewerber aus dem Positivbeispiel 1 hat sich in Eigeninitiative um den Erwerb von Moderationsfähigkeiten gekümmert und hat seinen Studienschwerpunkt so gestaltet, dass dieses Wissen für sein angestrebtes Berufsfeld nutzbringend ist.

Eigeninitiative zählt

Der Bewerber aus dem Positivbeispiel 2 hat neben seinen berufsqualifizierenden Praktika im Ausland bei Firmen hospitiert. Weiteres Engagement hat er bei der Betreuung von ausländischen Praktikanten gezeigt.

Regel ❸: *Individuelles Profil darstellen*: Von Profillosigkeit sprechen die Personalverantwortlichen immer dann, wenn es dem Bewerber nicht gelingt, aus der Menge der Mitbewerber positiv herauszuragen. Aus unserer Beratungstätigkeit wissen wir, dass dies meist ein Problem der Darstellung der eigenen Kenntnisse und Fähigkeiten ist. Fast jede Bewerberin und jeder Bewerber hat etwas Besonderes zu bieten, das sie beziehungsweise ihn von den Mitbewerbern abhebt.

Rücken Sie das Besondere Ihrer Fähigkeiten in den Vordergrund

Durch die Angaben ihrer bereits bewältigten berufspraktischen Aufgabenstellungen, die zu den angestrebten Einstiegspositionen passen, geben sich beide Bewerber aus unseren Positivbeispielen ein Profil, das sich klar von anderen Bewerbern unterscheidet.

Der Bewerber aus dem Positivbeispiel 1 arbeitet mit den richtigen Schlagworten seine bereits gesammelte Berufserfahrung im Berufsfeld Personalauswahl/Training heraus. Beim Bewerber aus dem Positivbeispiel 2 sind es die für das Management nutzbare Projekterfahrung aus den Praktika und die durch Auslandsaufenthalte belegte internationale Ausrichtung, die überzeugen.

Regel ❹: *Beispiele für persönliche Fähigkeiten geben*: Beide Bewerber vermeiden durch die Verwendung konkreter Beispiele den Fehler, Leerfloskeln aufzuzählen, unter denen sich der Leser alles und nichts vorstellen kann.

Unser Bewerber aus dem Positivbeispiel 1 dokumentiert die persönliche Fähigkeit »Leistungsbereitschaft« durch seine studienbegleitende Tätigkeit im Verkauf und sein Engagement bei der Suche nach geeigneten Weiterbildungsmaßnahmen. Sein analytisches Denken ist zu erkennen in der Umsetzung der Verkaufserfahrungen in Gesprächsleitfäden für den Außendienst. Seine Lernbereitschaft wird durch über die Pflichtanforderungen hinausgehende Vertiefungsseminare belegt.

Dokumentieren Sie Ihre Fähigkeiten

Unser Bewerber für den Management-Nachwuchs macht seine Kommunikationsfähigkeit an der Betreuung des Ressorts Firmenkontakte in einer Studenteninitiative deutlich. Seine Teamfähigkeit zeigt sich in der Abstimmung von Entwicklung, Vertrieb und Marketing.

Regel **5**: *Beschreiben statt bewerten*: Durch die Verwendung der Überzeugungsregel »Beschreiben statt bewerten« können Sie die Fehler »Kontraproduktive Ehrlichkeit« und »Selbstanklage« bei der Darstellung Ihrer Kenntnisse und Fähigkeiten vermeiden. Diese Überzeugungsregel hat außergewöhnlich große Wirkung, wenn sie richtig eingesetzt wird.

Mit Aussagen wie »Das Studium war zu praxisfern« oder »In meinem Praktikum habe ich die meiste Zeit am Kopierer verbracht« kommen Sie bei der Erarbeitung Ihres Anschreibens und damit auf dem Weg zum ersten Arbeitsplatz nicht weiter.

Lernen Sie, Erfahrungen wertfrei zu beschreiben

Die Strategie, die Sie vorwärts bringt, lautet: beschreiben statt bewerten. Geeignete Formulierungen haben wir in den Positivbeispielen benutzt. Im Positivbeispiel 1 heißt es: »Ich habe einen Gesprächsleitfaden für den Außendienst entwickelt und neue Vertriebskonzepte in Workshops vorgestellt.« Statt der ungeeigneten Formulierung »In der Personalabteilung durfte ich überall dabei sein und habe auf Bewerbertagen Prospekte verteilt« lautet die diplomatische Formulierung unseres Bewerbers: »Im Bereich der Personalauswahl habe ich Vorstellungsgespräche und Bewerbertage begleitet.«

Der Bewerber aus dem Positivbeispiel 2 gibt beispielsweise an, er habe ausländische Praktikanten betreut. Ob es sich dabei um die Organisation von Partys oder die Vermittlung von Kontakten zu Firmen handelt, bleibt offen. Die von ihm ebenfalls genannte Leitung des Ressorts Firmenkontakte lässt den Leser in der Personalabteilung jedoch eher die günstige Koppelung Firmenkontakte-Praktikantenbetreuung vermuten.

Trainieren Sie anhand unserer Übung, Ihre Erlebnisse und Erfahrungen aus Praktika und anderen praxisnahen Bereichen wertfrei zu beschreiben.

Beschreiben statt bewerten

Übung

Nehmen Sie Ihre Bestandsaufnahme zur Hand, und beschreiben Sie, welche berufsnahen Aufgaben Sie kennen gelernt haben, an welchen Projekten Sie mitgearbeitet haben und über welche Praxiserfahrungen Sie verfügen.

Üben Sie, die für die Einstiegsposition wesentlichen Tätigkeiten schlagwortartig und ohne Eigenbewertung aufzuzählen. Verwenden Sie dabei Formulierungen wie:

- »Ich habe . . . . gemacht.«
- »Ich habe . . . . organisiert.«
- »Ich war verantwortlich für . . . . «
- »Ich habe die Aufgaben eines . . . . .wahrgenommen.«
- »Ich habe an . . . . teilgenommen.«
- »Die Beschäftigung mit . . . . und . . . . ermöglichte es mir, auch umfassendere Aufgaben im Bereich . . . . zu übernehmen.«

- »Ich habe am Projekt . . . . mitgearbeitet.«
- »Ich habe die Bereiche . . . . und . . . . kennen gelernt.«
- »In meiner Tätigkeit als . . . . habe ich . . . . bearbeitet.«
- »Ich verfüge über Kenntnisse in . . . . und . . . . «
- »Ich war für . . . . und . . . . zuständig.«
- »Ich habe als . . . . gearbeitet und die Aufgaben . . . . und . . . . übernommen.«

Gewöhnen Sie sich an, beschreibende Formulierungen ohne eigene Bewertungen einzusetzen, wenn Sie Ihre ersten Erfahrungen aus der Berufspraxis darstellen. Bewertungen sind für Personalverantwortliche beim Lesen Ihres Anschreibens immer Stolpersteine. Jede Form der Bewertung der eigenen Leistung fordert erst einmal zum Widerspruch auf. Ihr Gesamtprofil wird in den Hintergrund gerückt, wenn Personalverantwortliche mehr damit beschäftigt sind zu überprüfen, ob Sie wirklich so gut sind, wie Sie behaupten.

Wertung fordert Widerspruch heraus

Mit beschreibenden Formulierungen vermeiden Sie von Anfang an, dass eine Kampfstimmung zwischen Ihnen und Personalverantwortlichen entsteht. Die Aufgabe, Ihre Qualifikationen zu beurteilen und zu entscheiden, ob Sie für die ausgeschriebene Stelle geeignet sind, lassen sich Personalverantwortliche nicht von Ihnen abnehmen. Wenn Sie sich eine aussagekräftige Darstellung Ihres Profils mit beschreibenden Formulierungen erarbeitet haben, sind Sie für die inhaltliche Ausgestaltung Ihrer Anschreiben gerüstet.

Regel **6**: *Der Joker: Schlüsselbegriffe aus dem Tagesgeschäft benutzen:* Personalabteilungen bevorzugen Bewerber, die wissen, was sie an ihrem zukünftigen Arbeitsplatz erwartet. Absolventen, die hier mit Berufsfeldkenntnissen punkten wollen, müssen Schlüsselbegriffe aus dem Tagesgeschäft benutzen. Dabei geht es darum, die Schlagworte zu finden und herauszustellen, die Ihre zukünftige berufliche Aufgabe kennzeichnen.

Berufsfeld-kenntnisse bringen Vorteile

Der Bewerber aus dem Positivbeispiel 1 verwendet die Schlagworte »Bildungs-Controlling«, »Definition von Trainingszielen«, »Gesprächsleitfaden für den Außendienst«, »Personalentwicklung«. Der Bewerber aus dem Positivbeispiel 2 stellt die Schlüsselbegriffe »Produkt-Relaunch«, »vertriebsunterstützende Maßnahmen«, »Marktanalysen« und »bereichsübergreifende Aspekte« heraus.

Wir alle reagieren auf bestimmte Schlüsselbegriffe und Schlagworte. Um nicht an Informationen zu ersticken, brauchen wir Strukturen, die helfen, Informationen einzuordnen. Dies gilt auch für Personalverantwortliche bei der Suche nach der richtigen Bewerberin beziehungsweise dem richtigen Bewerber: Falsche Stellenbesetzungen sind teuer und werden später den Personalabteilungen angelastet.

Um auf Nummer Sicher zu gehen, stellen Personalverantwortliche daher lieber Hochschulabsolventinnen und -absolventen ein, die Praxisnähe nachweisen können. Deshalb sind Schlüsselbegriffe aus dem Tagesgeschäft bei der Ausgestaltung Ihres Anschreibens der Joker, mit dem Sie sich Vorteile gegenüber Mitbewerbern erarbeiten können.

Zeigen Sie, dass Sie wissen, was Sie in der Berufspraxis erwartet

Sie finden die für Ihr Berufsfeld wichtigen Schlüsselbegriffe und Schlagworte in Stellenanzeigen, in Fachzeitschriften und in den Imagebroschüren und Internet-Auftritten der Unternehmen. Unser Beispiel soll Ihnen zeigen, auf welche Vielfalt von Schlagworten Hochschulabsolventinnen und -absolventen bei der Selbstpräsentation zurückgreifen können.

Beispiel

Schlüsselbegriffe für den Berufseinstieg im Vertrieb/Verkauf

Eine Absolventin möchte in das Trainee-Programm einer Einzelhandelskette aufgenommen werden. Sie hat im Hauptstudium ein Praktikum im Vertrieb gemacht und neben dem Studium als Verkäuferin gearbeitet. In Stellenanzeigen fand sie für die Darstellung ihrer Tätigkeiten diese Schlüsselbegriffe und Schlagworte:

- Akquisition
- Kundenberatung
- Verkaufspräsentation
- Marktanalyse
- Angebotserstellung
- Wettbewerbervergleiche
- Analyse der Kundenwünsche
- Produktschulung
- Verkaufsförderung
- Marktbeobachtung
- Umsetzung von Marketing-Maßnahmen
- Zielgruppendefinition
- Kundenpflege
- Erarbeitung von Vertriebsstrategien

- Werbemitteleinsatz
- Erschließung neuer Vertriebskanäle
- Unterstützung des Direktvertriebs
- Messedurchführung
- Realisierung von Vertriebszielen
- Kunden- und Gebietsstrukturierung
- Gestaltung der Preis- und Konditionenpolitik
- Erstellung von Umsatzprognosen
- Verkaufsprogramm entwickeln

Schlagworte in der Selbstpräsentation einsetzen

Nun geht es darum, diese Schlüsselbegriffe und Schlagworte in der Selbstpräsentation einzusetzen. Die stichwortartige Beschreibung von beruflichen Erfahrungen vermittelt Personalverantwortlichen in Kürze wichtige Informationen über das Bewerberprofil. Unsere Bewerberin für das Trainee-Programm hat 23 Begriffe, mit denen sie sich darstellen kann. Aus diesen Begriffen muss sie für ihre Selbstpräsentation diejenigen Schlagworte auswählen und in Satzform bringen, für die sie Belege liefern kann. Dabei geht es nicht darum, dass sie die Aufgaben, die sie in ihrer Selbstpräsentation darstellen wird, ständig und ausgiebig bearbeitet hat. Für Sie als Berufseinsteigerin genügt es, wenn sie im Praktikum oder in ihrem Job mit den Aufgaben in Berührung gekommen ist. Die Absolventin könnte sich so beschreiben:

- »Ich habe bereits im Verkauf gearbeitet. Meine Aufgaben waren die Beratung von Kunden, der Werbemitteleinsatz und die Verkaufspräsentation.«
- »Erste Erfahrungen im Vertriebsinnendienst konnte ich bei der Sales AG sammeln. Dort habe ich Kundenwünsche analysiert, die Gebietsstrukturierung für den Außendienst überarbeitet und Umsatzprognosen angepasst.«
- »Neben den Maßnahmen zur Unterstützung des Außendienstes habe ich an der Erarbeitung von Vertriebsstrategien mitgearbeitet und ein Gutachten zur Ausweitung des Direktvertriebs erstellt.«

Wenn Sie die für Sie zutreffenden Schlagworte und Schlüsselbegriffe in Sätzen ausformulieren, sehen Sie die Nähe der Selbstpräsentation zum Anschreiben: Die prägnante Kurzdarstellung Ihrer ersten beruflichen Erfahrung in zwei bis drei Sätzen ist der optimale Einstieg in Ihre Selbstpräsentation und zugleich der Beginn Ihres Anschreibens.

Der optimale Einstieg ins Anschreiben

Schlüsselbegriffe und Schlagworte finden und einsetzen

Suchen Sie die für Ihr angestrebtes Tätigkeitsfeld geeigneten Schlüsselbegriffe und Schlagworte heraus. Beschränken Sie sich dabei nicht. Schreiben Sie alle Begriffe auf, die zukünftige Aufgaben charakterisieren.

Übung

Ihre Schlüsselbegriffe und Schlagworte:

1.	16. . . . .
2.	17. . . . .
3.	18. . . . .
4.	19. . . . .
5.	20. . . . .
6.	21. . . . .
7.	22. . . . .
8.	23. . . . .
9.	24. . . . .
10.	25. . . . .
11.	26. . . . .
12.	27. . . . .
13.	28. . . . .
14.	29. . . . .
15.	30. . . . .

Suchen Sie die Schlüsselbegriffe und Schlagworte heraus, für die Sie Belege aus praxisnahen Tätigkeiten liefern können. Formulieren Sie nun drei Sätze mit jeweils zwei bis drei Schlagworten. So erarbeiten Sie sich die von Personalverantwortlichen geschätzte Fähigkeit, mit großer Informationsdichte zu kommunizieren.

1. »Zu meinen Aufgaben gehören (Schlagwort), (Schlagwort) und (Schlagwort).«
2. »Ich war verantwortlich für (Schlagwort), (Schlagwort) und (Schlagwort).«
3. »Ich habe bei (Schlagwort), (Schlagwort) und (Schlagwort) mitgearbeitet.«

Das Problem von Hochschulabsolventinnen und -absolventen, ihre bisherigen Praxiserfahrungen mit Bezug zur Einstiegsposition zu beschreiben, haben Sie jetzt gelöst. Sie können Ihre ersten beruflichen Tätigkeiten komprimiert vermitteln und liefern damit gleichzeitig ein aussagekräftiges Profil.

Das eigene Profil herausarbeiten

Als Vorarbeit für Ihr Anschreiben werden Sie jetzt eine individuelle Selbstpräsentation erstellen. Wir haben Ihnen das Aufbauschema und die Überzeugungsregeln für Selbstpräsentationen vorgestellt. Es kommt nun darauf an, dass Sie Ihre Erfahrungen passend zur Einstiegsposition aufbereiten. Die Koppelung Ihrer bisherigen Erfahrungen und des gewählten Studienschwerpunktes mit der ausgeschriebenen Einstiegsposition wird Personalverantwortliche überzeugen.

Die individuelle Selbstpräsentation passend zur Einstiegsposition aufbereiten

Auf diese Weise vermeiden Sie den Fehler von unvorbereiteten Absolventen, Anschreiben nicht auf die ausgeschriebene Position abzustimmen. Mit einem individuell ausgearbeiteten Profil signalisieren Sie, dass Sie sich aktiv mit den Anforderungen der Einstiegsposition auseinander gesetzt haben. Ausgewählte Beispiele belegen Ihre persönlichen Fähigkeiten und Kenntnisse.

Bevor Sie daran gehen, dies anhand unserer Übung zu trainieren, möchten wir Ihnen anhand eines Beispiels zeigen, wie Sie hier vorgehen sollten.

Einstiegsmöglichkeiten

Eine Absolventin der Agrarwissenschaften möchte sich verschiedene Einstiegswege in Unternehmen erarbeiten. Zum einen würde sie gern in ein Trainee-Programm im Vertrieb einsteigen. Zum anderen interessieren sie aber auch Tätigkeiten als Marketing-Assistentin oder Schulungsreferentin. Für die Darstellung ihrer bisherigen Erfahrungen hat sie bereits geeignete Schlüsselbegriffe und Schlagworte gefunden:

Akquisition, Kundenberatung, Verkaufspräsentation, Marktanalyse, Angebotserstellung, Wettbewerbervergleiche, Analyse der Kundenwünsche, Produktschulung, Verkaufsförderung, Marktbeobachtung, Umsetzung von Marketingmaßnahmen, Zielgruppendefinition, Kundenpflege, Erarbeitung von Vertriebsstrategien, Werbemitteleinsatz, Erschließung neuer Vertriebskanäle, Unterstützung des Direktvertriebs, Messedurchführung, Realisierung von Vertriebszielen, Kunden- und Gebietsstrukturierung, Unterstützung des Außendienstes, Erstellung vom Umsatzprognosen, Verkaufsprogramm entwickeln

Für die Bewerbung auf verschiedene Einstiegspositionen muss sie jetzt aus ihrer Liste die geeigneten Schlagworte und Schlüsselbegriffe herausfinden.

Einstieg in ein Trainee-Programm Vertrieb: Diese Schlüsselbegriffe sind für eine Bewerbung für ein Trainee-Programm Vertrieb geeignet: Kundenbetreuung, Marktanalyse, Analyse der Kundenwünsche, Kundenpflege, Erarbeitung von Vertriebsstrategien, Erschließung neuer Vertriebskanäle, Unterstützung des Außendienstes.

Entsprechende Formulierungen könnten dann unter Einsatz unseres Schemas für die Selbstpräsentation so lauten:

(Erstens): Ich bringe erste Erfahrungen im Vertriebsinnendienst und im Verkauf mit. Zu meinen Aufgaben gehörte die Kundenbetreuung und die Unterstützung des Außendienstes.

(Zweitens): Den Außendienst unterstützte ich durch die Pflege von Kundenregistern, die Angebotsverfolgung und die Aufbereitung von Verkaufszahlen. In dem Projekt »Erarbeitung neuer Vertriebsstrategien« erstellte ich ein Gutachten zur Ausweitung des Direktvertriebs und präsentierte es der Geschäftsleitung.

(Drittens): In meinem Studium der Agrarwissenschaften habe ich den Schwerpunkt auf den Bereich Wirtschaftswissenschaften gelegt. Das MS-Office Software-Paket beherrsche ich sehr gut.

Direkteinstieg als Marketing-Assistentin: Für eine Einstiegsposition im Marketing kann sich die Absolventin mit diesen Schlüsselbegriffen bewerben: Marktanalyse, Wettbewerbervergleiche, Marktbeobachtungen, Verkaufsförderung, Umsetzung von Marketingmaßnahmen, Entwicklung von Verkaufsprogrammen, Werbemitteleinsatz.

In einer Selbstpräsentation gemäß unseres Schemas klänge dies so:

(Erstens): Im Verkauf habe ich bereits Marketing-Maßnahmen umgesetzt. Der gezielte Werbemitteleinsatz gehörte bereits zu meinen ersten beruflichen Aufgaben.

(Zweitens): An der Schnittstelle von Vertrieb und Marketing habe ich Verkaufsprogramme entwickelt und Wettbewerbervergleiche durchgeführt. Daneben habe ich das Potenzial des Direktvertriebs untersucht.

(Drittens): In meinem Studium der Agrarwissenschaften habe ich den Schwerpunkt auf den Bereich Marketing gelegt. Das MS-Office Software-Paket beherrsche ich sehr gut.

Direkteinstieg als Schulungsreferentin: Der Einstieg in eine Tätigkeit in der Schulung gelingt mit diesen Schlüsselbegriffen: Produktschulung, Verkaufspräsentation, Messedurchführung, Unterstützung des Außendienstes, Analyse der Kundenwünsche.
Unter Berücksichtigung unseres Schemas lauten die Formulierungen dann so:

(Erstens): Neben ersten Tätigkeiten im Vertriebsinnendienst habe ich bereits Produktschulungen durchgeführt und Verkaufspräsentationen entwickelt.

(Zweitens): Für die didaktische Ausarbeitung von Schulungsmaßnahmen bringe ich umfassende Kenntnisse mit. Mit Fragebogenaktionen habe ich Kundenwünsche ermittelt und diese in geeignete Verkaufspräsentationen umgesetzt. Durch meine Tätigkeiten im Verkauf bin ich mit den Anforderungen an die Abschlusssicherheit vertraut.

(Drittens): In meinem Studium der Agrarwissenschaften habe ich den Schwerpunkt auf den Bereich Wirtschaftspädagogik gelegt. Das MS-Office Software-Paket beherrsche ich sehr gut.

Und nun sind Sie wieder am Zug: Bereiten Sie Ihr Qualifikationsprofil für Anschreiben auf, indem Sie anhand unserer Übung »Der Zuschnitt Ihrer Selbstpräsentation« trainieren.

Der Zuschnitt Ihrer Selbstpräsentation

Übung

Wie Sie Ihre Selbstpräsentation aufbauen, wissen Sie aus der Übung »Der Aufbau der Selbstpräsentation«. In der Übung »Schlüsselbegriffe und Schlagworte finden und einsetzen« haben Sie schon Begriffe gesammelt, mit denen Sie Ihre bisherigen Erfahrungen charakterisieren können. Mit diesen Schlagworten haben Sie auch schon Sätze formuliert. Nun kommt es darauf an, Ihre Selbstpräsentation auf unterschiedliche Einstiegspositionen hin auszurichten. Orientieren Sie sich dazu an unserem Beispiel der Absolventin der Agrarwissenschaften.

Suchen Sie sich unterschiedliche Stellenanzeigen heraus, und schneiden Sie Ihre Selbstpräsentation darauf zu. Suchen Sie für jede Einstiegsposition geeignete Schlagworte heraus.

- Einstiegsposition 1: . . . .
  Schlagworte: . . . .
  . . . .

- Einstiegsposition 2: . . . .
  Schlagworte: . . . .
  . . . .

- Einstiegsposition 1: . . . .
  Schlagworte: . . . .
  . . . .

Verbinden Sie die geeigneten Schlagworte mit aussagekräftigen Beispielen.

- **Einstiegsposition 1:** . . . .

  Schlagwort 1: . . . .   *Beispiel:* . . . .

  Schlagwort 3: . . . .   *Beispiel:* . . . .

  Schlagwort 2: . . . .   *Beispiel:* . . . .

- **Einstiegsposition 2:** . . . .

  Schlagwort 1: . . . .   *Beispiel:* . . . .

  Schlagwort 3: . . . .   *Beispiel:* . . . .

  Schlagwort 2: . . . .   *Beispiel:* . . . .

- **Einstiegsposition 3:** . . . .

  Schlagwort 1: . . . .   *Beispiel:* . . . .

  Schlagwort 3: . . . .   *Beispiel:* . . . .

  Schlagwort 2: . . . .   *Beispiel:* . . . .

Nutzen Sie die geeigneten Schlagworte und die aussagekräftigen Beispiele, um Ihre Selbstpräsentation anhand
des von uns vorgestellten Schemas auszuformulieren.

- **Einstiegsposition 1:** . . . .

  Erstens: . . . .

  . . . .

  Zweitens: . . . .

  . . . .

  Drittens: . . . .

  . . . .

- **Einstiegsposition 2:** . . . .

  Erstens: . . . .

  . . . .

  Zweitens: . . . .

  . . . .

Drittens: . . . .

. . . .

- **Einstiegsposition 3:** . . . .
  Erstens: . . . .

  . . . .

  Zweitens: . . . .

  . . . .

  Drittens: . . . .

  . . . .

Im Blick

Auf einen Blick

Vorbereitung: Ihre Selbstpräsentation

- Ihre Selbstpräsentation ist die Vorstufe Ihres Anschreibens.
- Bauen Sie Ihre Selbstpräsentation so auf, dass der Bezug zur Einstiegsposition deutlich wird. Nutzen Sie für Ihre Selbstpräsentation unser Schema:
  1. Stellen Sie Ihre erste Berufserfahrung aus Praktika, Projektarbeiten, Werkstudententätigkeiten oder aus der Diplomarbeit an den Anfang Ihrer Selbstpräsentation.
  2. Heben Sie die Tätigkeiten hervor, die einen Bezug zur Einstiegsposition haben.
  3. Erläutern Sie Ihre Schwerpunktbildung im Studium. Machen Sie klar, welche Zusatzqualifikationen Sie mitbringen.
- Aus Sicht der Personalabteilungen scheitern Hochschulabsolventinnen und -absolventen bei der Selbstpräsentation an diesen Fehlern:
  1. Anforderungen werden nicht erkannt und/oder nicht aufgegriffen
  2. Profillosigkeit

3. kontraproduktive Ehrlichkeit
4. Leerfloskeln für persönliche Fähigkeiten
5. Nicht- und Negativ-Formulierungen
6. übertriebene positive Selbstbewertung
7. Selbstanklage

- Gelungene Selbstpräsentationen von Hochschulabsolventinnen und -absolventen orientieren sich an diesen Überzeugungsregeln:
  1. Anforderungen erkennen
  2. Aktivität zeigen
  3. individuelles Profil darstellen
  4. Beispiele für persönliche Fähigkeiten geben
  5. beschreiben statt bewerten
  6. der Joker: Schlüsselbegriffe aus dem Tagesgeschäft benutzen

- Schlüsselbegriffe und Schlagworte helfen Ihnen dabei, mit großer Informationsdichte zu kommunizieren.

- Für unterschiedliche Einstiegspositionen müssen Sie Ihre Selbstpräsentation individuell ausarbeiten. Dies gelingt Ihnen durch den Austausch von Schlagworten und eine unterschiedliche Schwerpunktbildung bei den Tätigkeitsbezeichnungen.

Anfertigung: formale Fehler vermeiden und inhaltlich überzeugen

Die Ausformulierung des Anschreibens ist für alle Hochschulabsolventinnen und -absolventen eine schwierige Angelegenheit. Wir zeigen Ihnen, wie Sie bei Ihren Anschreiben formale Fehler vermeiden und inhaltlich überzeugen.

Entscheidend: Form und Inhalt des Anschreibens

Die korrekte Form Ihres Anschreibens ist wichtig; durch sie bleiben Sie im Bewerbungsprozess. Aber wenn Sie bis zum Vorstellungsgespräch – und zur Einstellung – gelangen wollen, müssen Sie inhaltlich überzeugen. Zuerst machen wir Sie nun mit den formalen Anforderungen an Anschreiben bekannt. Danach erläutern wir Ihnen die inhaltliche Ausgestaltung des Anschreibens.

Die richtige Form des Anschreibens

Knappe Selbst-präsentation

Der formale Aufbau: Die Form Ihres Anschreibens hängt davon ab, wie viel Text Sie in Ihrem Anschreiben unterbringen wollen. Wenn Sie Ihre Fähigkeiten und Kenntnisse knapp darstellen können, sollten Sie Ihr Anschreiben in dieser Form erstellen:

Muster für die äußere Form eines kurzen Anschreibens

Vorname und Nachname
Straße und Hausnummer
Postleitzahl und Wohnort
Telefonnummer
(eventuell Faxnummer)
(eventuell E-Mail-Adresse)

Firma (mit richtiger Rechtsform)
Abteilung
Name der Ansprechpartnerin/des Ansprechpartners
Straße und Hausnummer oder Postfach
Postleitzahl und Ort

                                                          Ort, Datum

Kurzes
Anschreiben

Betreffzeile
Bezugzeile

(Persönliche) Anrede,

Ihr Text Text Text Text Text Text Text Text Text Text Text Text

Text Text Text Text Text Text TextText Text Text Text Text Text
Text Text Text

Text Text Text Text Text Text Text Text Text Text Text Text Text
Text Text Text Text Text Text

Text Text Text Text Text Text Text Text Text Text Text Text Text
Text Text TextText Text Text Text Text Text Text Text Text Text
Text Text Text Text Text Text

Mit freundlichen Grüßen

eigenhändige Unterschrift

Anlagen

Wenn Sie Ihr Profil ausführlicher darstellen wollen, brauchen Sie mehr Platz für den Textblock. Wir empfehlen Ihnen bei längeren Anschreiben diese Form:

Ausführliche Selbstpräsentation

Muster für die äußere Form eines längeren Anschreibens

Firma (mit richtiger Rechtsform) Abteilung	Ihr Vorname und Nachname Ihre Straße und Hausnummer
Name der Ansprechpartnerin/ des Ansprechpartners Straße und Hausnummer oder Postfach	Ihre Postleitzahl und Wohnort
	Ihre Telefonnummer (eventuell Ihre Faxnummer)
Postleitzahl und Ort	(eventuell Ihre E-Mail Adresse)

Ort, Datum

Betreffzeile
Bezugzeile

(Persönliche) Anrede,

Ihr Text Text Text Text Text Text Text Text Text Text Text Text
Text Text Text TextText Text Text Text Text Text Text Text Text
Text Text Text Text Text Text TextText Text Text Text Text Text
Text Text Text Text Text Text Text Text Text TextText Text Text
Text Text Text Text Text Text Text Text Text Text Text Text Text
Text Text Text Text Text Text Text Text Text Text Text Text Text
Text Text Text

Text Text Text Text Text Text Text Text Text Text Text Text Text
Text Text TextText Text Text Text Text Text Text Text Text Text
Text Text Text Text Text Text

Text Text Text Text Text Text Text Text Text Text Text Text Text
Text Text TextText Text Text Text Text Text Text Text Text Text
Text Text Text Text Text Text

Mit freundlichen Grüßen

eigenhändige Unterschrift

Anlagen

Längeres
Anschreiben

Sie sehen an unseren Beispielen, dass Sie mehrere Möglichkeiten bei der äußeren Form des Anschreibens haben. Entscheidend sind hier vor allem die Übersichtlichkeit und die gute Strukturierung des Anschreibens.

Als Berufseinsteiger sollten Sie Ihr Anschreiben auf eine DIN A4-Seite beschränken. Wenn Sie unser zweites Muster für die äußere Form eines längeren Anschreibens auswählen, werden Sie auch einen längeren Text unterbringen können, mit dem Sie Ihre Kenntnisse und Fähigkeiten aussagekräftig darstellen können.

Formale Fehler: In der Firmenanschrift (Firmenname, Abteilung, Ansprechpartner, Straße und Hausnummer/Postfach, PLZ und Ort) dürfen Sie auf keinen Fall Fehler machen. Geben Sie die Rechtsform der Firma (AG, GmbH, GmbH & Co. KG, KGaA) unbedingt richtig an. Aus dem Umgang mit den Details der Firmenanschrift ziehen Personalverantwortliche bereits erste Schlüsse in Bezug auf Ihre sorgfältige Arbeitsweise.

Sorgfalt beweist sich schon in der Firmenanschrift

Berücksichtigen Sie, dass die Abkürzungen »z. Hd.« und »z. H.« in der Zeile Ansprechpartner/in nicht mehr vorangestellt werden. Es sei denn, Ihr zukünftiger Arbeitgeber verwendet diese Abkürzungen in seiner Stellenanzeige. Dann benutzen Sie bitte ebenfalls diese eigentlich überholten Kurzformen, sonst nicht.

Die Betreff- und Bezugzeile in Ihrem Anschreiben sind wichtig. In die Betreffzeile, die über der Anrede steht, gehört die Position, für die Sie sich bewerben. Verwenden Sie die von der Firma benutzte Stellenbezeichnung. In der Bezugzeile Ihres Anschreibens geben Sie die Fundstelle der Stellenanzeige, das heißt Veröffentlichungsmedium (Zeitung, Fachzeitschrift, Internet, SIS, Nachschlagewerk, und so weiter) und das Erscheinungsdatum an. Die Worte »Betreff« und »Bezug« beziehungsweise deren Abkürzungen »Betr.« und »Bzg.« lassen Sie weg.

Die Ausgestaltung von Betreff- und Bezugzeile

Falls eine Kennziffer in der Anzeige angegeben ist, so führen Sie diese selbstverständlich auch auf. Große Unternehmen schalten oft mehrere Stellenanzeigen gleichzeitig. Erleichtern

Sie deshalb die interne Zuordnung an den richtigen Bearbeiter durch präzise Angaben. Wenn Sie vorab telefonische Informationen eingeholt haben, gehört ein Vermerk über das Gespräch mit Datumsangabe ebenfalls in die Bezugzeile. Beispiele dafür, wie Sie diese Formalien bei der Gestaltung Ihrer Anschreiben umsetzen, finden Sie in unseren Beispielanschreiben im Kapitel »Gelungene Beispielanschreiben und -lebensläufe«.

Persönliche Anrede des Personalverantwortlichen

Anschreiben, die mit »Sehr geehrte Damen und Herren« beginnen, zeigen, dass Sie im Vorfeld wenig Informationen eingeholt haben. Sie sollten daher unbedingt vor dem Absenden Ihrer Unterlagen den Namen der/des Personalverantwortlichen eruieren. In den meisten Fällen haben Sie hier mit einem kurzen Telefonanruf in der Telefonzentrale des Unternehmens Erfolg. Falsch geschriebene Namen wirken negativ auf den Empfänger. Lassen Sie sich den Namen deshalb im Zweifelsfall immer buchstabieren. Die persönliche Ansprache bringt Ihnen bereits den ersten Pluspunkt.

Lange, verschachtelte Sätze im Anschreiben sind schlecht für den Lesefluss. Verwenden Sie kurze Sätze, und gliedern Sie den Text in thematische Blöcke. Ein Anschreiben, das aus einem einzigen Absatz besteht, ist eine Zumutung für den Leser. Schaffen Sie eine lesefreundliche Struktur. Damit ermöglichen Sie es Personalverantwortlichen, die wesentlichen Inhalte auf einen Blick zu erfassen.

Wählen Sie lesefreundliche Schrifttypen und -größen

Die Erstellung von Bewerbungsunterlagen mittels des Computers hat viele Vorteile mit sich gebracht, aber auch neue Fehlerquellen. Verzichten Sie auf zu kleine oder schlecht lesbare Schrifttypen. Versuchen Sie nicht, Ihr Anschreiben in einer Schriftgröße, die nur mit der Lupe zu entziffern ist, zu verfassen, um möglichst viel Text auf einer DIN A4-Seite unterzubringen. Wählen Sie eine Schriftgröße von mindestens 11, besser 12 Punkten. Die von Ihnen gewählte Schrifttype sollte klassisch sein, also Serifen enthalten (Times, Courier). Serifenfreie Schriften wie Arial sind bei längerem Text schwer zu lesen.

Spielereien mit Zeichenformatierungen wie kursiv, fett, unterstrichen, doppelt unterstrichen und gerahmte Absätze dokumentieren nur das Leistungsvermögen Ihres Textverarbeitungsprogramms und nicht das Ihrige. Unterlassen Sie deshalb Formatierungen, die die Lesbarkeit und den Lesefluss Ihres Anschreibens beeinträchtigen.

Aus der Arbeit mit dem PC hat sich ein weiterer typischer Fehler entwickelt: Firmennamen werden per Textbaustein im Kopf des Anschreibens, direkt im Anschreiben und für das selbstklebende Adressetikett verwandt. Dies birgt die Gefahr, dass nicht alle Textbausteine ausgewechselt werden. Kontrollieren Sie Ihr Anschreiben vor dem Abschicken noch einmal gründlich. Wenn Sie in der Anschrift auf dem Anschreiben eine andere Firma als im Text selber oder auf dem Briefumschlag angeben, werfen Sie sich selbst aus dem Rennen.

Kontrollieren Sie, ob alle Textbausteine ausgewechselt sind

Als Bewerbungsberater lesen wir regelmäßig viele Bewerbungsunterlagen. Wir haben leider noch nie Anschreiben vorgelegt bekommen, bei denen wir keine Rechtschreib- oder Kommafehler gefunden haben. Ein bis zwei Fehler werden vielleicht noch akzeptiert, darüber hinaus wird es kritisch für Sie. Da man eigene Fehler oft noch nach dem dritten Lesen übersieht, sollten Sie Ihre Unterlagen zur Korrektur immer einer anderen Person geben.

Inhaltlich überzeugen

Raucht Ihnen schon der Kopf bei so vielen möglichen formalen Fehlerquellen? Dann wird es jetzt etwas leichter für Sie, denn bei der inhaltlichen Ausgestaltung Ihres Anschreibens können Sie auf Ihre Selbstpräsentation zurückgreifen. Das individuelle Profil, das Sie sich dort erarbeitet haben, werden Sie nun in eine schriftliche Form überführen. Welche Besonderheiten Sie bei der inhaltlichen Gestaltung beachten müssen, werden wir Ihnen jetzt zeigen.

Viele Hochschulabsolventinnen und -absolventen sind der Meinung, dass die beigelegten Zeugnisse und sonstigen Leistungsnachweise ausreichen, um Personalverantwortliche zu überzeugen. Sie benutzen im Anschreiben Formulierungen wie: »Alles Weitere entnehmen Sie meinem Lebenslauf und den anderen Anlagen.« Dies ist deshalb problematisch, da viele Unternehmen erst dann in eine intensive Prüfung der schriftlichen Unterlagen einsteigen, wenn mit dem Anschreiben Interesse geweckt worden ist.

Ihre Selbsteinschätzung vermittelt ein erstes Bild von Ihnen

Personalverantwortliche bilden sich ihre erste Meinung über die Qualitäten von Absolventen beim Lesen des Anschreibens. Berufseinsteiger liefern mit dem Anschreiben eine Selbsteinschätzung. Die Art und Weise, wie Sie ein Gutachten über sich erarbeitet haben und welche Inhalte dort herausgestellt werden, vermittelt Personalverantwortlichen ein erstes Bild. Die weiteren Unterlagen verstärken dann nur noch das bereits negativ oder positiv gefärbte Bewerberbild.

Beratung

Aus unserer Beratungspraxis

Anschreiben ohne Inhalt

Ein Absolvent mit dem Abschluss Diplom-Ingenieur Maschinenbau, Fachrichtung Fertigungstechnik kam zu uns, weil er keine positive Resonanz auf seine Bewerbungsunterlagen erhielt. Wie viele Studenten der Ingenieur- und Naturwissenschaften war er der Meinung, dass sein Qualifikationsprofil den beigelegten Zeugnissen zu entnehmen sei. Sein Anschreiben gestaltete er mit inhaltsleeren Standardfloskeln. Nach seiner Meinung würde er im Bewerbungsgespräch schon den richtigen Ton finden, um die Unternehmensseite zu überzeugen. Nur leider erhielt er keine Einladungen zum Vorstellungsgespräch.

Wir überzeugten ihn schließlich mit dem Argument, dass er im zukünftigen Arbeitsalltag schließlich auch Kurzbewertungen von geplanten Neuanschaffungen liefern müsse. Aus seinem Praktikum wusste er, dass Vorgesetzte ein bloßes Weiterreichen von Datenblättern nicht akzeptieren. Nachdem ihm klar wurde, dass sein Anschreiben eine komprimierte Entscheidungsvorlage für die Personalabteilung ist, brachten wir seine Praktikumserfahrungen, die in einer praktischen Diplomarbeit bearbeiteten Aufgaben und seine Schwerpunktbildung im Studium in die Form eines überzeugenden Anschreibens.

Fazit: Das Anschreiben dient den Personalabteilungen als Entscheidungsvorlage. Die Aufgabe von Personalabteilungen ist nicht, aus einem Papierstapel ein individuelles Bewerberprofil zu entwickeln. Berufseinsteiger müssen ihr Profil – als Anschreiben verfasst – selbst liefern.

Das Anschreiben ist das Herzstück Ihrer schriftlichen Bewerbungsunterlagen, weil Personalverantwortliche aufgrund Ihrer Selbstdarstellung auf dem Papier entscheiden, ob Sie ein interessanter Absolvent oder ein Durchschnittskandidat sind.

Die Erfolgsformel

Die abstrakte Erfolgsformel für die Formulierung Ihres Anschreibens lautet: »Sie suchen einen Mitarbeiter für die Tätigkeit als XYZ – ich als Bewerber biete die dazu geeigneten fachlichen Kenntnisse und persönlichen Fähigkeiten.« Sie füllen diese Formel für Anschreiben mit Ihrer Selbstpräsentation inhaltlich aus.

Vergegenwärtigen Sie sich noch einmal unsere Anleitung für überzeugende schriftliche Selbstpräsentationen:

1. Erste Erfahrungen in (späterer Tätigkeitsbereich) konnte ich bei der ABC GmbH sammeln. Zu meinen Aufgaben gehörte dort (Aufgabe 1), (Aufgabe 2) und (Aufgabe 3).
2. Ich habe (Tätigkeit 1) gemacht, (Tätigkeit 2) übernommen und bei (Tätigkeit 3) mitgearbeitet. An dem Projekt XYZ habe ich teilgenommen. In meiner Diplomarbeit habe ich für die DEF AG eine Untersuchung zum Thema (allgemein verständliche Version des Titels der Diplomarbeit) durchgeführt.
3. In meinem Studium habe ich besonders den Schwerpunkt ABC ausgebaut, als Zusatzkenntnisse bringe ich gute Kenntnisse in/der XYZ mit.

Sich mit dem ersten Satz von Anderen unterscheiden Schon Ihr erster Satz, gleich nach der Anrede, sollte Sie bereits von den anderen Bewerbern unterscheiden. Gehen Sie gleich auf die Anforderungen des Unternehmens ein. Benutzen Sie aussagekräftige Schlagworte.

Im zweiten Absatz führen Sie die Tätigkeiten aus Praktika und sonstigen Praxiserfahrungen auf, die Sie auch bei der Bewältigung von Aufgaben in der Einstiegsposition ausführen werden. Machen Sie Ihre Leistungsbereitschaft deutlich. Stellen Sie heraus, dass Sie Ihr Wissen aus dem Studium bereits in der Berufspraxis eingesetzt haben.

Nennen Sie im dritten Absatz Ihres Anschreibens Ihre Studienschwerpunkte, und führen Sie EDV-Kenntnisse und Sprachkenntnisse auf, die für die ausgeschriebene Stelle wichtig sind.

Junior Controller Finanzen

Eine Absolventin für die Einstiegsposition »Junior Controller Finanzen« kann in ihrem Anschreiben dann so formulieren:

Sehr geehrte Frau Schnapp,

Beispiel (Erster Absatz im Anschreiben) ich verfüge über erste Erfahrungen in der

Finanzbuchhaltung. Bei einem Steuerberater habe ich studienbegleitend meine Kenntnisse im Steuerrecht ausgebaut.

(Zweiter Absatz im Anschreiben) Für die Handels AG habe ich im Finanzwesen Projekte vor- und nachkalkuliert und im Vertriebs-Controlling mitgearbeitet. Die Vorbereitung periodischer Abschlüsse gehörte ebenso zu meinen Aufgaben. In meiner Tätigkeit für die Steuerberater Heinemann, Hermann & Partner war ich an der Gestaltung betrieblicher Kreditplanungen beteiligt.

(Dritter Absatz im Anschreiben) Mein Studium der Betriebswirtschaft werde ich in sechs Monaten abschließen. Meine Studienschwerpunkte waren die Finanz- und Investitionsplanung und die Cash-Flow-Analyse. Vor meinem Studium habe ich eine Ausbildung zur Bankkauffrau bei der Volksbank Hesslingen gemacht und dort anschließend ein Jahr in der Kreditabteilung gearbeitet. Neben sehr guten Kenntnissen der üblichen Büro-Software verfüge ich über Basiskenntnisse in SAP R/3.

Gehen Sie in Ihrem Anschreiben auf die Anforderungen der ausgeschriebenen Stelle möglichst ausführlich ein. Erwähnen Sie zusätzlich noch ein bis zwei Fähigkeiten oder Kenntnisse, die für die Bewältigung der ausgeschriebenen Position nützlich sind und über die Sie verfügen. So stellt sich bei Personalverantwortlichen der »Kandidat-denkt-mit-Effekt« ein.

Zeigen Sie, dass Sie selbstständig denken

Kandidat-denkt-mit-Effekt

In einer Stellenanzeige für die Einstiegsposition »Junior Sales Manager« werden folgende Anforderungen genannt:

- »zentraler Ansprechpartner für die kommerzielle Vertragsabwicklung und -verfolgung«
- »Verantwortung für die Administration und Pflege der Originalverträge«
- »analytische, strukturierte Arbeitsweise«
- »Eigeninitiative und Durchsetzungsvermögen«

Beispiel

Ein Bewerber kann die genannten Anforderungen durch weitere Fähigkeiten ergänzen. Geeignet wären beispielsweise Belege für seine

- »Kundenorientierung« oder seine
- »selbstständige Arbeitsweise«.

Damit sammelt er Pluspunkte und rundet sein Profil ab. Im Anschreiben könnte der Beleg für Kundenorientierung so aussehen:

»In den Semesterferien habe ich im Call-Center der Service GmbH Erfahrung im direkten Umgang mit Kunden sammeln können. Neben der Tätigkeit im technischen Support habe ich auch Reklamationen bearbeitet.«

Seine selbstständige Arbeitsweise ließe sich so dokumentieren:

»Ich habe in der Studenteninitiative MTP mitgearbeitet. Dort habe ich Firmenvorträge organisiert, Referenten eingeladen und war für die Pressearbeit zuständig.«

Auch hier gilt: beschreiben statt bewerten

Wenn es Ihnen schwer fällt, zusätzliche Kenntnisse und Fähigkeiten zu finden, mit denen Sie den »Kandidat-denkt-mit-Effekt« erzielen können, sollten Sie Stellenanzeigen durcharbeiten. Suchen Sie Anzeigen heraus, in denen Ihre Einstiegsposition ausgeschrieben wird. Machen Sie eine Liste der in den Stellenanzeigen aufgeführten Anforderungen. So erarbeiten Sie sich einen Fundus an Kenntnissen und Fähigkeiten, die zu Ihrem Berufsfeld passen.

Vorsicht mit Bewertungen im Anschreiben: Beschreiben Sie Ihre Kenntnisse, Fähigkeiten und Erfahrungen, ohne in Kritik oder Eigenlob zu verfallen. Dies ist der Königsweg, durch den Sie eigene Erfolge belegen, ohne als überheblich und zur Selbstkritik unfähig abgestempelt zu werden.

Die Überzeugungsregel für gelungene Selbstpräsentationen, »beschreiben statt bewerten«, legen wir Ihnen für Ihr Anschreiben noch einmal besonders ans Herz. Beschreiben, beschreiben, beschreiben! Die Bewertung stellt sich automatisch beim Leser ein. Bewerten Sie sich dagegen selbst, fordern Sie Personalverantwortliche nur heraus, Ihnen zu zeigen, dass Sie sich irren.

Anschreiben, die mit »Ich bin der geeignete Kandidat für Ihre Firma« beginnen, fordern geradezu dazu auf, bei jedem Satz Fehler und Einwände zu suchen, die gegen eine Einstellung sprechen. Weitere Negativbeispiele für Selbstbewertungen sind: »Ich verfüge über die idealen Voraussetzungen für die ausgeschriebene Position.« »Die Stelle ist genau richtig für mich.« »Es gibt keine bessere Bewerberin.« Diese Formulierungen sollten Sie unterlassen.

Diese Formulierungen sollten Sie unterlassen

Sie wissen jetzt, warum Ihre Selbstpräsentation das Herzstück Ihrer Arbeit ist. Alles, was wir Ihnen für die überzeugende Selbstdarstellung vorgestellt haben, ist wichtig für Ihr Anschreiben. Ihre Selbstpräsentation, die Sie unter Berücksichtigung unserer Überzeugungsregeln ausformuliert haben, spricht bereits für Sie. Eine zusätzliche Eigenbewertung oder Abwertung anderer Bewerber ist überflüssig und schadet nur.

Eine zu positive Eigenbewertung wird als Überheblichkeit gedeutet. Bei Personalverantwortlichen darf nicht der Eindruck entstehen, dass Sie nach dem Motto vorgehen: »Sie können aufhören zu suchen, ich bin der ideale Kandidat und gebe gern Ratschläge bei der täglichen Arbeit.« Auch eine sich selbst anklagende und problematisierende Selbstdarstellung wirft Sie aus dem Rennen.

Ein überzeugendes Anschreiben gelingt Ihnen, wenn Sie unsere Überzeugungsregeln für die Präsentation Ihrer Qualifikationen berücksichtigen:

Halten Sie die Überzeugungsregeln ein

- Gehen Sie auf die Anforderungen der neuen Stelle ein.
- Zeigen Sie sich aktiv, machen Sie besonderes Engagement deutlich.
- Stellen Sie Ihr individuelles Profil heraus.
- Geben Sie Beispiele für persönliche Fähigkeiten.

- Beschreiben Sie Ihre Erfahrungen, ohne sie zu bewerten.
- Verwenden Sie Schlüsselbegriffe aus dem Tagesgeschäft.

Wie Sie auf die Aufforderung, Ihre Gehaltsvorstellungen anzugeben, reagieren sollten, zeigen wir Ihnen im Kapitel »Die Gehaltsfrage«.

Wenn Sie mitteilen sollen, ab wann Sie zur Verfügung stehen, müssen Sie in Ihrem Anschreiben Ihren frühestmöglichen Eintrittstermin nennen. Wenn Sie Ihr Studium bereits abgeschlossen haben, verwenden Sie die Formulierung: »Ich könnte Ihnen ab sofort zur Verfügung stehen.« Wenn Sie schon alle Studienleistungen erbracht haben, aber Ihre Urkunde und Ihr Hochschulabschlusszeugnis noch fehlen, formulieren Sie so: »Am 15.07.2006 werde ich mein Diplom erhalten. Da ich bereits alle Studienleistungen erbracht habe, könnte ich Ihnen auch früher zur Verfügung stehen.« Haben Sie Ihr Studium noch nicht beendet, weil Ihnen noch Studienleistungen für das Diplom/Examen fehlen, ist diese Fassung geeignet: »Ich werde mein Studium im September 2006 abschließen. Danach stehe ich Ihnen zur Verfügung.«

Die Nennung des frühestmöglichen Eintrittstermins

Verwenden Sie am Ende Ihres Anschreibens keine Demutsformulierungen. Unterwürfigkeit macht nur uninteressant. Formulierungen wie: »Sie können mich Tag und Nacht anrufen«, »Wann dürfte ich mich bei Ihnen persönlich vorstellen?« und »Falls ich Ihr Interesse geweckt haben sollte, würde ich mich über eine Nachricht freuen« sollten Sie deshalb vermeiden.

Aber zerstören Sie den guten Eindruck Ihres Anschreibens auch nicht durch eine Schlussformel, die Personalverantwortliche unter Druck setzen soll. Ungeeignet sind »Drückerformeln« wie: »Wann werden Sie mich zu einem Vorstellungsgespräch einladen?«, »Lernen Sie mich kennen, laden Sie mich ein!«, »Greifen Sie zu, bevor andere es tun!« und »Lassen Sie mich mit Ihrer Antwort nicht zu lange warten.«

Der gelungene Abschluss

Benutzen Sie stattdessen für den Abschluss Ihres Anschreibens Formulierungen, die den realistischen Stil Ihres Anschreibens abrunden:

- »Für ein Vorstellungsgespräch stehe ich Ihnen gern zur Verfügung.«
- »Über die Einladung zu einem persönlichen Gespräch würde ich mich freuen.«
- »Weiterführende Aspekte würde ich gern in einem persönlichen Gespräch mit Ihnen klären.«

Weitere Beispiele für Anschreiben und zusätzliche Anregungen für Ihre Formulierungen finden Sie im Kapitel »Gelungene Beispielanschreiben und -lebensläufe«.

Witzige und kreative Anschreiben?

Was halten Sie davon: das Anschreiben an Beiersdorf in einer leeren Niveadose, die Bewerbung auf die Stelle als Datenverarbeitungskaufmann auf einer Diskette oder die Bewerbung per Videokassette?

Wir können Ihnen nur davon abraten: Zum einen zeigen Sie, dass Sie betriebliche Abläufe – hier in der Personalauswahl – nicht durchschauen. Zum zweiten wird deutlich, dass Sie den unternehmensinternen Informationsfluss eher stören als fördern. Auf welchen Schreibtischen von Personalreferenten oder von vorgeschalteten Personalassistenten stehen denn ein Videorecorder und ein Fernseher? Haben Sie bedacht, dass die Firma Ihre Bewerbung für Sie ausdrucken muss, wenn diese nur auf Diskette vorliegt (von der Gefährdung der Firmen-EDV durch Viren einmal ganz abgesehen)?

Zeigen Sie mit dem Anschreiben Ihre berufliche Eignung

Ihr Anschreiben ist ein Selbstgutachten über Ihre berufliche Eignung. Auch in Ihrer ersten Position werden Sie Aufgaben und Projekte analysieren und bewerten und die Ergebnisse in

Entscheidungsvorlagen präsentieren müssen. Zeigen Sie schon jetzt mit Ihrem Anschreiben, dass Sie dazu in der Lage sind.

In Kreativbranchen wie Werbung, Film, Theater dürfen Sie die übliche Form verlassen. Dort gilt die Kreativität Ihrer Bewerbung als erste Arbeitsprobe. In allen anderen Fällen sollte Ihre Kreativität in der gezielten Abstimmung auf das Unternehmen und die Anforderungen des ausgeschriebenen Tätigkeitsfeldes liegen. Ihre Fähigkeit, Einstellungshürden durch eine detaillierte Auseinandersetzung mit den Unternehmensanforderungen zu überwinden, ist ein besserer Beweis für Kreativität als der Einsatz von Gags.

In kreativen Branchen sind originelle Bewerbungen möglich

Auf einen Blick

Anschreiben: formale Fehler vermeiden und inhaltlich überzeugen

Im Blick

- Durch die korrekte Form Ihres Anschreibens bleiben Sie im Bewerbungsprozess. Wenn Sie zum Vorstellungsgespräch kommen wollen, müssen Sie auch inhaltlich überzeugen.
- In der Firmenanschrift dürfen keine Fehler auftauchen. Die Rechtsform des Unternehmens muss richtig angegeben werden.
- In die Betreffzeile Ihres Anschreibens gehört die Position, auf die Sie sich bewerben.
- In der Bezugzeile geben Sie die Fundstelle der Stellenanzeige an und vermerken eventuell ein vorbereitendes Telefongespräch.
- In der Anrede Ihres Anschreibens sollte der Namen der/des Personalverantwortlichen stehen.
- Verwenden Sie kurze Sätze, und gliedern Sie den Text in mehrere Blöcke.
- Führen Sie bei Ihrem Anschreiben hinsichtlich der Übersichtlichkeit und des Leseflusses, der richtigen Rechtschreibung und der Kommasetzung eine gründliche Endkontrolle durch.

- Die inhaltliche Ausformulierung Ihres Anschreibens entspricht Ihrer Selbstpräsentation.
- Sie überzeugen inhaltlich, wenn Sie konkrete Beispiele dafür geben, was Sie an fachlichen Kenntnissen und persönlichen Fähigkeiten für die Einstiegsposition mitbringen.
- Gehen Sie auf die Anforderungen der Einstiegsposition ein, und überlegen Sie sich ein bis zwei Fähigkeiten oder Kenntnisse, die für dieses Unternehmen ebenfalls interessant sind.
- Eine übertrieben positive Eigenbewertung oder eine sich selbst anklagende und problematisierende Selbstdarstellung hat im Anschreiben nichts zu suchen. Beschreiben Sie Ihre Qualifikationen, statt sie zu bewerten.
- Beenden Sie Ihr Anschreiben mit dem Wunsch, man möge Sie zum Vorstellungsgespräch einladen.

11

Die Gehaltsfrage

Absolventinnen und Absolventen sorgen sich oft darum, dass sie zu wenig Gehalt beim Berufseinstieg verlangen könnten. Oder sie befürchten, dass sie sich durch zu hohe Gehaltsforderungen frühzeitig selbst aus dem Rennen werfen.

Als Berufseinsteiger können Sie sich nicht über Ihren Preis verkaufen. Sie müssen vorrangig deutlich machen, dass Sie überhaupt in der Lage sind, berufliche Aufgaben zu lösen. Machen Sie mit Ihrer Bewerbung klar, dass Sie ein Gewinn für das Unternehmen sind. Berufseinsteiger verursachen neben ihrem Gehalt besonders hohe Kosten für die Einarbeitung. Verdeutlichen Sie, dass es sich lohnt, Geld in Ihre berufliche Entwicklung zu investieren. Je besser Sie herausstellen, welche Tätigkeiten Sie bereits als Einsteiger für das Unternehmen übernehmen können, desto größer ist Ihr Verhandlungsspielraum beim Gehalt.

Machen Sie deutlich, dass es sich lohnt, in Sie zu investieren

Einstiegsgehälter

Es gibt Einstiegspositionen, bei denen Ihr eigener Gehaltswunsch nur eine untergeordnete Rolle spielt, da das Einstiegsgehalt unternehmensintern festgelegt wurde. Dies gilt besonders für Trainee-Programme. Die Unternehmen können natürlich nicht Absolventen, die gemeinsam ein Trainee-Programm durchlaufen, unterschiedlich bezahlen. Sonst käme es sehr schnell zu Gehaltsdiskussionen unter den Trainees und zwischen den Trainees und der Personalabteilung.

Beim Direkteinstieg sieht es anders aus. Dort können spezielle Kenntnisse oder sofort einsetzbare Fähigkeiten deutliche Gehaltsunterschiede rechtfertigen. Bevor Sie anfangen zu verhandeln, sollten Sie sich eine Grundlage für Ihre Verhandlungen schaffen. Ihr Einstiegsgehalt wird sich aus verschiedenen Komponenten zusammensetzen. Ermitteln Sie, welche Gehälter üblicherweise für Berufseinsteiger in der von Ihnen angestrebten Position gezahlt werden.

Denken Sie auch an Sonderleistungen

Gehen Sie bei Ihren Gehaltsangaben immer von Brutto-Jahresgehältern aus. Wenn Sie ein Monatsgehalt als Verhandlungsbasis im Anschreiben nennen, haben Sie noch nicht die Anzahl der Monatsgehälter (12, 13 oder 14) geklärt. Bedenken Sie auch, dass sich Erfolgsprämien, Sonderleistungen und Vergünstigungen auf Ihr Jahresgehalt auswirken.

Bleiben Sie bei Ihren Gehaltsvorstellungen realistisch. Nutzen Sie die Veröffentlichungen auf den Berufsseiten großer Tageszeitungen oder in Wirtschaftsjournalen als Anhaltspunkte für Ihre Gehaltswünsche. Werden dort keine Einstiegsgehälter aufgeführt, so sind die Gehälter für qualifizierte Sachbearbeiter aussagekräftige Anhaltspunkte.

Realistische Anfangsgehälter für Akademiker

Momentan liegt die Bandbreite der für akademische Berufseinsteiger gezahlten Gehälter zwischen 30 000,– und 40 000,– Euro. Eine Promotion kann je nach Branche einen Zuschlag von 5 000,– bis 10 000,– Euro bringen. Dies gilt allerdings nur für Einstiegspositionen, die eine Promotion voraussetzen, beispielsweise für Chemiker. Weitere Abstufungen der gezahlten Einstiegsgehälter können Sie unserer Vergütungstabelle entnehmen.

Tabelle 1: Starteinkommen für Absolventen

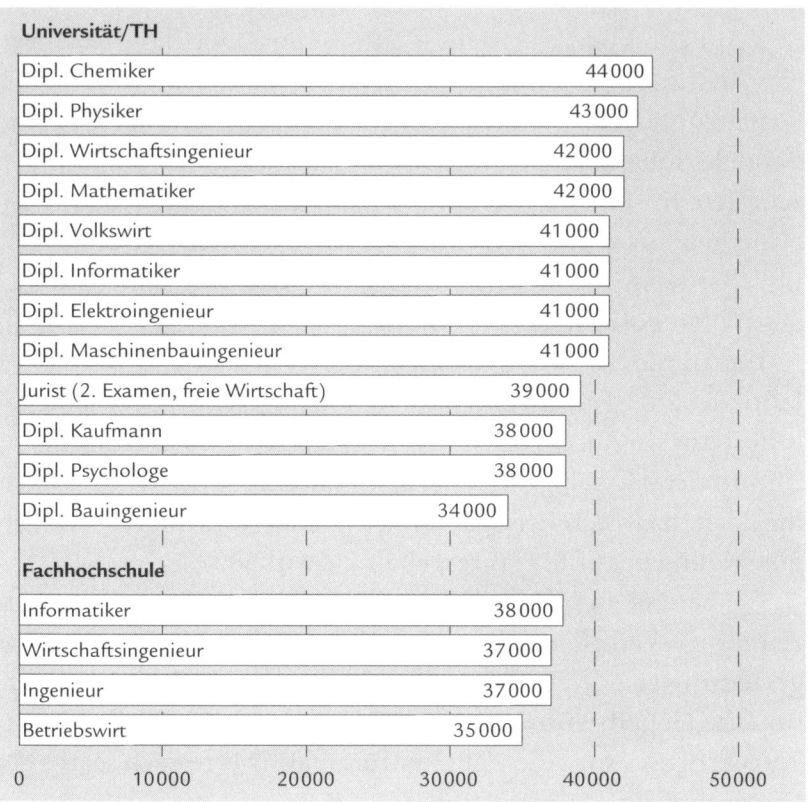

Universität/TH

Dipl. Chemiker	44 000
Dipl. Physiker	43 000
Dipl. Wirtschaftsingenieur	42 000
Dipl. Mathematiker	42 000
Dipl. Volkswirt	41 000
Dipl. Informatiker	41 000
Dipl. Elektroingenieur	41 000
Dipl. Maschinenbauingenieur	41 000
Jurist (2. Examen, freie Wirtschaft)	39 000
Dipl. Kaufmann	38 000
Dipl. Psychologe	38 000
Dipl. Bauingenieur	34 000

Fachhochschule

Informatiker	38 000
Wirtschaftsingenieur	37 000
Ingenieur	37 000
Betriebswirt	35 000

0   10000   20000   30000   40000   50000

Quelle: *Karriere* und eigene Berechnungen

Aus der Tabelle wird deutlich, dass für einen Universitätsabschluss üblicherweise ein höheres Anfangsgehalt gezahlt wird als für einen Fachhochschulabschluss. Für Absolventen von Studiengängen, die nicht direkt auf ein bestimmtes Berufsfeld hinführen, zeigen sich große Schwankungen bei den gezahlten Anfangsgehältern. Sie müssen beim Berufseinstieg oft Abschläge hinnehmen und sollten sich eher am unteren Rand der üblichen Einstiegsgehälter orientieren.

Gehaltsvorstellungen im Anschreiben

Halten Sie sich als Berufseinsteiger mit der Angabe eines Wunschgehaltes zurück. Vermeiden Sie die Situation, aufgrund überhöhter Gehaltsvorstellungen schon bei der schriftlichen Bewerbung aussortiert zu werden. Natürlich weiß jeder, dass Sie arbeiten, um Geld zu verdienen. Trotzdem ist es ein ungeschriebenes Ritual des Bewerbungsverfahrens, dass Sie in erster Linie wegen der interessanten Position und der zukünftigen Aufgabenstellungen arbeiten wollen und dass das Gehalt lediglich eine zwangsläufige Konsequenz Ihrer ausgeübten Tätigkeit ist.

Wunschgehalt nur nennen, wenn es ausdrücklich gefordert wird

Anders sieht es aus, wenn Sie in einer Stellenanzeige ausdrücklich aufgefordert werden, Ihre Gehaltsvorstellung in Ihrem Anschreiben zu nennen. In diesem Fall sollten Sie Ihre Gehaltsvorstellung auch angeben. Beginnen Sie Ihr Anschreiben aber nicht gleich mit Ihren Gehaltswünschen. Ihr berufliches Profil ist für die Einstellung erheblich wichtiger als Ihr Preis. Zuerst muss im Anschreiben der Wert Ihrer einzubringenden Kenntnisse und Fähigkeiten deutlich werden, erst danach sollten Sie Ihre Gehaltsvorstellungen angeben. Diese gehören an das Ende Ihres Anschreibens. Sie können folgende Formulierungen verwenden:

- »Mein Gehaltswunsch liegt bei 30 000,- Euro Bruttogehalt pro Jahr.«
- »Meine Gehaltsvorstellung beträgt 30 000,- Euro p. a.«
- »Ich strebe ein Gehalt von 30 000,- Euro pro Jahr an.«

Wenn Sie noch nicht wissen, was in Ihrer Einstiegsposition an besonderen Belastungen auf Sie zukommt, können Sie auch einen Gehaltsrahmen angeben. Zum Beispiel so: »Zu meinen Gehaltsvorstellungen möchte ich mich erst nach weitergehender Information über die ausgeschriebene Position äußern. Ich strebe ein Gehalt von Euro 30 000,- bis 35 000,- pro Jahr an.«

Der realistische Gehaltsrahmen

Weitere Gehaltsdiskussionen führen Sie dann später im Vorstellungsgespräch. Wählen Sie eine realistische Gehaltsspanne, die sich an den üblicherweise gezahlten Einstiegsgehältern orientiert. Wenn Sie eine zu große Spanne angeben, beispielsweise 25 000,- bis 40 000,- Euro, wird Ihr Gehaltswunsch zu beliebig. Die meisten Personalverantwortlichen vermuten dann, dass Sie nicht ausreichend informiert sind und den Gegenwert Ihrer Qualifikationen nicht richtig einschätzen können.

Patzige Formulierungen bei der Angaben Ihres Gehaltswunsches kosten Sie entscheidende Sympathiepunkte. Wenn Sie Ihre Vorstellungen aggressiv formulieren, vermuten Personalverantwortliche, dass Sie ein schwieriger Mensch mit Kommunikationsdefiziten sind. Deshalb sind solche Formulierungen wie: »Teilen Sie mir bitte mit, welches Gehalt Sie zahlen wollen« »Ein Gehalt von unter 35 000,- Euro ist für mich uninteressant« oder »Eine Entlohnung in Höhe von 40 000,- Euro halte ich für gerade noch angemessen« im Anschreiben ungeeignet.

Vermeiden Sie aggressive Formulierungen

Aus unserer Beratungstätigkeit wissen wir, dass interessante Berufseinsteiger nur selten an ihren Gehaltswünschen scheitern. Meistens findet sich im Vorstellungsgespräch eine Kompromisslösung. Diese könnte eine vertraglich vereinbarte Erhöhung des Gehalts nach der Probezeit sein oder Zusatzleistungen wie Umzugsbeihilfe, die kostenlose private Nutzung von Firmenwagen oder die Übernahme von Weiterbildungskosten, wie beispielsweise Rhetorikkurse, Präsentationsseminare, Fremdsprachenkurse oder EDV-Seminare. Bleiben Sie darum während des Vorstellungsgesprächs offen für Angebote.

Die Gehaltsfrage

- Halten Sie sich in Ihren schriftlichen Unterlagen mit der Angabe von Gehaltswünschen zurück.
- Wenn dies ausdrücklich gewünscht ist, müssen Sie Ihren Gehaltswunsch nennen. Orientieren Sie sich dabei an den üblicherweise in Ihrer Einstiegsposition gezahlten Gehältern.
- Die für Einstiegspositionen gezahlten Gehälter schwanken stark. Stellen Sie deshalb Ihr Qualifikationsprofil überzeugend dar. Betonen Sie sofort einsetzbare Kenntnisse und Fähigkeiten.
- Ihr Gehaltswunsch gehört an das Ende Ihres Anschreibens. Stellen Sie zuerst Ihren Nutzen für die Firma dar.
- Wenn Sie sich über die Belastungen in der Einstiegsposition nicht im Klaren sind, können Sie einen Gehaltsrahmen angeben.
- Nennen Sie immer ein Brutto-Jahresgehalt bei der Angabe Ihrer Gehaltsvorstellungen.
- Verwenden Sie souveräne Formulierungen, um Ihren Gehaltswunsch mitzuteilen. Provozieren Sie Personalverantwortliche nicht durch aggressive oder missverständliche Angaben.

12

Der aussagekräftige Lebenslauf

Bei der Ausarbeitung Ihres Lebenslaufs ist Detailarbeit gefragt. Sie müssen umfassende Informationen über Ihren bisherigen Werdegang angeben, dürfen aber nicht den Eindruck erwecken, an der ausgeschriebenen Position vorbeizuschreiben.

Ihr Lebenslauf sollte mit Ihrem Anschreiben eine Einheit bilden. Die Argumente, mit denen Sie im Anschreiben deutlich machen, dass Sie ein zur Einstiegsposition passendes Qualifikationsprofil haben, müssen Sie im Lebenslauf aufgreifen. Im Anschreiben legen Sie Ihr berufliches Profil in Form eines Kurzgutachtens vor. Im Lebenslauf stellen Sie Ihre bisherige Entwicklung dar. Bei der Überprüfung Ihres Lebenslaufs sollten Personalverantwortliche einen roten Faden in Ihrer Entwicklung erkennen können, der auf die Einstiegsposition hinführt.

Setzen Sie sich von der Masse der Durchschnittsbewerber ab, die den immer gleichen Standardlebenslauf verwenden, ohne auf die besonderen Anforderungen der Stelle einzugehen. **Füllen Sie Ihre Lebensstationen mit Beispielen** Machen Sie nicht den Fehler, inhaltsleere Lebensläufe zu verschicken, die nur aus Zeitangaben und der bloßen Aufzählung von Stationen des Werdegangs bestehen. Füllen Sie die Stationen Ihres Werdegangs mit den Tätigkeiten, die Sie ausgeübt haben. Nennen Sie Ihre Schwerpunktbildung im Studium. Verdeutlichen Sie, wo Sie sich besonders engagiert haben. Zeigen Sie, dass Sie Ihr Wissen praxisnah einsetzen können. Geben Sie in Ihrem Lebenslauf Beispiele an, wie Sie Ihre fachlichen Kenntnisse und persönlichen Fähigkeiten eingesetzt haben.

Ein Blick auf unsere Beispiellebensläufe im Kapitel »Gelungene Beispielanschreiben und -lebensläufe« gibt Ihnen einen Eindruck davon, wie man sich mit einem gut gegliederten und informativ gestalteten Lebenslauf von seinen Mitbewerbern positiv abhebt. Die gelungenen Lebensläufe haben wir anhand unseres Musterlebenslaufs ausgearbeitet.

Muster für Ihren Lebenslauf

Vorname Name
Straße
PLZ/Ort
Telefon
(falls vorhanden) E-Mail-Adresse

Porträt-Farbfoto
des Bewerbers/
der Bewerberin

Lebenslauf

Persönliche Daten
geb. am 00.00.0000 in . . . . (Ort)
Familienstand:. . . . . (ledig/verheiratet/geschieden/verwitwet)
Staatsangehörigkeit:. . . . . (deutsch etc.)

Schule, Wehr-/Zivildienst, Soziales Jahr

00.00.0000	Schulabschluß an der ABC-Schule, (Note)
00/0000 – 00/0000	Wehrdienst/Zivildienst, Soziales Jahr, Institution, Ort
00/0000 – 00/0000	evtl. weiterführende Schule
00.00.0000	Schulabschluß, (Note)

Ausbildung (evtl.)

00/0000 – 00/0000	Firma, Ort, Ausbildung zum XYZ
00.00.0000	Berufsbezeichnung

Studium

00/0000 – 00/0000	Studium der ABC, an der DEF Hochschule, Ort, Fachrichtung, Schwerpunkt
00/0000 – 00/0000	Grundstudium
00.00.0000	Vordiplom/Zwischenprüfung, (Note)
00/0000 – 00/0000	evtl. Auslandsstudium, Hochschule, Ort/ Land, ausgewählte Veranstaltungen nennen
00/0000 – 00/0000	Hauptstudium, ausgewählte Schwerpunkte
00/0000 – 00/0000	Diplomarbeit: (Original-Titel), evtl. in Zusammenarbeit mit XYZ GmbH, Ziel der Diplomarbeit, (Note)
00.00.0000	durch den Studienabschluß erworbener Titel, (Note)

Praktika, berufliche Tätigkeiten

00/0000 – 00/0000	Firma, Ort, Bereich, Abteilung, Praktikant: zwei bis drei ausgewählte Tätigkeiten nennen
00/0000 – 00/0000	Firma, Ort, Bereich, Abteilung, Werkstudent/ Aushilfe: zwei bis drei ausgewählte Tätigkeiten nennen
00/0000 – 00/0000	Hochschule, Hochschuleinrichtung, wissenschaftliche Hilfskraft: Tätigkeiten
00/0000 – 00/0000	Firma, Ort, Bereich, Abteilung, Diplomand: nichtwissenschaftliche Aspekte der Diplomarbeit, konkrete Anwendung

Sonstiges

seit 00/0000	Verein/Institution, Funktion: ein bis zwei ausgewählte Projekte nennen
00/0000 – 00/0000	evtl. Stipendiat der XYZ-Stiftung

Zusatzqualifikationen

Sprachen:	Sprache (Bewertung)

EDV-Kenntnisse:	Betriebssysteme (Bewertung)
	Anwendungen (Bewertung)
	Spezial-Software (Bewertung)
Weiterbildung:	Institution, Veranstaltung
	(z.B. Ausbildung der Ausbilder)
Ort, Datum	*Unterschrift*
	(ausgeschriebener Vor- und Zuname)

Der formale Aufbau

Gestalten Sie Ihren Lebenslauf lese- und prüfungsfreundlich.
Geben Sie auf der linken Seite eine Zeitleiste an. Bei den Zeitspannen sollten Sie Monat und Jahr angeben. Bei Abschluss- **Die lesefreund-**
prüfungen sollten Sie auch das Tagesdatum nennen. Dies **liche Zeitleiste**
gilt beispielsweise für das Abiturzeugnis, den Facharbeiterbrief, das Vordiplom und das Diplom. Das Tagesdatum finden
Sie auf den jeweiligen Urkunden.

Personalverantwortliche werden sich nicht die Mühe machen, aus einem Überangebot an Informationen im Lebenslauf
die für sie wesentlichen herauszufiltern. Strukturieren Sie Ihren
Lebenslauf, damit die für die Einstiegsposition relevanten Informationen ins Auge stechen. Bilden Sie Blöcke. Wenn Sie
mehrere Praktika gemacht haben, können Sie durch einen **Strukturieren**
Block »Praktika und Berufspraxis« Ihre ersten Berufserfah- **Sie nach**
rungen dokumentieren. Haben Sie im Studium besondere **thematischen**
Schwerpunkte gesetzt, sollte dies auch im Block »Studium« **Blöcken**
sichtbar werden.

Viele Absolventen versuchen die vermeintliche Vorgabe, einen Lebenslauf auf eine DIN A4-Seite zu beschränken, dadurch

zu erfüllen, dass sie eine zu kleine Schrift verwenden. Dadurch wird jedoch die Prüfung des Lebenslaufs in den Personalabteilungen erschwert. Wählen Sie für die Erstellung Ihres Lebenslaufs am PC eine Schriftgröße von etwa 11 Punkten.

Ihr Lebenslauf kann durchaus ein bis anderthalb DIN A4-Seiten umfassen. Es ist viel wichtiger, ihn aussagekräftig zu gestalten, als unbedingt zu versuchen, ihn auf eine Seite zu beschränken. Die Länge des Lebenslaufs variiert, je nachdem wie viele Ausbildungsstationen und Praktika Sie absolviert haben. Gerade Praktika sollten Sie ausführlich darstellen, da sie ein Beleg für erste Berufserfahrungen sind. Nennen Sie mindestens zwei bis drei Tätigkeiten, die Sie während Ihres Praktikums ausgeübt haben. Prinzipiell gilt, dass jede Station in Ihrem Werdegang, die einen Bezug zur Einstiegsposition hat, eingehend dargestellt werden sollte.

Belegen Sie alle Stationen mit Beispielen

Vor der inhaltslosen Aufzählung von Stationen Ihres Werdegangs haben wir Sie schon gewarnt. Verfallen Sie aber auch nicht ins Gegenteil. Wenn Sie Ihre bisherigen Stationen mit weiteren Angaben ausfüllen, sollten Sie dies nicht in epischer Breite tun. Verwenden Sie stattdessen aussagekräftige Stichworte.

Beratung

Aus unserer Beratungspraxis

In der Werbeagentur

Eine Kunstgeschichtsstudentin hatte in ihrem Hauptstudium ein Praktikum im Landesmuseum und ein Praktikum in einer Werbeagentur durchgeführt. Ihre Darstellung dieser Praktika im Lebenslauf war unübersichtlich und nichtssagend, sodass es unmöglich war, Belege für ihre Fähigkeiten und Kenntnisse aus ihren Angaben herauszulesen:

04/2007 – 06/2007   Mein Pflichtpraktikum habe ich im Landesmuseum Niedersachsen gemacht. In dieser Zeit durfte ich überall erste Erfahrungen gewinnen. Die Arbeit der Experten war sehr interessant. Ab und zu konnte ich hilfreich sein.

07/2007 – 10/2007   Praktikum in einer Werbeagentur. Die studienfernen Aufgaben waren sehr interessant. Als Kunstgeschichtlerin kam mir mein Gespür für Formen und Farben sehr zugute. Ich durfte eigene Entwürfe für eine Werbekampagne machen, die aber nicht umgesetzt wurden. Meine Chefin war immer gesprächsbereit und konnte mich für eine Arbeit in einer Agentur begeistern.

Die Aufgaben und Kompetenzen der Studentin wurden in der gemeinsam mit uns überarbeiteten Fassung deutlicher:

04/2007 – 06/2007   Landesmuseum Niedersachsen, Hannover, Praktikantin: Mitarbeit bei der Organisation von Ausstellungen, Pflege von Kontakten zu Privatsammlungen, Transportabwicklung, Klärung versicherungsrechtlicher Fragen

07/2007 – 10/2007   Werbeagentur X-Over Projects GbR, Praktikantin: Konzeption von Werbekampagnen, Mitarbeit in der Mediaplanung, Kundenbefragungen, Vorbereitung von Teamsitzungen

Fazit: Die Kunst des Marketings in eigener Sache im Lebenslauf besteht darin, die Balance zwischen knapper Informationsvermittlung auf der einen Seite und aussagekräftiger Selbstdarstellung auf der anderen Seite herzustellen.

Berufsbezogene Beschreibungen

Ihr Lebenslauf sollte eine hohe Informationsdichte haben. Dies gelingt Ihnen am besten, wenn Sie Ihre ausgeübten Tätigkeiten stichwortartig angeben. Vermeiden Sie den Eindruck, dass Sie zwar Ihr Studium bewältigt haben, Ihnen aber der Kontakt zur beruflichen Praxis fehlt.

Die hohe Informationsdichte fordert stichwortartige Beschreibungen

Wir wissen aus unserer Beratungspraxis, dass sich Hochschulabsolventinnen und -absolventen sehr schwer damit tun, außerhalb der Hochschule gesammelte Erfahrungen in einer Weise zu beschreiben, dass sie damit Interesse bei Personalverantwortlichen erwecken. Bei Bewerbungen von Absolventen entsteht oftmals der Eindruck, dass ihnen die Ablösung vom Wissenschaftsbetrieb Hochschule schwerfällt. Personalverantwortliche lassen sich jedoch nur dann überzeugen, wenn sich Berufseinsteiger als zukünftige Mitarbeiter darstellen. Dies ist insbesondere eine Frage der Selbstdarstellung.

Verwenden Sie deshalb den Sprachgebrauch der Arbeitswelt, um für die Arbeitswelt interessant zu sein.

Sprachgebrauch der Arbeitswelt anpassen

Um überzeugen zu können, müssen Sie Ihren Sprachgebrauch für praxisrelevante Tätigkeiten dem der Arbeitswelt angleichen. Wenn Sie sich unsicher fühlen, sollten Sie in Stellenbeschreibungen und Berufsseiten von Zeitungen nach Beschreibungen der jeweiligen Tätigkeiten suchen. Beispielsweise könnten Sie für Ihre Praktika die folgenden berufsnahen Bezeichnungen finden:

Praktikum in der Personalabteilung

Gefundene Tätigkeitsbezeichnungen aus Stellenanzeigen:

1. Auswertung von Bewerbungsunterlagen
2. Mitwirkung bei der Gestaltung von Arbeitszeitmodellen
3. Rekrutierungsmaßnahmen konzipieren
4. Einsatz von Personalinstrumenten
5. Personalplanung
6. Temporären Personalbedarf managen
7. Entwicklungsgespräche auswerten
8. Personalakten führen
9. Hochschul-Marketing
10. Einarbeitungsmaßnahmen festlegen

Praktikum im Vertrieb

Gefundene Tätigkeitsbezeichnungen aus Stellenanzeigen:

1. Angebotserstellung
2. Angebotsverfolgung
3. Verkaufsförderung
4. Unterstützung des Außendienstes
5. Verkaufsstatistiken erstellen
6. Zusammenarbeit mit der Abteilung Marketing
7. Produktpräsentation
8. Erstellung von Vertriebsberichten
9. Vorbereitung von Vertriebsmeetings
10. Kundenbetreuung

Jetzt sind Sie wieder am Zug: Suchen Sie für Ihre Praktika nach berufs- und stellenbezogenen Beschreibungen. Machen Sie dazu unsere nachfolgende Übung.

Tätigkeitsbezeichnungen sammeln

Da die Darstellung von Praktika, Werkstudententätigkeiten, Projektmitarbeit oder in Zusammenarbeit mit Firmen durchgeführten Diplomarbeiten ein zentraler Punkt Ihrer Bewerbung ist, werden Sie jetzt lernen, diese Stationen aussagekräftig darzustellen.

Kaufen Sie sich die Wochenendausgaben von Tageszeitungen mit umfangreichem Stellenteil. Suchen Sie die Stellenanzeigen heraus, die eine inhaltliche Nähe zu Ihren Praktika und anderen berufsnahen Erfahrungen haben. Am besten geeignet sind Stellenanzeigen, in denen Einstiegspositionen für Absolventen oder Sachbearbeiterstellen ausgeschrieben sind. Dort finden Sie Beschreibungen und Etikettierungen für die Aufgaben, die Sie in Ihren Praktika kennen gelernt haben.

Beschränken Sie sich nicht, finden Sie so viele Tätigkeitsbezeichnungen wie möglich. Überschneidungen zwischen den Bezeichnungen sollten Sie nicht davon abhalten, jede einzeln aufzuführen. So erarbeiten Sie sich eine detaillierte Sammlung von Schlagworten und Schlüsselbegriffen, mit denen Sie Ihre Praktika und andere praxisnahe Erfahrungen im Lebenslauf angeben können.

Ihr Praktikum: . . . .
. . . .
. . . .
. . . .
. . . .

Von Ihnen gefundene Tätigkeitsbezeichnungen aus Stellenanzeigen:

1. . . . .

2. . . . .

3. . . . .

4. . . . .

5. . . . .

6. . . . .

7. . . . .

8. . . . .

9. . . . .

10. . . . .

Niemand erwartet von Ihnen, dass Sie in Ihren Praktika allein-
verantwortlich schwierige Aufgaben bewältigt haben. Die Praktika dienen lediglich als Beleg dafür, dass Sie sich in berufliche
Aufgabenstellungen einarbeiten können, sich mit den Entschei-
dungswegen in Unternehmen vertraut gemacht haben und die
Zusammenarbeit mit Kollegen erfolgreich gestalten.

Bei der Ausgestaltung Ihrer Praktika können Sie auch Tätigkeiten angeben, mit denen Sie nur am Rande in Berührung
gekommen sind. Haben Sie beispielsweise an den Sitzungen einer Projektgruppe teilgenommen, um sich das Ganze einfach
einmal anzuschauen, können Sie die Projektgruppe im Lebenslauf aufführen und dem Leser die Einschätzung des Umfangs der
Mitarbeit überlassen. Werten Sie Ihre ersten beruflichen Erfahrungen nicht ab, sondern geben Sie sie selbstbewusst im Lebenslauf an.

Geben Sie alle berufsrelevanten Tätigkeiten an

Die in unserem Beispiel gefundenen Tätigkeitsbezeichnungen für Praktika in der Personalabteilung und im Vertrieb lassen sich im Lebenslauf beispielsweise so einsetzen:

Darstellung des Praktikums
in der Personalabteilung im Lebenslauf

07/2007 – 01/2008 Universal Food AG, Hamburg, Personalabteilung, Praktikant: Konzeption von Rekrutierungsmaßnahmen, Mitarbeit im Hochschulmarketing, Entwicklung von Einarbeitungsmaßnahmen, Personalverwaltung, Projekt »Neue Arbeitszeitmodelle«

Darstellung des Praktikums im Vertrieb

Beispiel 2 06/2007 – 01/2008 Großküchen AG, Heilbronn, Vertriebsinnendienst, Praktikantin: Angebotserstellung, Angebotsverfolgung, Erstellung von Verkaufsstatistiken, Zusammenarbeit mit dem Marketing, Projektgruppe »Erfolgreiche Verkaufsförderung«

Ausrichtung auf die Einstiegsposition

Von einem Standardlebenslauf, den Sie unverändert für jede interessante Position einsetzen, raten wir Ihnen ab. Für unterschiedliche Stellen sollten Sie jeweils angepasste Lebensläufe verwenden. Jede Position hat andere Schwerpunktanforderungen, auf die Sie auch mit dem Lebenslauf eingehen sollten. Dies gelingt Ihnen, indem Sie Praktika, Werkstudententätigkeiten, Hochschulprojekte, Studienschwerpunkte, berufliche Tätigkeiten und außeruniversitäres Engagement ausführlicher darstellen, wenn diese einen Bezug zur Einstiegsposition haben.

Generell gilt die Regel, dass Sie sich bei der Ausarbeitung Ihres Lebenslaufs davon leiten lassen sollten, welche Stationen in Ihrem Werdegang den größten Bezug zur beruflichen Praxis der Einstiegsposition haben. Tätigkeiten, die Sie nicht für die Ausübung Ihrer Einstiegsposition qualifizieren, gehören nicht in den Lebenslauf. Sie erwecken sonst den Eindruck eines Bewerbers, der nicht auf den Punkt kommt und sich nicht über die Anforderungen der beruflichen Position informiert hat.

Praktika haben für Personalverantwortliche den größten Stellenwert. Auf Begründungen aus dem Freizeitbereich sollten Sie erst ganz zuletzt zurückgreifen.

Tätigkeiten weglassen, die Sie nicht für diese Position qualifizieren

Lebenslauf für eine Bewerbung als Internet-Redakteurin

Die Bestandsaufnahme einer Hochschulabsolventin ergibt folgende Stationen:

Beispiel

- Studium der Soziologie
- Nachhilfelehrerin für Französisch
- Interviewerin bei einem Meinungsforschungsinstitut
- Aushilfstätigkeit als Pizza-Kurier
- Kurs HTML-Programmierung
- Hobby Reiten
- Taxifahrerin
- Praktikum in einer regionalen Tageszeitung
- Hobby Internet surfen
- Mitarbeit beim Internetauftritt eines Stadtmagazins
- Schmuckverkäuferin auf Weihnachtsmärkten

Beim Aufbau ihres Lebenslaufs muss sie entscheiden, welche Stationen sie detaillierter darstellen und ob sie die eine oder andere Station ganz weglassen soll. Wir würden ihr für ihre Wunschbewerbung als Internet-Redakteurin vorschlagen, diese Stationen zu verwenden und sie so darzustellen:

Im Lebenslauf aufführen und ausführlich beschreiben:

- Praktikum in einer regionalen Tageszeitung
- Mitarbeit beim Internetauftritt eines Stadtmagazin
- Studium der Soziologie
- Interviewerin bei einem Meinungsforschungsinstitut

Begründung: Journalistische Erfahrungen aus dem Praktikum in einer Tageszeitung sind für eine Tätigkeit als Redakteurin unverzichtbar. Die Erfahrung bei der Umsetzung eines Internetauftrittes spielt genau in die zukünftige Berufstätigkeit hinein. Das Studium der Soziologie bietet theoretische Grundlagen in Massenmedien-Wirkungsforschung, Meinungsforschung, Zielgruppendefinition. Die Arbeit für ein Meinungsforschungsinstitut belegt die Fähigkeit zum Transfer des Hochschulwissens in die berufliche Praxis und Kommunikationsfähigkeit.

Im Lebenslauf aufführen:

- Kurs HTML-Programmierung
- Hobby Internet surfen
- Taxifahrerin

Begründung: Grundkenntnisse der HTML-Programmierung schärfen den Blick für das im Internet Machbare. Als Internet-Surferin hat die Bewerberin die Bedürfnisse der Internet-User im Blick. Die Nebentätigkeit Taxifahren belegt Belastbarkeit (Wochenend- und Nachtarbeit).

Nicht im Lebenslauf nennen:

- Nachhilfelehrerin für Französisch
- Aushilfstätigkeit als Pizza-Kurier
- Schmuckverkäuferin auf Weihnachtsmärkten
- Hobby Reiten

Begründung: Die Bewerberin hat besser geeignete Belege. Die Nennung der vier Tätigkeiten würde das bisher klare Profil des Lebenslaufs für die Bewerbung als Internet-Redakteurin unscharf machen. Wenn Französisch-Kenntnisse von der Firma gefordert wären, wäre die Nachhilfetätigkeit natürlich ein guter Beleg.

Geben Sie keine überflüssigen Informationen

Sie sehen an unserem Beispiel, dass die Praxis- und Berufsnähe das entscheidende Kriterium für die Angabe von Stationen im Lebenslauf ist. Neben der Fähigkeit, aus Ihrer Bestandsaufnahme die richtigen Belege für Ihre Bewerbung auszuwählen, müssen Sie auch in der Lage sein, auf überflüssige Informationen zu verzichten. Schneiden Sie deshalb Ihren Lebenslauf ganz gezielt auf die Positionen zu, auf die Sie sich bewerben.

Strukturieren durch Blockbildung

Links oben auf dem Lebenslauf stehen Name, Adresse und Telefonnummer, rechts daneben wird das Bewerbungsfoto befestigt. Dann folgen die sieben Blöcke

Die sieben Blöcke des Lebenslaufs

1. Persönliche Daten
2. Schule, Wehr-/Zivildienst, Soziales Jahr
3. (evtl.) Ausbildung
4. Studium
5. Praktika, berufliche Tätigkeiten
6. Sonstiges (Mitarbeit in Studenteninitiativen, etc.)
7. Zusatzqualifikationen

Persönliche Daten

Im Block »Persönliche Daten« nennen Sie Ihren Geburtstag, Geburtsort und Ihren Familienstand. Die Namen und die Berufe Ihrer Eltern sollten Sie nicht aufführen. Die Personalverantwortlichen interessieren sich für Ihre Qualifikationen und nicht für die Ihrer Eltern.

Schule, Wehr-/Zivildienst, Soziales Jahr

Hochschulabsolventen, die im Block »Schule« noch die Zeitspannen aufführen, die sie in der Grundschule, in der Realschule oder auf dem Gymnasium verbracht haben, bekommen dafür von Personalverantwortlichen in der Regel Minuspunkte. Überflüssige Informationen, die keinen Bezug zur ausgeschriebenen Position haben, lösen beim Leser in der Personalabteilung Unmut aus. Es reicht, wenn Sie im Lebens-

Beschränken Sie sich auf Schulabschluss und Durchschnittsnote

Mit aussagekräftigen Unterlagen über die erste Hürde

lauf das Datum, an dem Sie Ihr Schulabschlusszeugniss erhalten haben, und Ihren Notendurchschnitt aufführen. Lassen Sie den Notendurchschnitt weg, so vermutet der professionelle Leser, dass auf diese Weise schlechte Noten verschwiegen werden sollen.

Im Anschluss an die Schule haben die männlichen Berufseinsteiger üblicherweise ihren Wehr- oder Zivildienst abgeleistet. Hochschulabsolventinnen haben gelegentlich ein soziales Jahr absolviert. Geben Sie die Zeitspanne an und nennen Sie die Institution, für die Sie tätig waren. Falls Sie in dieser Zeit besondere Aufgaben wahrgenommen haben oder in spezielle Projekte eingebunden waren, sollten Sie diese angeben.

Wehrdienst

Die Angabe »10/2006 – 10/2007 Grundwehrdienst« wäre zu knapp. Aussagekräftiger ist die Formulierung:

10/2006 – 10/2007 Grundwehrdienst, FLaRakBat 39, Luftwaffe, zuständig für die Notstromversorgung der Radaranlagen

Aus unserer Beratungspraxis
Soziales Jahr

Eine Hochschulabsolventin erhielt ihre Bewerbungsunterlagen immer wieder mit einer Ablehnung zurück. Sie bat uns, ihre Unterlagen zu prüfen. Dabei fiel uns diese Angabe in ihrem Lebenslauf auf:

09/2006 – 08/2007 Psychiatrie

Diese Angabe öffnete in den Personalabteilungen Vermutungen über psychische Störungen der Bewerberin Tür und Tor. Tatsächlich hatte die Bewerberin jedoch ein soziales Jahr in einer psychiatrischen Klinik abgeleistet. Nach der Änderung dieser Angabe im Lebenslauf hatte sie Erfolg mit ihrer Bewerbung. Die neue Angabe lautete:

09/2006 – 08/2007 Soziales Jahr, Landeskrankenhaus Schleswig, Patientenbetreuung und Einsatz in der Fahrbereitschaft

Fazit: Missverständliche Formulierungen im Lebenslauf katapultieren Hochschulabsolventen aus dem Bewerbungsverfahren. Überprüfen Sie Ihren Lebenslauf, ob Ihr Profil von Dritten eindeutig verstanden wird.

Insbesondere Fachhochschulabsolventen haben nach dem Wehr- beziehungsweise Zivildienst oft noch eine weiterführende Schule besucht, um sich für die Fachhochschule zu qualifizieren. Der Besuch der weiterführenden Schule wird mit der dazugehörigen Zeitspanne angegeben. Der dort erworbene Abschluss wird mit dem Tagesdatum aufgeführt.

Ausbildung

Tätigkeiten während der Ausbildung nennen

Die Hochschulabsolventinnen und -absolventen, die vor dem Studium eine Ausbildung absolviert haben, stellen diese in einem eigenen Block dar. So wird optisch unterstrichen, dass die von Personalverantwortlichen gewünschte Berufspraxis schon vor dem Studium vorhanden war. Bei der Darstellung der Ausbildung im Lebenslauf lassen sich Pluspunkte sammeln, wenn passend dazu ausgewählte Tätigkeiten stichwortartig aufgeführt werden.

Beispiele

Hochschulabsolvent mit Berufsausbildung Bankkaufmann

Die Formulierung »09/2004 – 07/2007 Ausbildung zum Bankkaufmann« ist wenig gehaltvoll. Besser ist diese Formulierung:

09/2004 – 07/2007	ABC-Bank AG, Hamburg, Ausbildung zum Bankkaufmann, Mitarbeit in den Abteilungen Privatkredite und Wertpapiere
16.07.2007	Abschlussprüfung Bankkaufmann, Gesamtnote »gut«

Hochschulabsolventin mit Berufsausbildung Rechtsanwaltsgehilfin

Auch hier ist die Angabe »09/2004 – 07/2007 Ausbildung zur Rechtsan- Beispiel 2
waltsgehilfin« zu knapp. Besser ist es, die Ausbildung so anzugeben:

09/2004 – 07/2007	Kanzlei Berger & Schröder, Patentanwälte, Ausbildung zur Rechtsanwaltsgehilfin, Patentrecherchen, Rechnungserstellung, Korrespondenz
20.07.2007	Abschlussprüfung Rechtsanwaltsgehilfin, Gesamtnote »sehr gut«

Studium

Auch im Block »Studium« können Sie sich von Durchschnittsbewerbern absetzen. Durch eine ausgefeilte Detailarbeit können Sie die im Studium erworbenen Kenntnisse interessant darstellen.

Viele Absolventen verzichten im Lebenslauf darauf, die geforderte Schwerpunktbildung zu nennen. Manche Bewerber verweisen sogar noch darauf, dass der gewünschte Schwerpunkt an ihrer Hochschule nicht gewählt werden konnte. **Schwerpunktbildung im Studium kann von Vorteil sein** Für die Unternehmensseite ist jedoch nicht die offizielle Studienordnung der Hochschule wichtig, sondern die thematische Vertiefung von Spezialkenntnissen durch freiwillig belegte Seminare. Wenn Sie in Vorlesungen, Seminaren, Workshops, Praktika und Projektarbeiten bestimmte Bereiche besonders vertieft haben, sollten Sie diese Schwerpunkte auch nennen. Gerade Bewerber, die sich mit aktuellen, von Arbeitgeberseite besonders gefragten Themen auseinander gesetzt haben, beispielsweise mit E-Commerce, Internet-Marketing oder digitaler Sprachverarbeitung, sollten dies auch im Lebenslauf aufführen.

Internet-Marketing

Beispiele

Eine Absolventin des Magisterstudienganges mit der Fächerkombination Pädagogik, Betriebswirtschaftslehre und Psychologie verzichtet mit der Darstellung »10/2001 – 06/2007 Magisterstudium« auf die Angabe interessanter Studienschwerpunkte.

Die Schwerpunktbildung der Absolventin und ihre besonderen Kenntnisse werden besser deutlich, wenn sie ihr Studium so angibt:

10/2001 – 06/2007	Magisterstudium an der Johannes-Gutenberg-Universität Mainz, Hauptfächer: Pädagogik und Psychologie, Nebenfach: Betriebswirtschaftslehre
10/2001 – 09/2003	Grundstudium
12.09.2003	Zwischenprüfung, Note 2,2
10/2003 – 06/2007	Hauptstudium, Schwerpunkte: Arbeits-, Betriebs- und Organisationspsychologie, Erwachsenenbildung, Marketing
07/2006 – 01/2007	Diplomarbeit »Die Einbindung von Marketingmaßnahmen in den Bereich E-Commerce«, Anwendung von Marketingstrategien für den Produktvertrieb über das Internet, Untersuchung zum Ausbau alternativer Vertriebswege
30.06.2007	Magistra Artium, Note 1,9

Schwerpunkte im Studium als Diplom-Kaufmann

Diese Angaben sind zu kurz:

Beispiel 2

10/2001 – 07/2007	Studium der Betriebswirtschaftslehre
15.07.2007	Diplom-Kaufmann

Mehr Profil gewinnt ein Bewerber mit dieser Beschreibung:

10/2001 – 07/2007	Universität Münster, Studium der Betriebswirtschaftslehre, Schwerpunkte: Distribution, Handel und Marketing
16.07.2007	Diplom-Kaufmann, Gesamtnote »gut«

Schwerpunkte im Studium als Diplom-Ingenieurin

Eine Hochschulabsolventin stellt ihr Studium im Lebenslauf mit dieser Version zu allgemein dar:

10/2002 – 07/2007	Studium des Maschinenbaus	Beispiel 3
16.07.2007	Diplom-Ingenieurin	

Die Schwerpunktbildung der Bewerberin wird erst durch eine präzise Angabe deutlich:

10/2002 – 07/2007	Universität Aachen, Studium des Maschinenbaus, Schwerpunkt: Fertigungsverfahren, Vertiefung: Werkstofftechnik
16.07.2007	Diplom-Ingenieurin, Gesamtnote »befriedigend«

Auch mit der geschickten Darstellung Ihrer Diplomarbeit setzen Sie sich positiv in Szene: Nennen Sie zuerst den wissenschaftlichen Originaltitel Ihrer Arbeit. Beschreiben Sie dann in einem zweiten Satz den Inhalt Ihrer Diplomarbeit so, dass er auch für Laien verständlich wird. Im dritten Satz stellen Sie einen möglichen praktischen Nutzen für Anwender oder eine eventuelle Verwertbarkeit heraus.

Diplomarbeit

Zu universitär geprägt ist diese Beschreibung:

10/2007 – 04/2008	Diplomarbeit: »Simulation chaotischer Zustände in PC-Netzwerken«

Beispiel

Diese Version ist näher an der Berufspraxis:

10/2007 – 04/2008 Diplomarbeit: »Simulation chaotischer Zustände in PC-Netzwerken«, Untersuchungen zur Anwendung der chaotischen Lagerhaltung in einem Umschlagzentrum. Darstellung optimierter Unternehmenslogistik.

Unsere nachfolgende Übung soll Ihnen helfen, Ihre Diplomarbeit im Lebenslauf adäquat darzustellen. Dies dient auch dazu, Personalverantwortlichen zu zeigen, dass Sie Fragestellungen umfassend analysieren, Ergebnisse anschaulich aufbereiten und den Bezug von wissenschaftlichen Ergebnissen zur Praxis herstellen können.

Diplomarbeit im Lebenslauf darstellen

Übung

Orientieren Sie sich bei der Darstellung Ihrer Diplomarbeit an unserem Schema:

1. wissenschaftliches Originalthema angeben
2. populärwissenschaftliche Umschreibung liefern
3. möglichen Nutzen herausstellen

Der erste Satz in der Darstellung Ihrer Diplomarbeit, das wissenschaftliche Originalthema, ist durch Ihren Professor vorgegeben worden. Für die Umschreibung im zweiten Satz sind Sie als Experte gefordert. Der dritte Satz bereitet Hochschulabsolventinnen und -absolventen oft Schwierigkeiten. Versuchen Sie, im dritten Satz unter Zuhilfenahme einer der folgenden Formulierungen einen Nutzen anzugeben:

- Die Ergebnisse brachten Kostensenkungen in . . . .
. . . .

- Eine umfassende Darstellung der . . . .
  . . . . wurde geliefert.
- Die Entwicklung eines . . . .
  . . . . wird weiter verfolgt.
- Optimierungsmöglichkeiten der . . . .
  . . . . wurden vorgestellt.
- Ein Leitfaden für . . . . wurde erarbeitet.
- Vorarbeiten zu . . . . wurden durchgeführt.
- Eine Dokumentation der . . . . wurde erstellt.
- Die Zertifizierung des . . . . wurde vorbereitet.
- Die Arbeit liefert eine Basis für weitere Untersuchungen
  im Bereich . . . .

Vermeiden Sie mit Ihrem Lebenslauf auf jeden Fall den Eindruck, im Elfenbeinturm der Wissenschaft gefangen zu sein. Belegen Sie Ihre Kommunikationsfähigkeit durch die allgemein verständliche Umformulierung eines wissenschaftlichen Themas. Zeigen Sie durch den Hinweis auf eine (mögliche) Nutzung Ihrer Ergebnisse Ihren Realitätssinn. Damit stellen Sie klar, dass Sie bei Ihren Anstrengungen die Verwertbarkeit Ihrer Arbeit für andere im Blick behalten.

Wissenschaftliches allgemein verständlich darstellen

Praktika und berufliche Tätigkeiten

Der Block »Praktika und berufliche Tätigkeiten« wird in den Personalabteilungen mit der größten Aufmerksamkeit gelesen. Bereiten Sie Ihre Praktika und beruflichen Tätigkeiten so auf, dass beim Leser der Eindruck entsteht, dass Sie in der zu vergebenden Position (nach kurzer Einarbeitungszeit) die Tätigkeiten fortführen werden, mit denen Sie sich schon einmal beschäftigt haben.

Die Firma, die Ihren Praktikumsplatz gestellt hat, sollte mit dem genauen Namen und der richtigen Rechtsform – bei kleinen oder unbekannten Firmennamen auch mit der Angabe der Branche – dem Ort, den Bereichen, die Sie kennen gelernt haben, und der Abteilung, in der Sie gearbeitet haben, angegeben werden. Erst dann folgt Ihre Tätigkeitsbezeichnung, in diesem Fall »Praktikant«. Danach sollten Sie noch zwei bis drei ausgewählte Tätigkeiten angeben, die zur angestrebten Einstiegsposition passen.

Praktikum Verkauf

Beispiele

Statt »07/2007 – 10/2007 Praktikum bei der Alpha GmbH & Co. KG« schreiben Sie besser:

07/2007 – 10/2007 Alpha GmbH & Co. KG, Essen, Mobilfunk-Vertrieb, Abteilungen: Verkauf und Kundendienst, Praktikant: Erarbeitung von Schulungsunterlagen für den Verkauf, Reklamationsbearbeitung

Praktikum Öffentlichkeitsarbeit

Beispiel 2 Für Personalverantwortliche werden Ihre Erfahrungen in der Öffentlichkeitsarbeit nicht deutlich, wenn Sie angeben: »02/2008 – 04/2008 Praktikum bei der Agentur Global«. Machen Sie die übernommenen Aufgaben deutlicher:

02/2008 – 04/2008 Agentur Global, Geschäftsfelder: Event-Marketing und PR, Praktikantin: Entwicklung von PR-Konzepten für mittelständische Unternehmen, Organisation von Pressekonferenzen, Formulierung von Pressemitteilungen

Sie sehen, dass durch diese Darstellungsweise ein Praktikum aussagekräftiger wird. Die Bewertung eines Praktikums als erste

Berufserfahrung wird damit für Personalverantwortliche leichter möglich.

Berufsfeldbezogene Tätigkeiten in den Semesterferien als Werkstudent lassen sich durch eine geschickte Aufbereitung ebenfalls eindrucksvoller dokumentieren.

Werkstudent

Hochschulabsolventen verschenken die Möglichkeit, Praxisnähe zu dokumentieren, wenn sie nur die Firma und die Bezeichnung Werkstudent nennen: »06/2007 – 10/2007 Import AG, Werkstudent«. Überzeugender klingt diese Beschreibung:

Beispiele

06/2007 – 10/2007 Import AG, Bremen, Abteilung Einkauf, Werkstudent, Mitarbeit beim Einkauf für die Teilsortimente Textil und Hartwaren, Sortimentsanalysen, Angebotskontrolle

Viele Bewerber haben während ihres Studiums als wissenschaftliche Hilfskraft gearbeitet. Auch durch die Tätigkeiten einer wissenschaftlichen Hilfskraft können Sie Berufsnähe belegen, wenn Sie sie richtig aufbereiten.

Wissenschaftliche Hilfskraft

Mit dieser Ausdrucksweise werden die Inhalte der wissenschaftlichen Hilfskraft lieblos dargestellt: »10/2006 – 09/2007 TU Braunschweig, HiWi«. Schlagkräftiger ist diese Fassung:

10/2006 – 09/2007 TU Braunschweig, Fachbereich Elektrotechnik, wissenschaftliche Hilfskraft, Mitarbeit an Forschungsaufträgen zur Optimierung von PC-gesteuerten Messplätzen, Programmierung spezifischer Labor-Software, Dokumentation der Ergebnisse, Betreuung von Laborpraktika

Beispiel 2

Hat sich Ihr Studium etwas in die Länge gezogen oder haben Sie nicht genügend Praktika während Ihres Studiums durchgeführt, so können Sie im Block »Praktika und berufliche Tätigkeiten« auch reine Aushilfstätigkeiten, die der bloßen Finanzierung Ihres Studiums dienten, aufführen. Aus Sicht der Unternehmen ist der Stellenwert von Jobs zur Einschätzung Ihres fachlichen Profils weniger geeignet. Bezüglich der von Ihnen geforderten persönlichen Fähigkeiten dokumentieren Sie jedoch durch das studienbegleitende Jobben, dass Sie die Situation kennen, Geld durch eigene Leistung zu verdienen. Achten Sie darauf, dass die Liste Ihrer Jobs ohne Berufsfeldbezug im Lebenslauf nicht zu lang wird, sonst entsteht der Eindruck, dass Sie nicht in der Lage sind, Ihre berufliche Entwicklung gezielt voranzubringen.

Wann sollten Sie Jobs ohne Berufsfeldbezug nennen?

Aushilfstätigkeiten

Beispiel

Zählen Sie nicht jede Aushilfstätigkeit im Lebenslauf auf. Diese Darstellung ist zu umfangreich.

09/2005 – 09/2006 Kurierfahrer bei Minicar Ost
10/2005 – 02/2006 Kellner im Biergarten Forsthaus
03/2006 – 04/2006 Küchenhilfe im Restaurant Forsthaus
10/2006 – 11/2006 Kurierfahrer bei Minicar West
10/2006 – 06/2007 Zeitungsausträger

Beschränken Sie sich auf ausgewählte Aushilfstätigkeiten oder fassen Sie Aushilfstätigkeiten zusammen:

09/2005 – 11/2006 Kurierfahrer, Nebentätigkeit zur Studienfinanzierung
10/2005 – 04/2006 Gaststätte Forsthaus, Aushilfe in den Semesterferien zur Studienfinanzierung

Sonstiges

Die Mitarbeit in Studenteninitiativen wie AEGEE, Market Team, ELSA, MTP, AIESEC, bonding oder der studentischen Selbstverwaltung, wie der Fachschaft oder dem AStA sollten Sie im Lebenslauf nennen. Engagement über die üblichen Anforderungen des Studiums hinaus wird gern gesehen. Auch hier gelten besondere Regeln: Nennen Sie zuerst die Institution/den Verein, dann die Position, die Sie wahrgenommen haben, und dann von Ihnen mitorganisierte Veranstaltungen oder Projekte.

Fachschaft

Eine Germanistikstudentin vergibt die Chance, wichtige Fähigkeiten darzustellen, wenn sie in ihrem Lebenslauf nur angibt: »10/2002 – 10/2004 Fachschaft Germanistik«. Sie sollte diese Station in ihrem Lebenslauf auch inhaltlich darstellen, zum Beispiel so:

Beispiele

10/2005 – 10/2007   Fachschaft Germanistik an der Universität Hamburg, Fachschaftsvorsitzende, Organisation der Veranstaltung Berufsmarkt für Germanisten in Zusammenarbeit mit dem Arbeitsamt und Verlagen, Gremienarbeit

Studenteninitiative

Wer in einer Studenteninitiative zusätzliches Engagement gezeigt und Verantwortung übernommen hat, sollte dies auch im Lebenslauf aufführen. Ein Student, der seine Mitgliedschaft in der Studenteninitiative so aufführt, lässt nur eine passive Mitgliedschaft vermuten: »10/2005 – 04/2007 Studentengruppe bonding«.

Beispiel 2

Um als aktiver Bewerber zu gelten, der sich über die üblichen Anforderungen der Hochschule hinaus engagiert hat, sollte er so formulieren:

10/2005 – 04/2007   bonding, Hochschulgruppe Aachen, Ressort Veranstaltungen, Referent: Terminplanung, Veranstaltungskoordination, Messevorbereitung

Bei der Nennung von Ehrenämtern sollten Sie eine Tätigkeitsbezeichnung angeben, damit deutlich wird, dass Sie Verantwortung für einen bestimmten Bereich übernommen haben. **Geeignete Tätigkeitsbezeichnungen finden** Dies fällt oft schwer, da es für Tätigkeiten bei Fachschaften, bei Studentenausschüssen oder -initiativen nur selten abgegrenzte Zuständigkeitsbereiche mit der dazugehörigen Bezeichnung gibt. Hier ist Ihre Kreativität gefragt. Überlegen Sie, was Sie gemacht haben und mit welcher Bezeichnung Sie Ihre Tätigkeiten auf den Punkt bringen können.

Sie finden geeignete Bezeichnungen für Ihr Engagement, wenn Sie sich an gängigen Berufsbezeichnungen orientieren. Wenn Sie beispielsweise Plakate entworfen haben, Handzettel verteilt haben und ab und zu eine Pressemitteilung verfasst haben, können Sie die Bezeichnung Pressereferentin oder PR-Beauftragte wählen. Wenn Sie Unternehmensvertreter für Vorträge in die Hochschule eingeladen haben, können Sie sich Referent für Firmenkontakte nennen. Wer die Mittelverwendung kontrolliert und Einnahmen- und Ausgaben-Pläne erstellt hat, kann die Bezeichnung Finanzreferentin wählen.

Arbeitskreis Studierende

Beispiel

Die Darstellung der ehrenamtlichen Mitarbeit im Arbeitskreis einer berufsständischen Vereinigung mit: »08/2005 – 08/2007 Mitglied beim VDI« ist zu kurz und nichtssagend. Mehr Substanz erreicht man mit dieser Variante:

08/2005 – 08/2007 VDI, Arbeitskreis Studenten und Jungingenieure, Referent für die Durchführung von Firmenvorträgen und Öffentlichkeitsarbeit, Organisation von Firmenbesichtigungen

Vorsichtig sollten Sie mit der Angabe von Tätigkeiten für Parteien oder Interessenverbände, wie Verkehrsclub Deutschland/

VCD oder Greenpeace sein. Sie könnten dann unter Umständen als »Öko-Missionar« eingestuft werden. Gegen Ihre Freizeitaktivitäten hat man in der Regel nichts einzuwenden, es sei denn, Sie geben Anlass zu der Vermutung, dass Sie Ihre Überzeugungen auf einem Silbertablett präsentieren und während jeder Frühstücks- und Mittagspause in der Kantine durch Grundsatzdiskussionen Unruhe verbreiten.

Das Engagement bei Parteien und anderen Interessenverbänden

Halten Sie sich deshalb bei in weitestem Sinne politischem Engagement eher bedeckt. Gerade in der Verkehrs- und Umweltpolitik, bei der Frauenförderung und der parteipolitischen Arbeit prallen doch oft unversöhnliche Ansichten aufeinander und die Emotionen kochen schnell hoch. Da Sie nicht wissen, welche Weltanschauung der Bearbeiter Ihrer Bewerbungsunterlagen im Unternehmen hat, sollten Sie nicht riskieren, ihn gegen sich aufzubringen. Auch Gewerkschafts- und Parteizugehörigkeit lässt bei Personalverantwortlichen die Alarmglocken läuten, es sei denn, Sie bewerben sich gerade bei einer Organisation, die in diesen Bereichen tätig ist. Dann müssen Sie deutlich machen, dass Sie der politischen Ausrichtung der Organisation nahe stehen.

Zusatzqualifikationen

In diesen Block gehören Ihre Sprach- und EDV-Kenntnisse. Wichtig dabei ist, dass Sie nicht zu allgemein formulieren. Die bloße Angabe »Englisch« oder »EDV-Kenntnisse« ist wenig informativ.

Sprach- und EDV-Kenntnisse präzise benennen

Für Sprachen gilt, dass Sie zuerst die Sprache nennen und dann Ihre Kenntnisse bewerten. Benutzen Sie dabei diese Abstufungen:

- Grundkenntnisse
- gut

- sehr gut
- verhandlungssicher

Ihre EDV-Kenntnisse benennen Sie ebenfalls präzise. Führen Sie die Computerprogramme, die Sie kennen, genau auf, und bewerten Sie diese Kenntnisse ebenso wie die Sprachkenntnisse (Grundkenntnisse, gut, sehr gut), nur dass Sie für den höchsten Kenntnisstand statt »verhandlungssicher« die Bewertung »ständig in Anwendung« wählen.

EDV-Kenntnisse

Stellen Sie Ihre EDV-Kenntnisse beispielsweise so dar:

EDV-Kenntnisse: Windows NT 4.0 (gut), Textverarbeitung Word, Tabellenkalkulation Excel, Datenbank Access (alle ständig in Anwendung), PowerPoint (Grundkenntnisse)

Beispiel

Weiterbildungen, die Sie außerhalb der Universität gemacht haben, nennen Sie ebenfalls in diesem Block. Hierzu gehören beispielsweise die Ausbildereignungsprüfung oder Weiterbildungen in den Bereichen Internet-Programmierung, Grafik-Design, Desktop-Publishing, Projektleitung, Direkt-Marketing.

Geben Sie hierbei den Träger der Maßnahme, das heißt die für die Durchführung verantwortliche Organisation an, und bezeichnen Sie den Weiterbildungskurs mit dem auf der Urkunde aufgeführten Titel.

Weiterbildung Datenbanken

Weiterbildung Computer-Akademie Nürnberg, Datenbank-Programmierung für Fortgeschrittene

Beispiele

Weiterbildung Präsentation und Moderation

Personalverantwortliche stöhnen gelegentlich über die ausgeprägte Weiterbildungswut von Bewerbern, wenn Seminare und Kurse »im Dutzend« angegeben werden, beispielsweise wenn lückenlos jede besuchte Maßnahme, vom VHS-Aquarell- bis zum Bachblütenkurs, aufgeführt wird. Nennen Sie deshalb nur die Weiterbildungen, die für die ausgeschriebene Position von Belang sind.

Am Schluss Ihres Lebenslaufs gilt wieder eine klassische Regel des Bewerbungsverfahrens: Unterschreiben Sie mit Vor- und Zunamen hinter der Ortsangabe und dem Tagesdatum. Dies besagt für klassisch ausgebildete Personalexperten, dass Sie sich bewusst und zielgerichtet auf die ausgeschriebene Position bewerben, weil Sie im Falle einer Absage Ihren Lebenslauf durch die Datumsangabe nicht mehr für ein anderes Unternehmen benutzen können. Erstellen Sie deshalb an Ihrem Computer so viele Lebensläufe, wie Sie wünschen, aber unterschreiben Sie diese mit Ort und Datum. Verwenden Sie niemals kopierte Lebensläufe. Sie gelten dann als Vielbewerber, der Bewerbungen breit streut, statt sich zielgerichtet mit den besonderen Anforderungen ausgewählter Unternehmen auseinander zu setzen.

Der Abschluss des Lebenslaufs

Lücken im Lebenslauf

Gestalten Sie Ihren Lebenslauf immer so, dass links auf dem Blatt eine Zeitachse zu sehen ist. Die formale Vorauswahl von Lebensläufen in Personalabteilungen ist auch eine Rechentätigkeit: Hier sollen Fehlzeiten aufgespürt und Lücken entdeckt werden. Lücken sind Zeiträume über zwei Monate, für die Sie keine Tätigkeiten angeben. Vermeiden Sie zeitliche Lücken. Finden Sie geeignete Tätigkeiten, mit denen Sie die Lücken ausfüllen.

Füllen Sie Lücken mit sinnvollen Tätigkeiten

Wenn Sie beispielsweise zwischen Schulende und Studienbeginn, Wehr-/Zivildienst und Studienbeginn oder nach dem Studienende einen mehrmonatigen Leerlauf haben, so sollten Sie Personalverantwortlichen trotzdem darstellen, was Sie in dieser Zeit gemacht haben. Wichtig ist, dass Sie überhaupt etwas gemacht haben. Sie können zum Beispiel Aushilfstätigkeiten oder einen längeren Auslandsaufenthalt angeben. Wenn Ihnen für Ihre Lücke gar nichts einfällt, können Sie angeben, was Sie aktiv getan haben, um sich für ein bestimmtes Studium oder eine bestimmte Hochschule zu entscheiden.

Lücke zwischen Abitur und Studienbeginn

Statt diesen freien Zeitraum unausgefüllt zu lassen, sollten Sie lieber schreiben:

Beispiele

06/2003 – 03/2004 Berufliche Orientierungsphase, Besuch ausgewählter Hochschulveranstaltungen, Studienberatung, Auswahl der geeigneten Hochschule

Weltreise

Beispiel 2 Wer nach dem Abitur erst einmal gejobbt hat, um danach auf Weltreise zu gehen, und insgesamt eine 16-monatige Lücke zu füllen hat, muss diese Zeit im Lebenslauf unterteilt angeben, beispielsweise so:

06/2006 – 12/2006 Gebrüder Müller, Bauunternehmer, Bauhelfer
01/2007 – 05/2007 Auslandsaufenthalt Australien, USA, Asien
06/2007 – 10/2007 Studienvorbereitung

Bewerber, die größere Zeiträume zur eigenen Verfügung hatten und von sich aus tätig wurden, um sich sinnvoll zu beschäftigen, sind durchaus gefragt. Manche Unternehmen sehen Übergangsphasen als eine Art Eignungstest. Ihre Berufsorientierung und Ihr Einsatzwille werden überprüft, indem kontrolliert wird, ob Sie bei Leerlauf »durchhängen« oder ob Sie Computer-, Sprach- und Fachkurse belegen, um die Chancen für Ihren Berufseinstieg zu erhöhen.

Beratung

Aus unserer Beratungspraxis
Arbeitslosigkeit nach Studienende

Ein von uns betreuter Diplom-Ingenieur hatte die unfreiwillige Wartezeit nach seinem Studienabschluss im Lebenslauf so dargestellt: »10/2006 – 04/2007 Arbeitslosigkeit«.

In unserem Beratungsgespräch stellten wir fest, dass er freiberuflich für ein Unternehmen gearbeitet hatte, das Messen organisiert. Er war dort für die Öffentlichkeitsarbeit und für die Akquisition und Betreuung von Großkunden verantwortlich. Die neue Formulierung im Lebenslauf hieß daher:

10/2006 – 04/2007 Freiberufliche Mitarbeit bei der Messe GmbH, Tätigkeiten: Konzeption und Durchführung von PR-Maßnahmen, Großkundenakquisition und -betreuung, parallel dazu Vertiefungskurse in Excel und Access

Fazit: Bei Lücken im Lebenslauf vermuten Personalverantwortliche grundsätzlich, dass die Bewerber etwas verschweigen wollen. Vermeiden Sie Spekulationen, die zu

Ihren Ungunsten ausgehen könnten. Arbeiten Sie Ihren Lebenslauf so aus, dass Ihre Leistungsbereitschaft durchgängig zu erkennen ist.

Hobbys im Lebenslauf

Wir haben Ihnen für Ihr Anschreiben und Ihren Lebenslauf gezeigt, wie Sie Ihre fachlichen Kenntnisse und persönlichen Fähigkeiten konkret, überzeugend und auf Ihr Berufsfeld ausgerichtet darstellen sollten. Sie können nun auf die epische Beschreibung von Hobbys als Beleg für Ihre persönlichen Fähigkeiten verzichten, denn dies kann zum Bumerang werden.

Bei Hochschulabsolventinnen und -absolventen sind Hobbys höchstens ein Anknüpfungspunkt für einen Small-Talk im Vorstellungsgespräch. Sie können durch die Aufzählung von Hobbys im Allgemeinen nicht belegen, dass Sie über Qualifikationen verfügen, die für die Stelle wichtig sind.

Ihre Hobbys sind nur dann wichtig, wenn sie zur angestrebten beruflichen Tätigkeit passen. Wenn Sie sich bei einem Sportartikelhersteller als Junior-Produktmanagerin für Snowboards bewerben, müssen Sie natürlich das Hobby Snowboarden im Lebenslauf nennen. Das Gleiche gilt, wenn Sie sich als Programmierer von Videospielen oder als Redakteurin eines PC-Spielemagazins bewerben. Dann müssen Sie deutlich machen, dass PC-Spiele Sie auch in Ihrer Freizeit faszinieren. Für die meisten Berufsfelder lässt sich aber kein Zusammenhang zwischen Hobby und Berufstätigkeit herstellen. In diesen Fällen können Sie auf die Nennung von Hobbys verzichten.

Nennen Sie nur Hobbys, die zur beruflichen Tätigkeit passen

Auf die Angabe Ihrer Hobbys sollten Sie vor allem dann verzichten, wenn diese Einschränkungen Ihrer Leistungsfähigkeit im Beruf vermuten lassen. Alle Leistungssportarten, die Sie in Ihrem Lebenslauf nennen, lassen Personalverantwortliche an Rückenschäden, kaputte Gelenke und dauernden Freizeitstress durch häufiges Training, Wochenendwettkämpfe und Siegesfeiern denken. Wer Jugendgruppen trainiert, zeigt damit zwar seine Schulungs- und Vermittlungsfähigkeiten, lässt aber auch Rückschlüsse auf überdurchschnittliches Engagement in der Freizeit zu. Hier wird schnell vermutet, dass dies zu Lasten des beruflichen Engagements geht.

Vorsicht mit Hobbys, die Sie nur in bestimmten Landstrichen ausüben können. Norddeutsche sollten zum Beispiel bedenken, dass die Angabe »Segeln« in den Augen der Personalchefs südlich der Elbe bedeutet: »Dieser Bewerber geht nach drei Jahren Berufstätigkeit wieder zurück an die Küste.« Extremhobbys wie Fallschirmspringen, Drachenfliegen, Handball, Boxen oder Ähnliches sollten Sie schon allein wegen der Verletzungsgefahr nicht nennen.

Entspannungssport statt Extremsportarten

Geben Sie Hobbys im Lebenslauf dann an, wenn sie zur angestrebten Berufstätigkeit passen. Ohne Bedenken können Sie Hobbys angeben, die zeigen, dass Sie sich in Ihrer Freizeit entspannen. Dazu gehören Schwimmen, Joggen, Yoga, Aerobic, Fitness-Training, aber auch Schachspielen, Chorsingen, Tanzen.

Handschriftenprobe

Manche Unternehmen fordern Sie auf, Ihrer Bewerbungsmappe eine Schriftprobe oder einen handgeschriebenen Lebenslauf beizulegen. Die Kunst der Schriftdeutung wird von einigen Unternehmen eingesetzt, um aus der Handschrift eines Bewerbers seine Persönlichkeit und damit unter anderem seine Leistungsbereitschaft, seine Sorgfalt oder seine Anpassungsfähigkeit herauszulesen. Der Fachbegriff hierfür heißt Grafologie.

Grafologische Gutachten werden als Auswahlinstrument für Angestellte ohne Führungsaufgaben in weniger als zwei Prozent und für Führungskräfte der unteren und mittleren Führungsebene in weniger als fünf Prozent der zu vergebenden Positionen eingesetzt. Wenn Sie also in einer Stellenanzeige lesen, dass Sie den Bewerbungsunterlagen eine Schriftprobe beifügen sollen, kann es sich um den seltenen Fall handeln, dass man Ihre berufliche Eignung mithilfe eines grafologischen Gutachtens erfassen möchte.

Grafologische Gutachten

Überlegen Sie sich, ob Sie auf diese Forderung eingehen wollen. Der Einsatz eines grafologischen Gutachtens als Auswahlinstrument lässt Rückschlüsse darauf zu, dass sich Ihre weitere Entwicklung in diesem Unternehmen eher willkürlich gestalten wird. Grafologische Gutachten sind kein seriöses Personalauswahlinstrument.

Wenn Sie dennoch auf die Forderung nach einer Schriftprobe eingehen möchten, können Sie handschriftlich ein kurzes Resümee Ihrer Karrierevorstellungen liefern. Schreiben Sie eine Seite über Ihre beruflichen Ziele und was Sie bisher für das Erreichen dieser Ziele getan haben.

Der handgeschriebene Lebenslauf

Häufiger als die Forderung nach einer Schriftprobe wird ein handgeschriebener Lebenslauf verlangt. Die entsprechenden Formulierungen in Stellenanzeigen lauten dann beispielsweise »Bitte senden Sie uns Ihre Bewerbungsunterlagen (Anschreiben, Foto, Zeugnisse) und Ihren handgeschriebenen Lebenslauf zu«.

Die Forderung nach einem handgeschriebenen Lebenslauf ist als zusätzliche Hürde im Bewerbungsmarathon zu verstehen: Es geht um den höheren Aufwand und die Mühe, den ein Bewerber hat, wenn er für seinen Lebenslauf nicht einfach einen Computerausdruck verwenden kann.

Aus der Sicht von Unternehmen kann diese Maßnahme sinnvoll sein, weil es immer wieder Bewerber gibt, die nicht wirklich an diesem speziellen Arbeitsplatz interessiert sind. Angehörige dieser Bewerbergruppe bewerben sich wahllos, um ihren »Marktwert« zu testen. Diese Vielbewerber werden durch die Aufforderung, einen handgeschriebenen Lebenslauf anzufertigen, abgeschreckt.

Ihr handgeschriebener Lebenslauf sollte ein bis zwei Seiten umfassen. Liefern Sie eine Nacherzählung Ihres Werdegangs in Kurzform. Achten Sie auf eine gut lesbare Schrift. Untergliedern Sie den Text durch Absätze in mehrere Blöcke. Lassen Sie genügend Seitenrand. Überprüfen Sie Ihren Lebenslauf auf Rechtschreib- und Kommafehler. Unterschreiben Sie den Lebenslauf mit Ort und Datumsangabe.

Übersichtlichkeit und Lesbarkeit zählen

Zusätzlich zum handgeschriebenen Lebenslauf sollten Sie immer einen mit Computer oder Schreibmaschine verfassten tabellarischen Lebenslauf beilegen.

Auf einen Blick

Der aussagekräftige Lebenslauf

Im Blick

- Nach Ihrem Anschreiben ist Ihr Lebenslauf der wichtigste Teil der schriftlichen Bewerbungsunterlagen.
- Bilden Sie für Ihre Daten im Lebenslauf sieben Blöcke:
  - Persönliche Daten
  - Schule, Wehr-/Zivildienst, Soziales Jahr
  - Ausbildung (evtl.)
  - Studium
  - Praktika, berufliche Tätigkeiten
  - Sonstiges
  - Zusatzqualifikationen
- Gestalten Sie Ihren Lebenslauf positionsbezogen. Stellen Sie Stationen, die einen Bezug zur Einstiegsposition haben, detaillierter dar. Geben Sie den passenden Studienschwerpunkt und nützliche Zusatzqualifikationen an.
- Machen Sie mit geeigneten Begriffen die Nähe Ihrer Praktika

zu beruflichen Aufgaben deutlich. Verwenden Sie dazu Tätigkeitsbezeichnungen, die im Arbeitsleben verwandt werden.

- Führen Sie nur die Weiterbildungsmaßnahmen auf, die für die Einstiegsposition von Bedeutung sind.
- Sprach- und EDV-Kenntnisse werden dargestellt, indem Sie die entsprechenden Sprachen beziehungsweise Programme nennen und Ihre Kenntnisse bewerten.
- Ihr Lebenslauf muss zeitlich übersichtlich sein. Zu jeder Station gehört die Zeitangabe in Monat und Jahr.
- Vermeiden Sie Lücken im Lebenslauf. Beschreiben Sie, was Sie in vermeintlichen Leerlaufphasen gemacht haben. Zeigen Sie sich aktiv.
- Aufgepasst bei Hobbys mit Bumerang-Effekt: Geben Sie keine Leistungssportarten und keine vermeintlich gesundheitsgefährdenden Hobbys an. Nennen Sie nur Hobbys, die zeigen, dass Sie sich in Ihrer Freizeit fit halten, beispielsweise Schwimmen, Joggen, Aerobic oder Fitness-Training.
- Unterschreiben Sie Ihren Lebenslauf mit Ort, Tagesdatum und Vor- und Zunamen.

13

Das Bewerbungsfoto: die Macht des ersten Eindrucks

Mit dem Bewerbungsfoto liefern Sie einen ersten Eindruck von sich. Sie zeigen, wie Sie Ihre zukünftige Position sehen und wie Sie das Unternehmen nach außen darstellen wollen. Der Macht des ersten Eindrucks können sich Personalverantwortliche nicht entziehen. Sammeln Sie mit einem optimalen Bewerbungsfoto Sympathiepunkte.

Ihr Bewerbungsfoto ist ein wesentlicher Bestandteil Ihrer Bewerbungsunterlagen, weil Ihr Foto Sympathie, aber auch Abneigung auslösen kann. Da das menschliche Gehirn so aufgebaut ist, dass wir rationalen und emotionalen Eindrücken gegenüber gleich offen sind, sind wir ständig auf der Suche nach »Nahrung« für den Vernunft- und für den Gefühlsbereich. Die Vernunftseite ist im (Berufs-)Alltag in Form von sachlichen Argumenten, logischen Einwänden und unwiderlegbaren Zahlen schon gefordert, aber unser emotionaler Speicher ist meistens unterfordert. Er stürzt sich geradezu auf Gelegenheiten, die »emotionales Futter« versprechen. Bei der Überprüfung von Bewerbungsunterlagen sind dies die visuellen Eindrücke der Bewerbungsfotos, die mit Sympathie- oder Antipathie-Effekten gekoppelt sind.

Der erste visuelle Eindruck

Der erste Eindruck

Die Macht des ersten Eindrucks ist der Grund für die vielen Geschichten, die sich um das Bewerbungsfoto ranken. Auch wir kennen Personalverantwortliche, die sich die Fotos anschauen, noch bevor sie einen Satz im Anschreiben oder Lebenslauf lesen. Es gibt sogar Unternehmen, die Bewerbungsfotos aus den zugesandten Unterlagen entfernen, bevor die Bewerbungsunterlagen formal und inhaltlich geprüft werden. Die Fotos kommen erst in der zweiten Prüfungsrunde wieder ins Spiel. So sollen zu stark gefühlsbetonte Entscheidungen vermieden werden.

Seit dem Jahr 2006 gilt in Deutschland das Allgemeine Gleichbehandlungsgesetz (AGG), das Firmen unter anderem verbietet, von Bewerbern Fotos zu verlangen. Es ist aber weiterhin durchaus erlaubt, Bewerbungsunterlagen freiwillig ein Foto beizulegen – und das sollten Sie auch unbedingt tun. Schließlich liefern Sie mit dem Foto einen ersten persönlichen Eindruck von sich und beantworten Unternehmen die Frage: »Wollen wir sie oder ihn hier jeden Tag in der Firma sehen?«

Natürlich weiß jeder um den Unterschied zwischen tatsächlichem Erscheinungsbild und verschönter Darstellung auf Fotos.

Verwenden Sie ein aktuelles Bild Sie sollten im Bewerbungsgespräch so aussehen wie auf dem Foto. Haarfarbe, Frisur, Kleidung, Brille oder Bart sollten dem Bewerbungsfoto entsprechen. Verwenden Sie deshalb immer ein aktuelles Foto. Personalverantwortliche beklagen häufig, dass sich Hochschulabsolventinnen und -absolventen keine Mühe bei der Auswahl ihres Bewerbungsfotos geben. Ein sorgloser Umgang mit den Bewerbungsfotos lässt aus Unternehmenssicht auf mangelnde Sorgfalt bei der Bewältigung zukünftiger beruflicher Aufgaben schließen. Setzen Sie sich deshalb auch mit Ihrem Foto optimal in Szene, geben Sie sich genauso viel Mühe wie bei der Erstellung Ihrer Anschreiben und Lebensläufe.

Der Weg zum geeigneten Foto

Automatenfotos gehören auf keinen Fall in die Bewerbungsmappe. Sie sollten Ihre Selbstdarstellung auch beim Foto ernst nehmen und dies dadurch dokumentieren, dass Sie Ihr Foto von einem professionellen Fotografen anfertigen lassen. Ein Passbild ist kein Bewerbungsfoto, Sie müssen ein Porträtfoto liefern. Ein Porträtfoto unterscheidet sich dadurch von einem Passfoto, dass nicht nur Ihr Hals und Gesicht zu sehen sind, sondern auch noch ein Teil Ihrer Schultern.

Bei der Auswahl eines geeigneten Fotografen sollten Sie Fotostudios meiden, die Ihnen nur Polaroidfotos als Sofortabzüge anbieten. Fragen Sie nach der Möglichkeit, einen Kontaktbogen anfertigen zu lassen. Wenn Ihr Fotograf dazu in der Lage ist, wird er Ihnen mehrere verkleinerte Fotos zusammengefasst auf einem DIN A4-Fotopapier liefern (ähnlich einem Fotoindex). Lassen Sie für den Kontaktbogen mindestens zehn Aufnahmen von sich machen.

Porträtfotos vom Profifotografen

Von den auf dem Kontaktbogen abgebildeten Fotos sollten Sie dann zusammen mit einer Person Ihres Vertrauens das Foto aussuchen, das für die Position, auf die Sie sich bewerben, am besten geeignet ist.

Da Bewerbungsfotos einen realistischen Eindruck des Bewerbers vermitteln sollen, sollten Sie sich für einen Farbabzug entscheiden. Wählen Sie eine Größe, bei der Sie gut auf dem Foto zu erkennen sind.

Die richtige Kleidung

Ihre Kleidung muss auf die Position, auf die Sie sich bewerben, abgestimmt sein. Entscheiden Sie sich im Zweifelsfall lieber für konservative Kleidung. Männer wählen einen Anzug in gedeckten Farben mit farblich dazu passendem Hemd und einer unauffälligen Krawatte. Für Frauen ist ein Kostüm oder Hosenanzug mit passender Bluse die richtige Wahl. Schmuck und Make-up sollten dezent sein. Das Bewerbungsfoto soll dokumentieren, wie Sie die Firma im Außenkontakt (gegenüber

Dezent und eher konservativ

Kunden, Geschäftspartnern, Lieferanten) repräsentieren wollen. Es soll nicht zeigen, in welcher Kleidung Sie gern arbeiten möchten.

Wechseln Sie zwischen den Aufnahmen im Fotostudio ruhig die Kleidung: Männer können von einem hellen Jackett auf ein dunkles wechseln, Frauen können es beispielsweise einmal mit Halstuch, einmal ohne, oder mit hochgesteckten oder offenen Haaren probieren. Lassen Sie von dem Fotografen auch Hintergrund und Ausleuchtung verändern. Achten Sie aber generell darauf, dass der gewählte Hintergrund hell ist. Ein dunkler Hintergrund wirkt meistens zu düster und kann Sie Sympathiepunkte kosten.

Wichtig: ein heller Hintergrund

Passt das Foto zur Firma?

Beachten Sie, dass die fotografische Darstellung von Mitarbeitern aus Banken oder Unternehmensberatungen anders ist als die von Mitarbeitern aus der Multimediabranche oder Werbeagenturen. Nach Möglichkeit sollten Sie Ihr Erscheinungsbild den Vorlieben der Firma, bei der Sie sich bewerben, anpassen. Wenn Sie sich unsicher sind, welche Erwartungen an Ihr Erscheinungsbild gestellt werden, sind Sie – wie schon erwähnt – konservativ gekleidet auf der sicheren Seite.

Ihr Erscheinungsbild sollte zum Unternehmen passen

Fotos von Firmenangehörigen, die Sie auch als Vorlage zum Fotografen mitnehmen können, finden Sie in den Image-Broschüren und den Verkaufsprospekten der Unternehmen. In diesen Werbematerialien finden Sie Fotos von Innen- und Außendienstmitarbeitern, die Sie als Anregung für Ihre eigenen Fotos nutzen können. Weitere Beispiele dafür, wie sich Firmenangehörige fotografieren lassen, finden Sie auch in Wirtschaftsmagazinen wie *Capital, Wirtschaftswoche, manager magazin*.

Mimik und Blickrichtung

Schauen Sie weder verschlossen-griesgrämig noch hilflos-anbiedernd in die Kamera. Ein freundlicher Gesichtsausdruck ist wichtig, um Sympathie zu erwecken. Auf den Fotos sollten Sie ein nettes Lächeln zeigen, ohne dabei die Zähne zu blecken.

Werben Sie freundlich für Sympathie

Wenn Sie Ihr Foto in der oberen rechten Ecke Ihres Lebenslaufs anbringen, so sollten Sie beim Fotografen darauf achten, dass Sie – von Ihnen aus gesehen – nach rechts schauen. Sonst ergibt sich optisch für den Betrachter Ihres Lebenslaufs der ungünstige Eindruck, dass Sie von Ihrem Lebenslauf wegschauen. Dieser Eindruck könnte Personalverantwortliche zu der Vermutung veranlassen, dass Sie Schwierigkeiten damit haben, sich zu akzeptieren. Blicken Sie lieber zu Ihrem Lebenslauf hin, um auch optisch eine Einheit zwischen den aufgeführten Kenntnissen und Fähigkeiten und der auf dem Foto abgebildeten Person zu schaffen.

Das Foto in Ihrer Bewerbungsmappe

Falls das Unternehmen, wie schon beschrieben, Ihr Foto zunächst von den anderen Bewerbungsunterlagen trennt, sollten Sie Vorsorge dafür treffen, dass man Ihr Foto später auch wieder Ihren Unterlagen zuordnen kann. Das Memory-Spiel »Welches Foto gehört zu welchem Lebenslauf?« ist in Personalabteilungen äußerst unbeliebt. Beschriften Sie daher Ihr Foto auf der Rückseite mit Ihrem Namen und Ihrer vollständigen Adresse. Die Beschriftung darf jedoch nicht auf das Foto durchschlagen.

Fotos immer beschriften

Achten Sie auch darauf, dass sich das Foto überhaupt vom Lebenslauf lösen lässt. Wenn beim Entfernen des Fotos ein Stück Papier vom Lebenslauf mit abgerissen wird, kann Ihnen das Minuspunkte bei der anschließenden formalen Überprüfung der Bewerbungsunterlagen einbringen. Befestigen Sie das Foto aber auch nicht mit einer Büroklammer oder dem Hefter auf Ihrem Lebenslauf. Nehmen Sie wiederablösbare Haftpunkte, Montagekleber oder Fotoecken. Kleben Sie Ihr Foto rechts oben auf den Lebenslauf.

Eingescannte und direkt auf den Lebenslauf gedruckte Fotos sind für Sie zwar billiger, hinterlassen aber bei Personalverantwortlichen den negativen Eindruck, dass Ihnen die Bewerbung nicht viel wert ist. Außerdem schürt diese Vorgehensweise den Verdacht, dass der Absender die Bewerbung als kostengünstige Massendrucksache abwickelt.

In Ihrer Bewerbungsphase sollten Sie immer genug Fotos zu Hause haben. Es kann passieren, dass Sie nach einem positiv verlaufenen Telefongespräch aufgefordert werden, umgehend Ihre schriftlichen Unterlagen zuzusenden. Wenn Sie dann warten müssen, bis Ihre Bewerbungsfotos fertig sind, ist Ihr Startvorteil gegenüber anderen Bewerbern verloren.

Ein Vorrat an Fotos ist unerlässlich

Damit keine Missverständnisse aufkommen: Sie werden nicht eingestellt, weil Sie auf dem Foto überzeugend lächeln und richtig angezogen sind. Wichtig ist jedoch, dass Sie mit dem Bewerbungsfoto kein Unbehagen auslösen. Dann werden Sie nämlich aussortiert, bevor Sie eine Chance zur Darstellung Ihrer Fähigkeiten im Gespräch haben.

Im Blick

Auf einen Blick

Das Bewerbungsfoto: die Macht des ersten Eindrucks

- Wählen Sie Ihr Bewerbungsfoto sorgfältig aus. Ein gutes Foto löst Sympathie aus, ein schlechtes Abneigung.
- Verwenden Sie keine Automatenfotos. Lassen Sie von einem guten Fotografen einen Kontaktbogen mit mindestens zehn Aufnahmen erstellen.

- Bewerbungsfotos sind Porträtaufnahmen und keine Pass-fotos.
- Gute Fotografen stimmen die Farbe des Hintergrundes auf Ihre Haarfarbe und die Farbe Ihrer Kleidung ab. Wählen Sie eher einen hellen Hintergrund. Sie können auch verschiedene Kleidungsstücke mitbringen und diese zwischen den Aufnahmen wechseln.
- Stimmen Sie Ihre Kleidung auf die Position ab, auf die Sie sich bewerben. Ihr Bewerbungsfoto dokumentiert, wie Sie die neue Firma im Außenkontakt repräsentieren würden.
- Ein freundlicher Gesichtsausdruck ist erwünscht, schauen Sie weder verschlossen und griesgrämig noch übertrieben anbiedernd in die Kamera. Gut ist ein nettes Lächeln, ohne dabei die Zähne zu blecken.
- Bewerberfotos sollen einen realistischen Eindruck des Kandidaten vermitteln. Das leisten nur Farbfotos.
- Beschriften Sie Ihr Foto auf der Rückseite mit Ihrem Namen und Ihrer vollständigen Adresse. Die Beschriftung darf nicht auf das Foto durchschlagen.
- Befestigen Sie das Foto mit wiederablösbaren Haftpunkten, Montagekleber oder Fotoecken. Kleben Sie Ihr Foto rechts oben auf den Lebenslauf.
- In der Bewerbungsphase sollten Sie immer einen Vorrat an aktuellen Bewerbungsfotos zur Hand haben, um schnell reagieren zu können.

14

Zeugnisse

Ihre Zeugnisse sind ein wichtiger Bestandteil Ihrer Bewerbungsunterlagen und werden von Personalverantwortlichen aufmerksam gelesen. Hochschulzeugnisse geben Auskunft über Studienleistungen. Praktikumsbestätigungen sind wichtig, um berufliche Erfahrungen zu belegen. Mit den Hinweisen aus diesem Kapitel können Sie vorläufige Notenspiegel selbst erstellen und Praktikumsbestätigungen aussagekräftig aufbereiten.

In die Bewerbungsmappe gehören zusätzlich zum Anschreiben und zum Lebenslauf mit Foto die Kopien

- der Hochschulurkunde und des Hochschulzeugnisses,
- von Praktikumsbestätigungen und/oder Arbeitszeugnissen,
- von sonstigen Leistungsnachweisen (Weiterbildungsveranstaltungen),
- des Vordiploms/des Zeugnisses der Zwischenprüfung und
- des (Fach-)Abiturzeugnisses (Schulabschlusszeugnis der allgemeinen Hochschulreife beziehungsweise der Fachhochschulreife).

Hochschulurkunde/-zeugnis

Direkt hinter dem Lebenslauf werden die Diplom-/Examens-/Magister-/Bachelor-/Masterurkunde und das Hochschulzeugnis als Kopie in die Bewerbungsmappe einsortiert. Achten Sie darauf, dass Sie immer Urkunde und Zeugnis beilegen. Die Urkunde ist der Beleg für Ihren berufsqualifizierenden Abschluss und gehört daher direkt hinter den Lebenslauf. Das Zeugnis ist eine Bewertung Ihrer Studienleistungen, gehört also als Anhang hinter Ihre Urkunde.

Urkunde und Zeugnis in Kopie beifügen

Ihr Vordiplom beziehungsweise Ihr Zeugnis über die Zwischenprüfung gehört in Kopieform ebenfalls in die Bewerbungsmappe.

Wenn Sie Ihr Studium noch nicht abgeschlossen haben, sollten Sie stattdessen einen Notenspiegel über die bisher erbrachten Leistungen beilegen.

Notenspiegel

Im Kapitel »Initiativbewerbungen: der aktive Berufseinstieg« haben wir Sie darauf hingewiesen, dass Sie mit Ihrer aktiven Bewerbungsphase etwa neun Monate vor dem offiziellen Studienende beginnen sollten. In diesem Fall verfügen Sie natürlich noch nicht über die Diplomurkunde oder das Diplomzeugnis. Kommen Sie bitte nicht auf die Idee, als Ersatz sämtliche Scheine aus dem Hauptstudium zu kopieren und der Bewerbungsmappe beizulegen. Mit einem derartigen Vorgehen erzeugen Sie bei Personalverantwortlichen Verwirrung und bringen sich selbst um die Möglichkeit, Ihre Studienschwerpunkte klar herauszustellen.

Im Studentensekretariat erhalten Sie den vorläufigen Notenspiegel

Einige Studentensekretariate haben sämtliche Leistungen ihrer Studierenden im Computer abgespeichert. In diesen Sekretariaten ist es Studierenden problemlos möglich, einen vorläufigen Notenspiegel ausgedruckt zu bekommen. Die anderen Studentensekretariate erstellen ihren Studierenden meistens einen vorläufigen Notenspiegel nach Vorlage der schriftlichen Nachweise über bestandene Prüfungen.

Sollten Sie für Ihre Bewerbung kurzfristig einen vorläufigen Notenspiegel benötigen, können Sie sich auch selbst helfen. Orientieren Sie sich an unserem Muster-Notenspiegel, und erstellen Sie Ihr individuelles Exemplar. Dies kann auch taktisch günstig sein. Haben Sie beispielsweise im Hauptstudium überwiegend gute Noten und nur ein bis zwei Ausrutscher in den durchschnittlichen bis unterdurchschnittlichen Bereich, können Sie diese Ausrutscher in Ihrem selbst erstellten Notenspiegel weglassen. Eine weitere Möglichkeit, sich in ein günstigeres Licht zu setzen, ist die, nur diplomrelevante Leistungen aufzuführen, wenn diese besonders gut ausgefallen sind.

Der »bereinigte« Notenspiegel

Muster für Ihren Notenspiegel

Vorname und Nachname
Straße und Hausnummer
Postleitzahl und Wohnort
Telefonnummer
(eventuell Faxnummer)
eventuell E-Mail-Adresse)

Notenspiegel

Notenspiegel für den Studiengang XYZ

Im Hauptstudium an der ABC-Universität, Fakultät/Institut für DEF, Fachbereich GHJ, erbrachte Leistungen:

Fach 1: . . . . Note: . . . .
Seminar/Übung/Kolloquium

. . . . Note: . . . .
Seminar/Übung/Kolloquium

. . . . Note: . . . .
Seminar/Übung/Kolloquium

. . . . Note: . . . .
Seminar/Übung/Kolloquium

Fach 2: . . . . Note: . . . .
　　　　　　　Seminar/Übung/Kolloquium

　　　　. . . . . Note: . . . .
　　　　　　　Seminar/Übung/Kolloquium

　　　　. . . . . Note: . . . .
　　　　　　　Seminar/Übung/Kolloquium

　　　　. . . . . Note: . . . .
　　　　　　　Seminar/Übung/Kolloquium

Fach 3: . . . . Note: . . . .
　　　　　　　Seminar/Übung/Kolloquium

　　　　. . . . . Note: . . . .
　　　　　　　Seminar/Übung/Kolloquium

　　　　. . . . . Note: . . . .
　　　　　　　Seminar/Übung/Kolloquium

　　　　. . . . . Note: . . . .
　　　　　　　Seminar/Übung/Kolloquium

Diplomarbeit: . . . . Note: . . . .
　　　　　　　(Titel)

. . . .
Ort, Datum

. . . .
Unterschrift (Vor- und Zuname)

Praktikumsbestätigungen

Viele Absolventen stellen erst in der aktiven Bewerbungsphase fest, dass sie vergessen haben, sich ihre Praktika von den Firmen schriftlich bestätigen zu lassen. Auch kommt es vor, dass ehemals vorhandene Praktikumsbestätigungen verloren gegangen sind.

In beiden Fällen hat sich folgende Vorgehensweise als vorteilhaft erwiesen: Machen Sie zunächst einen schriftlichen Entwurf für Ihre fehlende Praktikumsbestätigung. Schicken Sie diesen Entwurf dann mit einem freundlich formulierten Begleitbrief an die Personalabteilung der Firma, bei der Sie seinerzeit ein Praktikum durchgeführt haben. Weisen Sie darauf hin, dass Sie für Ihre Bewerbungsmappe noch eine Praktikumsbestätigung brauchen und dass Sie der Einfachheit halber einen Entwurf beigelegt haben, der selbstverständlich noch von der Firma geändert beziehungsweise angepasst werden kann.

So fordern Sie fehlende Praktikumsbescheinigungen an

Mithilfe dieser Vorarbeit werden Sie bei den oft überlasteten Personalabteilungen auf offene Ohren für Ihr Anliegen stoßen. Ihre fehlende Praktikumsbestätigung wird Ihnen dann bestimmt in kürzester Zeit zugesandt werden.

Detaillierte Angaben über Ihre Tätigkeiten

Ihre Praktikumsbestätigung sollte vom Aufbau und vom Inhalt her einem qualifizierten Arbeitszeugnis entsprechen. Das heißt, dass es die Art und Dauer der Beschäftigung, den Einsatzbereich, detaillierte Tätigkeitsangaben und eine Beurteilung der Leistung beinhalten sollte.

Name, Art und Dauer der Beschäftigung: Ihre Praktikumsbestätigungen sollten Ihren Namen und Ihr Geburtsdatum enthalten. Die Dauer Ihrer Praktikantentätigkeit ist mit Eintritts- und Austrittsdatum zu nennen.

Einsatzbereich und Tätigkeitsangaben: Führen Sie die Abteilungen, in denen Sie tätig waren, auf, und geben Sie die von Ihnen ausgeübten Tätigkeiten an.

Die Tätigkeitsangaben sollten Sie möglichst detailliert gestalten. Bei den meisten Praktikumsbestätigungen werden die übernommenen beruflichen Aufgaben viel zu knapp oder gar nicht dargestellt.

Praktikumsbestätigungen
für Frau Müller und Herrn Schmidt

»Frau Müller hat in der Zeit vom 01.07.2007 bis zum 30.09.2007 in unserem Unternehmen ein Praktikum abgeleistet. Sie lernte die Abläufe in unserem Unternehmen kennen und übernahm kleinere Aufgaben.«

»Herr Schmidt war vom 01.07.2007 bis zum 30.09.2007 als Praktikant in unserer Firma. Das Praktikum entsprach den Vorgaben der Hochschule an ein studienbegleitendes Pflichtpraktikum.«

Diese Formulierungen sind nicht aussagekräftig genug.

Zukünftigen Arbeitgebern muss klar werden, welche fachlichen Kenntnisse und persönlichen Fähigkeiten Sie mitbringen. Aussagekräftiger sind die beiden Versionen unserer Positivbeispiele:

Tätigkeitsbeschreibungen
für Frau Müller und Herrn Schmidt

»Frau Klaudia Müller, geboren am 19. April 1982 in Hamburg, war in der Zeit vom 01.07.2007 bis zum 30.09.2007 als Praktikantin in unserem Unternehmen beschäftigt.

Während ihres Praktikums arbeitete Frau Müller in den Abteilungen Produktentwicklung und Marketing. Sie übernahm die folgenden Aufgaben:

- Erstellung von Marktstudien
- Fragebogenerstellung zur Ermittlung von Kundenwünschen
- Mitarbeit an einem Marketingkonzept
- Überarbeitung von Absatzplänen

Neben diesen Aufgaben arbeitete Frau Müller in der Projektgruppe »Marktchancen innovativer ›Produkte‹ mit.«

»Herr Boris Schmidt, geboren am 03.03.1981 in Gemsbach, war vom 01.07.2007 bis zum 30.09.2007 als Praktikant in unserer Werbeagentur tätig.

Wir setzten Herrn Schmidt im Bereich Corporate Design ein. Sein Aufgabenbereich umfasste die

- Erstellung von Anzeigenentwürfen
- Ausgestaltung von Firmenlogos
- Layout-Gestaltung
- Druckunterlagenvorbereitung

Weiter holte er Angebote von Lithoanstalten und Druckereien ein und beriet Kunden in der Mediaplanung.«

Verwenden Sie die gängigen Formulierungen zur Leistungsbeurteilung

Beurteilung der Arbeitsleistungen: Die Beurteilung Ihrer Arbeitsleistungen drückt den Grad der Zufriedenheit Ihres Arbeitgebers aus. Achten Sie darauf, eine Bewertung zu verwenden, die in der Zeugnissprache den Noten »sehr gut« oder »gut« entspricht.

- Note 1 (sehr gute Leistungen)
  - »Sie hat die ihr übertragenen Arbeiten stets zu unserer vollsten Zufriedenheit erledigt.«
  - »Er hat den Erwartungen und Anforderungen in jeder Hinsicht und allerbester Weise entsprochen.«
  - »Wir waren mit seinen Leistungen stets sehr zufrieden.«

- Note 2 (gute Leistungen)
  - »Sie hat die ihr übertragenen Arbeiten stets zu unserer vollen Zufriedenheit erledigt.«
  - »Er hat den Erwartungen und Anforderungen in jeder Hinsicht und bester Weise entsprochen.«
  - »Ihre Leistung hat unsere volle Anerkennung gefunden.«
  - »Wir waren mit seinen Leistungen voll und ganz zufrieden.«

- Note 3 (befriedigende Leistungen)
  - »Sie hat die ihr übertragenen Arbeiten zu unserer vollen Zufriedenheit erledigt.«

- »Er hat den Erwartungen und Anforderungen in jeder Hinsicht entsprochen.«
- »Wir waren mit seinen Leistungen voll zufrieden.«

- Note 4 (ausreichende Leistungen)
  - »Sie hat die ihr übertragenen Arbeiten zu unserer Zufriedenheit erledigt.«
  - »Wir waren mit seinen Leistungen zufrieden.«
  - »Er hat zufriedenstellend gearbeitet.«

- Note 5 (mangelhafte Leistungen)
  - »Sie hat die ihr übertragenen Arbeiten im Großen und Ganzen zu unserer Zufriedenheit erledigt.«
  - »Er hat sich bemüht, seine Aufgaben zu erledigen.«
  - »Seine Leistung hat unseren Erwartungen entsprochen.«

- Note 6 (unzureichende Leistungen)
  - »Sie hat sich bemüht, die ihr übertragenen Arbeiten zu unserer Zufriedenheit zu erledigen.«
  - »Er erledigte die ihm übertragenen Arbeiten mit Fleiß und war stets bestrebt, sie termingerecht zu beenden.«

Neben der Bewertung Ihrer Leistungen muss dem Leser auch klar werden, dass Sie sich schnell eingearbeitet haben und selbstständig arbeiten konnten.

Leistungsbewertungen für Frau Müller und Herrn Schmidt

Beispiele

»Frau Müller arbeitete stets zuverlässig, zielstrebig und selbstständig. Ihre im Studium erworbenen Kenntnisse konnte sie gut in die Praxis umsetzen. Besondere Anerkennung fanden die von Frau Müller erarbeiteten strategischen Konzepte, die ein vielversprechendes Umsetzungspotenzial enthielten. Ihre Aufgaben bewältigte Frau Müller termingerecht und stets zu unserer vollsten Zufriedenheit.«

»Herr Schmidt hat sich schnell in die Arbeitsabläufe in unserer Werbeagentur eingearbeitet. Er brachte neue Ideen ein und setzte sie erfolgreich um. Herr Schmidt arbeitete engagiert, zuverlässig und sorgfältig. Hervorzuheben sind seine Teamfähigkeit sowie seine flexible und kreative Arbeitsweise. Herr Schmidt arbeitete jederzeit zu unserer vollen Zufriedenheit. Sein persönliches Verhalten war stets einwandfrei.«

Ein Zeichen, dass Ihr Arbeitgeber wirklich zufrieden war

Gute Wünsche für die weitere berufliche Zukunft: Beenden Sie Ihren Entwurf mit guten Wünschen für die weitere berufliche Zukunft. Wenn Unternehmen mit Praktikanten besonders zufrieden waren, bringen sie dies auch schriftlich zum Ausdruck. Der Hinweis auf gute Wünsche für die Zukunft fehlt dann üblicherweise nicht.

Gute Wünsche für Frau Müller und Herrn Schmidt

Beispiele

»Wir danken Frau Müller für Ihre Tätigkeit in unserem Haus und wünschen ihr weiterhin viel Erfolg und persönlich alles Gute.«

»Wir danken Herrn Schmidt für seine Mitwirkung und wünschen ihm für die Zukunft weiterhin Erfolg und persönlich alles Gute.«

Arbeiten Sie Ihre Praktikumsbestätigungen gründlich aus, stellen Sie die von Ihnen ausgeübten Tätigkeiten heraus, und bewerten Sie sie. Unser Muster verdeutlicht Ihnen den Aufbau von Praktikumsbestätigungen.

Firma (mit richtiger Rechtsform)
Abteilung
Name der Ansprechpartnerin/des Ansprechpartners
Straße und Hausnummer oder Postfach
Postleitzahl und Ort

Praktikumsbestätigung

Frau/Herr. . . . .
geboren am. . . . .
war vom . . . . bis. . . . .
in unserer Firma als Praktikant/in beschäftigt.

Sie/er wurde in der Abteilung (Verkauf/Service/Marketing, For-
schung & Entwicklung, etc.) . . . .
eingesetzt und übernahm folgende Aufgaben:

- . . . .

  (Aufgabe 1, z. B. Erstellung von Kalkulationen)

- . . . .

  (Aufgabe 2, z. B. Erarbeitung einer Marketingkampagne)

- . . . .

  (Aufgabe 3, z. B. CAD-Konstruktionen von Baugruppen)

- . . . .

  (Aufgabe 4, z. B. Durchführung von PC-Schulungen)

Neben ihren/seinen o. a. Aufgaben war Frau/Herr . . . .
Mitglied in dem Projekt-Team. . . . .
(Vertriebs-Controlling, Prototypen-
entwicklung, Qualitätssicherung etc.).

Frau/Herr. . . . . arbeitete stets zu unserer
vollsten Zufriedenheit. Für die weitere berufliche Zukunft wünschen wir Frau/Herrn . . . . alles Gute.

. . . .
Ort, Datum

. . . .
Unterschrift/Stempel

Praktikums-
bestätigung

Sonstige Leistungsnachweise

Die freiwillige Teilnahme an Seminaren, Kursen und Veranstaltungen, die nicht zum Pflichtprogramm des Studiums zählen, kann Ihnen als Berufseinsteiger Pluspunkte im schriftlichen Auswahlverfahren verschaffen.

Die entsprechenden Bescheinigungen und Zertifikate gehören aber nur dann in Ihre Bewerbungsmappe, wenn diese Kurse für die Einstiegsposition wichtig sind. Wenn kein direkter Bezug **Freiwillig** zwischen den freiwillig absolvierten Kursen und dem von Ih- **besuchte Kurse** nen angestrebten Tätigkeitsfeld vorhanden ist, sollten Sie auf eine zusätzliche Dokumentation in der Bewerbungsmappe verzichten. Verschrecken Sie die Personalverantwortlichen nicht mit dicken Papierstapeln. Zeigen Sie, dass Sie in der Lage sind, Wesentliches von Unwesentlichem zu unterscheiden.

Mit Weiterbildungsseminaren zur PR-Assistentin

Eine Hochschulabsolventin, die sich für die Position »Public Relation Assistentin« bewirbt, sollte ihre freiwillige Teilnahme am Wochenendseminar »Medienarbeit für Non-Profit-Organisationen« an der PR-Akademie Frankfurt auf jeden Fall ihrer Bewerbungsmappe beifügen. Die Teilnahmebestätigung für das VHS-Seminar zum »Nutzen der Trennkost-Diät bei psychosomatischen Beschwerden« hat dagegen ebenso wenig in der Bewerbungsmappe aufzutauchen wie Seminarscheine von Linguistikveranstaltungen.

Veranstaltungen der Volkshochschule zu den Themenbereichen Gesprächstechniken und Rhetorik sprechen auf der einen Seite für Sie. Auf der anderen Seite lösen Sie allgemeine Heiterkeit in Personalabteilungen aus, wenn Sie mit dem Verweis auf drei VHS-Kurse zu den Themen Organisation, Motivation und

Leitung Ihre Führungsfähigkeiten belegen wollen. Personalentwickler sind sehr empfindlich, wenn sie auf eine Stufe mit »Low-Budget-Weiterbildungen« gestellt werden.

Für alle Fort- und Weiterbildungsbestätigungen und sonstige Leistungsnachweise gilt, dass Sie erstklassige Kopien verwenden sollten. Die Kopien sind nicht zu beglaubigen, es sei denn, Sie bewerben sich im öffentlichen Dienst.

Eine Frage, die uns oft gestellt wird, ist, wie Computerwissen dokumentiert werden soll. Viele Absolventen haben sich Computerkenntnisse selbst beigebracht oder sich PC-Programme von Studienkollegen oder Freunden erklären lassen. Üblicherweise reicht es aus, wenn Sie die Programme, die Sie beherrschen, im Lebenslauf angeben. Gleiches gilt für Ihre Sprachkenntnisse. Hinweise und Beispiele für die Darstellung Ihrer PC- und Sprachkenntnisse finden Sie auch in den Kapiteln »Der aussagekräftige Lebenslauf« und »Gelungene Beispielanschreiben und -lebensläufe«.

Computer- und Sprachkenntnisse ohne Nachweise angeben

Grundsätzlich sind Unternehmen erst einmal bereit, Ihren Angaben im Bewerbungsverfahren Glauben zu schenken. Wenn jedoch spezielle EDV-Kenntnisse (Programmierung, CAD/CAM) oder sehr gute Sprachkenntnisse gefordert werden, kann Sie ein Probelauf im Vorstellungsgespräch erwarten. Entweder man stellt Ihnen eine Programmier- oder Konstruktionsaufgabe oder es wird im Gespräch in die geforderte Sprache gewechselt. Ansonsten überlässt man es Ihnen, ob Sie sich mit Ihren Angaben sicher genug fühlen, die Probezeit zu überstehen.

Schul- und Ausbildungszeugnisse

Die Kopie Ihres Schulabschlusszeugnisses liegt zwar in Ihrer Bewerbungsmappe ganz unten. Dennoch sind Schulabschlusszeugnisse von Hochschulabsolventen für einen Teil der Personalverantwortlichen von Bedeutung.

Die Unternehmen suchen durchaus auch nach Bewerbern, die durchgehend (und damit auch in der Schulzeit) überdurchschnittliche Leistungen erbracht haben. Sollten Sie zu den Berufseinsteigern gehören, die ihre Talente erst in der Studienzeit entdeckt und ausgebaut haben, müssen Sie im Vorstellungsgespräch gelegentlich mit Fragen zu Ihren schulischen Leistungen rechnen. Legen Sie die Kopien Ihrer Schulzeugnisse nicht bei, vermuten viele Personalverantwortliche, dass Ihre Noten in der Schulzeit schlecht waren.

Die Bedeutung des Schulabschlusszeugnisses

Fachhochschulabsolventen haben vor dem Studium oft eine Berufsausbildung durchlaufen. Auch bei Universitätsabsolventen ist in den letzten Jahren dieser Trend festzustellen, etwa ein Drittel hat zwischen Schule und Studium eine Ausbildung durchlaufen. Wenn Sie eine Berufsausbildung erfolgreich abgeschlossen haben, gehören Kopien der entsprechenden Zertifikate, beispielsweise der Facharbeiterbrief, in die Bewerbungsmappe. Das Berufsschulzeugnis können Sie weglassen.

In einem Punkt sind sich alle einig: Noten geben nur unvollständig wieder, was der Bewerber an Kenntnissen und Fähigkeiten mitbringt; ein so komplexes Wesen wie der Mensch lässt sich nicht in Zahlen ausdrücken. Es sind sich allerdings auch alle darüber einig, dass bei gleichen Kenntnissen und Fähigkeiten die besseren Noten den Ausschlag geben. An Ihren Noten können Sie nun nichts mehr ändern, arbeiten Sie stattdessen an den Bewerbungsfaktoren, auf die Sie Einfluss haben. Dazu gehört in erster Linie die aussagekräftige und auf die Einstiegsposition bezogene Darstellung Ihrer persönlichen Fähigkeiten und fachlichen Kenntnisse. Wenn Sie eine überzeugende Darstellung liefern, werden Sie sich so stark von Durchschnittsbewerbern absetzen, dass die Noten in den Hintergrund treten.

Wie wichtig sind Noten wirklich?

Zeugnisse

- In Ihre Bewerbungsmappe gehören zusätzlich zum Anschreiben und zum Lebenslauf mit Foto die Kopien
  - des Hochschulzeugnisses (Urkunde und Zeugnis)
  - von Praktikumsbestätigungen und/oder Arbeitszeugnissen,
  - von sonstigen Leistungsnachweisen
  - des Vordiploms/des Zeugnisses der Zwischenprüfung
  - des Schulabgangszeugnisses
- Bewerben Sie sich vor Abschluss Ihres Studiums, legen Sie einen vorläufigen Notenspiegel bei, der die Noten der im Hauptstudium erbrachten Leistungen enthält.
- Ihre Praktikumsbestätigung sollte die Form eines qualifizierten Zeugnisses haben. Ein qualifiziertes Zeugnis enthält diese Angaben:
  - Art und Dauer der Beschäftigung
  - Einsatzbereich und Tätigkeitsangaben
  - Beurteilung der Arbeitsleistungen
  - gute Wünsche für die weitere berufliche Zukunft
- Geben Sie die von Ihnen ausgeübten Tätigkeiten in der Praktikumsbestätigung detailliert an.
- Die Beurteilung Ihrer Arbeitsleistungen im Praktikum sollte den Notenstufen »sehr gut« oder »gut« entsprechen.
- Bescheinigungen über Seminare und Trainings gehören nur dann in die Bewerbungsmappe, wenn die Kurse einen Bezug zur Einstiegsposition haben.

Im Blick

15

Gelungene Beispielanschreiben und -lebensläufe

Auf dem Weg von der Theorie zur Praxis der Bewerbung lassen wir Sie nicht allein. Unsere Beispielanschreiben und -lebensläufe zeigen Ihnen, wie sich unsere Tipps und Techniken bei der Formulierung von Anschreiben und der Ausformulierung von Lebensläufen einsetzen lassen.

Aber Achtung: Die Musteranschreiben sollen Sie nicht dazu verführen, sich weder mit den eigenen Kenntnissen und Fähigkeiten noch mit den Anforderungen der Unternehmen auseinander zu setzen.

Personalverantwortliche beklagen ständig, dass Hochschulabsolventinnen und -absolventen die Möglichkeit, sich im Anschreiben positiv von der Masse ihrer Mitbewerber abzuheben, nicht nutzen. Unterlagen, die sich nur durch die Farbe des Hefters und die persönlichen Daten der Absender unterscheiden, sind leider die Regel. Mit inhaltslosen Floskeln und oberflächlichen Formulierungen verspielen Sie leichtfertig die Chance auf eine nähere Prüfung der Bewerbungsunterlagen.

Sich von der Masse absetzen

Ihre Selbstpräsentation – als Anschreiben verfasst – ist das Herzstück Ihrer Bewerbung. Mit Ihrem Anschreiben machen Sie den Wert Ihrer Qualifikationen für den angestrebten Arbeitsplatz deutlich. Unvorbereitete Bewerber haben dagegen große Schwierigkeiten, das Anschreiben aussagekräftig und stellenbezogen auszugestalten. Wenn Sie Ihr Profil so präsentieren, dass Argumente für Ihre Einstellung deutlich werden, setzen Sie sich von Durchschnittsbewerbern ab.

Mit der gründlichen Analyse Ihrer eigenen fachlichen Kenntnisse und persönlichen Fähigkeiten haben Sie sich einen Fundus an Beispielen mit Bezug zur beruflichen Praxis erarbeitet, den Sie für die Ausarbeitung Ihrer Selbstpräsentation im Anschreiben einsetzen können. Durch konkrete Tätigkeitsbeschreibungen gelingt es Ihnen, im Anschreiben und Lebenslauf Ihr individuelles Profil herauszustellen.

Die folgenden Beispielanschreiben und -lebensläufe machen Sie mit möglichen Formulierungen vertraut und zeigen Ihnen nochmals den sinnvollen Aufbau von Anschreiben und Lebensläufen.

Referentin für Öffentlichkeitsarbeit (Bachelor)

Die STIFTUNG KULTUR sucht eine/n qualifizierte/n und engagierte/n Hochschulabsolventin/en als

ReferentIn für Öffentlichkeitsarbeit

Anzeige 1

Ihr Tätigkeitsfeld umfasst die Betreuung externer und interner Medien, Medien-Resonanz-Analyse, Entwicklung und Durchführung von Werbestrategien.

Wir erwarten von Ihnen journalistische Fähigkeiten und Erfahrung in der Gestaltung von Print-Medien und Erfahrung mit dem Internet und elektronischer Gestaltung sowie Interesse für die breit gefächerten Aktivitäten der zur Stiftung gehörenden Institute.

Erfahrungen in der Öffentlichkeitsarbeit wären von Vorteil. Da von Ihnen Kontaktpflege zur internationalen Fachpresse erwartet wird, sind solide Fremdsprachenkenntnisse Bedingung (Englisch/Französisch).

In Ihrer Tätigkeit sind Sie direkt dem Vorstand der Stiftung verantwortlich.

Bitte schicken Sie Ihre vollständigen Bewerbungsunterlagen an die STIFTUNG KULTUR, Richard-Strauss-Str. 312, 81679 München

Heike Schnell   Baumgartenstraße 11a, 86156 Regensburg
                Tel.: (0821) 12 34 55, E-Mail: Schnell.H@hotmail.de

STIFTUNG KULTUR
Vorstandssekretariat
Frau Andrea Schönfelder
Richard-Strauss-Str. 312
81679 München

                                        Regensburg, 01.08.2007

Anschreiben 1   **Bewerbung als Referentin für Öffentlichkeitsarbeit**
                Münchener Stadtanzeiger vom 23.07.2007 und unser
                Telefongespräch vom 27.07.2007

Sehr geehrte Frau Schönfelder,

vielen Dank für den ersten Abgleich meines Profils. Wie wir telefonisch besprochen haben, verfüge ich sowohl über journalistische
als auch über redaktionelle Berufspraxis. Neben meinen Tätigkeiten für Print-Medien im Inland habe ich mich in den Bereich
des Internet-Publishing eingearbeitet.

Für die Grün + Jahr AG & Co. habe ich Projekte in der internen
und externen Kommunikation durchgeführt. Dazu gehörte die me-
diale Aufbereitung der Hausmitteilungen und die Medien- und
Zielgruppenanalyse für ausgewählte Produkte des Unternehmens.
Ich habe schon vor meinem Studium in der Lokalredaktion einer
Tageszeitung gearbeitet und im Studium die Hochschulnachrich-
ten der Universität Augsburg mitverfasst.

An der Akademie für Journalismus in Köln habe ich mich speziell
mit Instrumenten der PR auseinandergesetzt und am Institut für
Kommunikation Einblicke in die die Praxis der Öffentlichkeitsarbeit bekommen.

Mein Bachelorstudium der Politikwissenschaften habe ich praxisnah ausgestaltet, in meiner Bachelorthesis habe ich Konzepte zur

Professionalisierung der Öffentlichkeitsarbeit im Non-Profit-Sektor analysiert und weiterentwickelt.

Durch mein Auslandssemester an der Université Toulouse und mein journalistisches Praktikum in den USA bin ich in der Lage, auch für die internationale Fachpresse Informationen in geeigneter Form aufzubereiten.

Für ein vertiefendes Vorstellungsgespräch stehe ich Ihnen gern zur Verfügung.

Mit freundlichen Grüßen

Heike Schnell

Heike Schnell   Baumgartenstraße 11a, 86156 Regensburg
        Tel.: (0821) 12 34 55, E-Mail: Schnell.H@hotmail.de

Lebenslauf

Persönliche Daten

geb. am 04.04.1982 in Regensburg
verheiratet

Schule und Au-pair

10.06.2001	Abitur am Max-Planck-Gymnasium, Regensburg, Note: 2,7
08/2001 – 06/2002	Au-pair in Lyon/Frankreich, Betreuung von drei Kindern (1, 3 und 9 Jahre alt) bei einer Familie

Lebenslauf 1

Studium

10/2002 – 09/2003	Magisterstudium an der Universität Augsburg: Anglistik, Romanistik, Germanistik
10/2003 – 07/2007	Bachelorstudium der Politikwissenschaften an der Universität Regensburg
04/2005 – 07/2005	Université Toulouse, Frankreich, DAAD-Stipendiatin, Seminare zur Kulturförderung in Europa
10/2006 – 03/2007	Bachelorthesis: »Untersuchungen zum Einfluß von Sponsoring-Maßnahmen auf die Außendarstellung von Non-Profit-Organisationen«, Entwicklung eines Konzeptes zur Professionalisierung der Öffentlichkeitsarbeit im Non-Profit-Sektor«, Note: 1,4
15.07.2007	Bachelor of Arts (B.A.), Note: 1,8

Berufliche Tätigkeiten, Praktika

12/1999 – 07/2001	Regensburger Nachrichten, Lokalredaktion, freie Mitarbeiterin: Verfassen von Artikeln, Archivrecherche
12/2003 – 04/2005	Hochschulnachrichten Regensburg, Redaktion und Anzeigen-Service, Kundenberatung, Entwurf von Anzeigen
02/2006 – 04/2006	Springer Auslandsdienst, New York/USA, Praktikantin: Internet-Publishing
06/2006 – 09/2006	Grün + Jahr AG, Hamburg, Marketing und Redaktion Hausmitteilungen, Praktikantin: Medien- und Zielgruppenanalysen, Mitarbeit an der Konzeption von Werbestrategien, interne Kommunikation

Weiterbildung

03/2003	EDV-Institut, Köln, Intensivkurs: »Desktop-Publishing«

08/2005	Akademie für Journalismus, Köln: Seminar »Instrumente der PR«
04/2006	Offener Kanal Köln, Bürgerfernsehen: Workshop »Storyboard-Erstellung für Radio-Spots«
01/2007	Institut für Kommunikation: Seminar »Öffentlichkeitsarbeit in der Praxis«

Zusatzqualifikationen

| Sprachen: | Französisch (verhandlungssicher), Englisch (sehr gut) |
| EDV-Kenntnisse: | Textverarbeitung (ständig in Anwendung), Tabellenkalkulation, Datenbanken unter Windows (gut), QuarkXPress (gut), Photoshop (sehr gut) |

Regensburg, 01.08.2007

Heike Schnell

Junior-Produktmanager (Diplom)

Eine moderne und dezentral strukturierte Unternehmensorganisation ist Herausforderung und Chance zugleich. Wir wachsen nach wie vor überdurchschnittlich und suchen junge, ambitionierte

Junior-Produktmanager

Sie werden verantwortlich eine Marke betreuen. Im engen Zusammenspiel mit Ihrem Team entwickeln Sie die Marke weiter. Sie analysieren den Markt, erarbeiten die Positionierung, geben kreativen Input und entwickeln Vermarktungsstrategien.

Im Rahmen dieser Aufgabe lernen Sie das Unternehmen und seine Produkte zunächst auf den unterschiedlichsten Ebenen kennen. Sie sind schnell im Tagesgeschäft, können organisieren und haben ein sicheres Gespür für Verbraucherbedürfnisse. Kreativität in der Planung und Umsetzung sowie Zielorientierung setzen wir voraus.

Sie passen zu uns, wenn Sie eine sehr gute Hochschulausbildung schnell und erfolgreich abgeschlossen haben und sich international profilieren wollen. Eventuell haben Sie schon erste Berufserfahrung gesammelt.

Interessiert? Dann überzeugen Sie uns von Ihren Fähigkeiten, und senden uns Ihre vollständigen Bewerbungsunterlagen. Für Vorabinformationen steht Ihnen Frau Flinsch unter der Telefonnummer (0511) 98 76 54 gern zur Verfügung.

Kosmetik AG, Personalabteilung, Frau Flinsch, Göttinger Chaussee 42, 30453 Hannover

Alexander Fröhlich, Behmweg 4, 37073 Göttingen
Tel.: (0551) 22 33 44, E-Mail: Fröhlich75@web.de

Kosmetik AG
Personalabteilung
Frau Flinsch
Göttinger Chaussee 42
30453 Hannover

Göttingen, 06.02.2008

Bewerbung als Junior-Produktmanager
HAZ vom 02.02.2008 und unser Telefongespräch

Anschreiben 2

Sehr geehrte Frau Flinsch,

vielen Dank für das nette Telefongespräch, hier sind die Informationen zu meiner Person.

In Ihrer Branche habe ich bereits berufliche Erfahrungen in der Produktentwicklung sammeln können. Ich habe Markenpositionierungen vorbereitet und kenne die Arbeit im Projektteam.

Mein Studium der Betriebswirtschaft habe ich in kurzer Zeit mit sehr gutem Erfolg abgeschlossen. Im Hauptstudium habe ich ein Semester an der McMaster University in Hamilton, Ontario/Kanada studiert. Im Mittelpunkt standen dort Seminare und Case-Studies zum Produktmarketing und zum internationalen Marketingmanagement.

Erste Berufserfahrung habe ich bei der Monolever AG in Hamburg gesammelt. Dort habe ich in der Produktentwicklung Marktanalysen und Wettbewerbervergleiche durchgeführt und in einem Projektteam an der Entwicklung einer neuen Produktserie mitgearbeitet.

Das Gespür für Verbraucherbedürfnisse konnte ich schon vor dieser Tätigkeit bei der Media GmbH in Göttingen entwickeln. Dort habe ich in der Verkaufsförderung neben den täglichen Verwaltungsaufgaben auch die telefonische Kundenbetreuung übernommen.

Die speziellen Kenntnisse aus dem Auslandsstudium konnte ich auch in meine Diplomarbeit einfließen lassen. Dort habe ich die Ausstrahlung von Dach-Marketingkampagnen auf internationale Konzernmarken untersucht.

An meinem Hochschulinstitut betreue ich die Datenbanken und verfüge auch über sehr gute Bürosoftware-Kenntnisse. Ich spreche verhandlungssicher Englisch und sehr gut Französisch.

Für ein Vorstellungsgespräch stehe ich Ihnen gern zur Verfügung.

Mit freundlichen Grüßen

Alexander Fröhlich

Alexander Fröhlich
Behmweg 4
37073 Göttingen

Tel.: (0551) 22 33 44
E-Mail: Fröhlich75@web.de

Lebenslauf 2   **Lebenslauf**

Persönliche Daten

geb. am 12.10.1981 in Kassel
ledig

Schule, Zivildienst

12.07.2001	Abitur am Städtischen Gymnasium Kassel (Note 2,0)
09/2001 – 10/2002	Jugendherberge Hannover, Zivildienst, Verwaltung, Hausmeistertätigkeiten

Studium

10/2002 – 01/2008	Studium der Betriebswirtschaft an der Georg-August-Universität, Göttingen
10/2002 – 09/2004	Grundstudium
15.09.2004	Vordiplom (Note 2,2)
10/2004 – 01/2008	Hauptstudium, Schwerpunkte Marketing und Organisation
10/2005 – 02/2006	McMaster University, Hamilton, Ontario/ Kanada, Vertiefungsseminare zum International Marketing Management und New Product Marketing
08/2007 – 10/2007	Diplomarbeit: »Markennamen und ihre Einbindung in Dach-Marketingkonzepte«, Untersuchungen zu den Ausstrahlungswirkungen der CI auf einzelne Marken des Unternehmens (Note 1,6)
25.01.2008	Diplom-Kaufmann (Note 1,9)

Praktika, berufliche Tätigkeiten

07/2004 – 10/2004	Media GmbH, Göttingen, Verkaufsförderung, Praktikant: telefonische Kundenbetreuung, Unterstützung des Außendienstes, Durchführung von Mailing-Aktionen
08/2005 – 10/2005	Monolever AG, Hamburg, Produktentwicklung, Praktikant: Erstellung von Marktanalysen, Aufbereitung von Wettbewerbervergleichen, Mitarbeit in einer Projektgruppe der Produktentwicklung
04/2006 – 01/2008	Institut für betriebswirtschaftliche Innovationsforschung, Georg-August-Universität, Göttingen, wissenschaftliche Hilfskraft: Aufbau und Pflege von Datenbanken, Vorbereitung von Präsentationen für Kongresse

Zusatzqualifikationen

Sprachen:	Englisch (verhandlungssicher), Französisch (sehr gut)
EDV-Kenntnisse:	Standard-Bürosoftware/MS-Office, (sehr gut), Datenbanken/SQL (ständig in Anwendung), Internet-Recherche (sehr gut)

Göttingen, 06.02.2008
Alexander Fröhlich

Trainee (Diplom)

Wir expandieren nicht nur in Deutschland, sondern in ganz Europa. Unsere 500 Filialen sind Ausdruck dieser Dynamik. Entwickeln Sie sich mit uns und steigen Sie ein als

Trainee

Anzeige 3

Unser 12- bis 18-monatiges Trainee-Programm *für zukünftige Bezirksleiter/innen* beginnt mit einer intensiven Einarbeitung auf Filialebene. Danach werden wir Sie gründlich auf die Aufgabe eines/einer Bezirksleiters/-in vorbereiten und Ihnen schon bald erste Führungsverantwortung übertragen. Wenn Sie jede Hürde nehmen, dann werden Sie nach erfolgreicher Einarbeitung einen Verkaufsbezirk eigenverantwortlich betreuen.

Natürlich erwarten wir auch einiges von Ihnen. Ihr Studium werden Sie beziehungsweise haben Sie mit überdurchschnittlichen Leistungen abgeschlossen. Im Idealfall haben Sie erste Erfahrungen im Handel durch Praktika gesammelt. Darüber hinaus verfügen Sie über sichere Englischkenntnisse. Sie sind belastbar und engagiert und überzeugen durch Ihr ausgesprochenes Organisationstalent. Weiter zeichnen Sie sich durch eine hohe Dynamik, Eigenmotivation, Entscheidungsfreude sowie Leistungs- und Lernbereitschaft aus.

Wenn Sie die Karriereperspektive bei uns interessiert und Sie weitere Informationen wünschen, steht Ihnen unsere Personalreferentin Frau Zinker unter der Rufnummer (069) 123-456, gern für ein erstes Telefonat zur Verfügung.

Wir freuen uns auf Ihre aussagekräftigen vollständigen Bewerbungsunterlagen mit der Nennung Ihres frühestmöglichen Eintrittstermins, die Sie bitte an folgende Adresse senden:

ABC Mode GmbH & Co., Personalabteilung, Goethestr. 111, 60313 Frankfurt

Daniel Zimmer, Am Moor 43, 60322 Frankfurt
Tel.: (069) 66 55 44, E-Mail: Zimmer.D@gmx.de

ABC Mode GmbH & Co.
Personalabteilung
Frau Zinker
Goethestr. 111
60313 Frankfurt

Frankfurt, 05.11.2007

Anschreiben 3

Bewerbung als Trainee
FAZ vom 27.10.2007 und unser Telefongespräch vom 31.10.2007

Sehr geehrte Frau Zinker,

vielen Dank für die telefonischen Informationen zum Trainee-Programm. Ich habe bereits erste berufliche Erfahrung im Handel gesammelt. Neben meinem Studium war ich im Verkauf tätig, und ich habe im Studium besonders den Bereich Handelsbetriebslehre vertieft.

Bei der Karworld AG in Essen habe ich an einem Projekt zur Steigerung der Kundenzufriedenheit teilgenommen. Neben Marketingaspekten umfasste diese Aufgabe auch die Optimierung von logistischen Abläufen. Da ich bereits studienbegleitend für die Karworld AG im Verkaufshaus Frankfurt als Verkäufer gearbeitet hatte, konnte ich konkrete Erfahrungen in der Reklamationsbearbeitung in das Projekt einbringen.

Mein Studium der Volkswirtschaft an der Johann-Wolfgang-Goethe-Universität in Frankfurt/Main werde ich im Sommer nächsten Jahres abschließen. Da ich mich schon im Grundstudium in die Verkaufspraxis begeben hatte, habe ich im Hauptstudium besonders betriebswirtschaftliche Schwerpunkte wie Handelsbetriebslehre und Unternehmensführung vertieft.

Mein berufliches Interesse für Handel und Verkauf habe ich durch ein Praktikum bei der AFFEM GmbH weiter gesteigert. Dort habe ich im Vertriebsinnendienst Key-Account-Manager sowohl im Tagesgeschäft als auch durch Marktanalysen unterstützt. Aufgabenstellungen in der Öffentlichkeitsarbeit habe ich bei der Studenteninitiative AIESEC bearbeitet und dort auch Firmenkontakttage vorbereitet.

Sichere Englischkenntnisse bringe ich selbstverständlich ebenso mit wie sehr gute PC-Kenntnisse. Zur Zeit schreibe ich an meiner Diplomarbeit.

Für ein persönliches Gespräch stehe ich Ihnen gern zur Verfügung

Mit freundlichen Grüßen

Daniel Zimmer

Daniel Zimmer
Am Moor 43
60322 Frankfurt

Tel.: (069) 66 55 44
E-Mail: Zimmer.D@gmx.de

Lebenslauf

Lebenslauf 3

Persönliche Daten

geb. am 24.07.1982 in Darmstadt
ledig

Schule, Wehrdienst

20.07.2000	Abitur am Alten Gymnasium Darmstadt, (Note 2,8)
10/2000 – 10/2002	Luftwaffe, Zeitsoldat (Z 2), Stabsunteroffizier

Studium

10/2002 – heute	Studium der Volkswirtschaft an der Johann-Wolfgang-Goethe-Universität Frankfurt/Main, Fachrichtung Finanzwissenschaft
10/2002 – 09/2004	Grundstudium
14.09.2004	Vordiplom (Note 2,2)
10/2004 – heute	Hauptstudium, Schwerpunkt Handelsbetriebslehre, zusätzlicher Schwerpunkt Unternehmensführung
10/2007 – 03/2008	Diplomarbeit: »Auswirkungen global ausgerichteter Unternehmenspolitik auf heimische Märkte«, Fragestellung: Führt eine international ausgerichtete Unternehmenspolitik zu einer Einschränkung der Produktvielfalt?

Praktika, berufliche Tätigkeiten

07/2003 – 10/2003	Karworld AG, Verkaufshaus Frankfurt, Verkäufer
08/2005 – 10/2005	AFFEM GmbH, Verden an der Aller, Vertriebsinnendienst, Praktikant: Optimierung des Key-Account, Unterstützung des Außendienstes
02/2007 – 05/2007	Karworld AG, Zentrale Essen, Verwaltung und Logistik, Projektpraktikum: Projekt Steigerung der Kundenzufriedenheit und Rücklaufoptimierung

Sonstiges

seit 01/2004	AIESEC e.V., Referent für Öffentlichkeitsarbeit: Verfassen von Pressemitteilungen und Vorbereitung des Firmenkontakttages

Zusatzqualifikationen

Sprachen:	Englisch (sehr gut)
EDV-Kenntnisse:	Word, Excel, Access (sehr gut)
	HTML-Programmierung (gut)
Weiterbildung:	IHK Frankfurt, Ausbildung der Ausbilder

Frankfurt, 05.11.2007
Daniel Zimmer

Junior-Consultant (Diplom)

Anzeige 4

Wir sind eine international tätige Management-Beratung mit hohem wissenschaftlichen Anspruch. Die Schwerpunkte unserer Beratungsleistungen liegen in den Bereichen Strategie, Kundenorientierung und Marktbearbeitung. Zur Erweiterung unseres jungen, dynamischen Teams suchen wir

Junior-Consultants

Wir erwarten einen hervorragenden Studienabschluss, überdurchschnittliche Fremdsprachenkenntnisse, Flexibilität und Mobilität sowie Freude am Arbeiten mit Menschen. Erste Berufserfahrung wäre von Vorteil, wird jedoch nicht vorausgesetzt.

Wir bieten die branchenüblichen Konditionen sowie eine Tätigkeit in einem Team, das Aufgaben in der Praxis auf höchstem wissenschaftlichen Niveau löst. Wir bieten auch die Möglichkeit, weitergehend wissenschaftlich tätig zu sein (zum Beispiel Promotion).

Wir bitten um die Übersendung Ihrer aussagekräftigen Bewerbungsunterlagen einschließlich Ihrer Gehaltsvorstellungen.

Niedermoser & Partner GmbH, Geschäftsleitung, Herr Ahrendt, Nassenheider Weg 145c, 83509 München, Tel. (089) 1 99 87 65 43

Michael Kirsch, Pestalozzistr. 85, 10625 Berlin
Tel.: (030) 55 44 55, E-Mail: M.Kirsch@hotmail.de

Niedermoser & Partner GmbH
Geschäftsleitung
z. Hd. Herr Ahrendt
Nassenheider Weg 145c
83509 München

Berlin, 22.05.2008

Bewerbung als Junior-Consultant
Berliner Morgenpost vom 17.05.2008 und unser Telefonat am 20.5.

Anschreiben 4

Sehr geehrter Herr Ahrendt,

vielen Dank für das informative Telefonat. Wie besprochen, sende ich Ihnen hier meine Unterlagen. Ich bringe erste Berufserfahrung als Consultant mit, habe bereits betriebliche Abläufe optimiert und als Berater einer Geschäftsführung fungiert.

Seit zwei Jahren bin ich in die Restrukturierung der Altotto GmbH in Berlin eingebunden. Ich begann als Projektmitarbeiter bei der Einführung eines neuen EDV-Systems und habe mich durch die erfolgreiche Leitung einer abteilungsübergreifenden Projektgruppe zum Berater der Geschäftsführung qualifiziert.

Der Schwerpunkt meiner Tätigkeit ist die Installation eines Management-Informationssystems, das alle relevanten Unternehmensdaten zur Entscheidungsfindung aufbereiten kann.
Ich habe an der Technischen Universität Berlin Informatik und Betriebswirtschaft studiert. Dieses Studium habe ich mit der Note »sehr gut« abgeschlossen. Im Bereich Informatik habe ich den Schwerpunkt auf die Prozesssteuerung gelegt, in der Betriebswirtschaft habe ich mich vertiefend mit der Unternehmensorganisation auseinander gesetzt.

Durch die enge Verzahnung meiner betrieblichen Aufgaben mit dem universitären Wissen kann ich Beratungen auf hohem wissenschaftlichen Niveau durchführen. Die Arbeit in einem Beraterteam ist mir ebenso geläufig wie das schnelle Umschalten zwischen den Bedürfnissen der einzelnen Funktionsbereiche eines Unternehmens. Ich bin uneingeschränkt mobil.

Für ein persönliches Gespräch stehe ich Ihnen gern zur Verfügung.

Mit freundlichen Grüßen

Michael Kirsch

Michael Kirsch
Pestalozzistr. 85
10625 Berlin

Tel.: (030) 55 44 55
E-Mail: M.Kirsch@hotmail.de

Lebenslauf 4   **Lebenslauf**

Persönliche Daten

geb. am 12.08.1982 in Berlin
ledig

Schule, Zivildienst

19.06.2000	Abitur am Gymnasium Neukölln, Note: 1,9
08/2000 – 09/2001	Zivildienst, DRK Bochum, Ambulante Altenhilfe

Studium

10/2001 – 04/2008	Studium der Informatik an der Technischen Universität Berlin
10/2001 – 04/2004	Grundstudium
02.04.2004	Vordiplom, Note: 1,7
04/2004 – 04/2008	Hauptstudium, Schwerpunkt Rechnerorganisation und Prozesstechnik, Nebenfach Betriebswirtschaftslehre
09/2007 – 02/2008	Diplomarbeit in Zusammenarbeit mit der Altotto GmbH: Entwicklung und Einsatz von Management-Informationssystemen, Auswirkungen vernetzter EDV-Architektur auf die Entscheidungsfindungen im Management, Note: 1,3
17.04.2008	Diplom-Informatiker, Note: 1,4

Praktika, berufliche Tätigkeiten

10/2005 – 02/2007	Institut für angewandte Informatik an der TU Berlin, Tutor: EDV-Laborbetreuung, Übungsleitung
08/2006 – 08/2007	Altotto GmbH, Berlin und Institut für angewandte Informatik an der TU Berlin, Projektmitarbeiter: Installation und Inbetriebnahme einer vernetzten Rechnerarchitektur, Mitarbeiterschulung
09/2007 – 02/2008	Altotto GmbH, Diplomand: Einführung eines Management-Informationssystems, Datenaufbereitung für die Geschäftsführung, Leitung einer abteilungsübergreifenden Projektgruppe
bis heute	Altotto GmbH, freiberuflicher Berater der Geschäftsleitung: Optimierung unternehmensinterner Abläufe

Sonstiges

seit 10/2005	Fachschaft Informatik, Organisation von Erstsemester-Wochenenden

Zusatzqualifikationen

Sprachen:	Englisch (sehr gut), Russisch (gut)
EDV-Kenntnisse	Betriebssysteme: MS-DOS, Windows NT, Unix (sehr gut)
Programmierung:	C++ u.a. objektorientierte Sprachen (ständig in Anwendung)
	Anwendungen: Textverarbeitung, Datenbanken, Tabellenkalkulation (sehr gut)
Internet:	HTML- und Java-Programmierung (gut)
Weiterbildung:	Ausbildung der Ausbilder

Berlin, 25.05.2008
Michael Kirsch

Assistentin Marketing/Vertrieb (Diplom)

Wir sind die deutsche Tochtergesellschaft eines international operierenden Fertighausproduzenten.
Wir suchen eine/n

Sie arbeiten direkt dem Vertriebsdirektor zu. In Ihr Aufgabengebiet fallen die Koordination der Werbung, die Pressearbeit, die Erarbeitung und Organisation von Maßnahmen zur Verkaufsförderung sowie strategische Geschäftsfeldanalysen.

Kreativ und in Eigeninitiative planen und realisieren Sie Werbemaßnahmen und erarbeiten strategische Analysen zum Marktausbau.

Sie haben einen (Fach-)Hochschulabschluss, Interesse an der Vertriebsunterstützung und Erfahrung in der Pressearbeit. Zielstrebig verfolgen Sie Ihre Pläne, haben die Terminüberwachung im Griff und arbeiten teamorientiert sowie kommunikativ mit internen und externen Stellen. Ist dies eine Herausforderung für Sie? Wann hören wir von Ihnen?

Ihre kompletten Bewerbungsunterlagen senden Sie bitte an unseren Personalleiter, Herrn Alexander Steinbrück. Auch für Vorabauskünfte steht Ihnen Herr Steinbrück unter der Tel.-Nr. (02 01) 8 80-12 gerne zur Verfügung.

Michaela Osterwald, Blücherplatz 12, 40477 Düsseldorf
Tel.: (0211) 65 43 21, E-Mail: M. Osterwald@gmx.de

HOUSE SALES GmbH
Herr Alexander Steinbrück
Industriestraße 2
45127 Essen

Düsseldorf, 06.06.2007

Anschreiben 5

Bewerbung als Assistentin Marketing/Vertrieb
WAZ vom 28.05.2007 und unser Telefongespräch
vom 02.06.2007

Sehr geehrter Herr Steinbrück,

vielen Dank für Ihr Interesse an meiner Bewerbung. Ich habe Erfahrung in der Vertriebsunterstützung, habe bereits PR-Aktivitäten koordiniert und kenne das Tagesgeschäft im Vertriebsinnendienst. Vor meinem Studium der Betriebswirtschaftslehre an der Fachhochschule Düsseldorf habe ich eine Ausbildung zur Kauffrau in der Grundstücks- und Wohnungswirtschaft gemacht. Diese Branchenerfahrung habe ich neben dem Studium vertieft. Für die Makler Müller GmbH habe ich Abrechnungen erstellt und in der Projektverfolgung die Kostenkontrolle übernommen.

Vertriebserfahrung habe ich bei der Telepower Vertriebsgesellschaft mbH erworben. Dort habe ich in der Verkaufsförderung gearbeitet, Kunden betreut und den Außendienst in der Terminplanung unterstützt.

Den Bereich Marketing und Werbung habe ich bei der IFU Gesellschaft für Stadtentwicklung mbH in Duisburg vertieft. Ich habe dort PR-Aktivitäten koordiniert und den beteiligten Werbeagenturen zugearbeitet.

Bei der IFU konnte ich auch meinen Studienschwerpunkt Marketing in die Erstellung von konkreten Marketing-Konzepten einbringen. Meinen zweiten Studienschwerpunkt Absatzwirtschaft habe ich in meiner Diplomarbeit mit der Entwicklung eines Leitfadens zur Optimierung von Absatzwegen vertieft.

Ich beherrsche die gängige Büro-Software und möchte meine bisher erworbenen Kenntnisse und Fähigkeiten in der von Ihnen ausgeschriebenen Position als Assistentin Marketing/Vertrieb einsetzen.

Für ein Vorstellungsgespräch stehe ich Ihnen gern zur Verfügung.

Mit freundlichen Grüßen

Michaela Osterwald

Michaela Osterwald
Blücherplatz 12
40477 Düsseldorf

Tel.: (0211) 65 43 21
E-Mail: M. Osterwald@gmx.de

Lebenslauf

Lebenslauf 5

Persönliche Daten

geb. am 29.08.1977 in Bottrop
ledig

Schule

20.07.1996	Mittlere Reife an der Realschule Bottrop
08/1996 – 06/1998	Fachoberschule Bochum, Fachrichtung Wirtschaft
11.06.1998	Fachhochschulreife (Note 2,5)

Ausbildung

08/1998 – 07/2001	ZACK Städtebau GmbH, Bochum, Ausbildung zur Kauffrau in der Grundstücks- und Wohnungswirtschaft
20.07.2001	Kauffrau in der Grundstücks- und Wohnungswirtschaft (Fertigkeiten »gut«, Kenntnisse »gut«)

Studium

10/2001 – 05/2007	Studium der Betriebswirtschaftslehre an der Fachhochschule Düsseldorf
10/2001 – 09/2003	Grundstudium
30.09.2003	Vordiplom (Note 2,7)
10/2003 – 05/2007	Hauptstudium, Schwerpunkt Absatzwirtschaft und Marketing
07/2006 – 12/2006	Diplomarbeit Entwicklung eines betriebswirtschaftlichen Leitfadens zur Optimierung der Absatzwege (Note 2,0)
30.05.2007	Diplom-Betriebswirtin (Note 2,1)

Praktika, berufliche Tätigkeiten

02/2003 – 04/2003	Möbelhaus Podczinsky, Bochum, Verkäuferin
10/2004 – 01/2005	Makler Müller GmbH, Düsseldorf, Rechnungswesen, studentische Aushilfe: Abrechnungen und Kostenkontrolle
07/2005 – 10/2005	IFU Gesellschaft für Stadtentwicklung mbH, Duisburg, Abteilung Planung und Organisation, Praktikantin: Konzipierung von Maßnahmen zum Stadt-Marketing, Koordination von PR-Aktivitäten, Zusammenarbeit mit Werbeagenturen
10/2003 – 06/2006	Telepower Vertriebsgesellschaft mbH, Düsseldorf, Vertriebsinnendienst, Teilzeit neben dem Studium: Verkaufsförderung,

Kundenbetreuung, Unterstützung des Außendienstes

Zusatzqualifikationen

Sprachen:	Englisch (gut)
EDV-Kenntnisse:	Textverarbeitung/Word (gut)
	Datenbanken/Access (gut)
	Tabellenkalkulation/Excel (sehr gut)

Düsseldorf, 06.06.2007
Michaela Osterwald

16

Nach der schriftlichen Bewerbung

Viele Hochschulabsolventinnen und -absolventen empfinden die Zeit nach dem Versand von Bewerbungsunterlagen als unangenehm. Die Belastungen durch die letzten Hochschulprüfungen sind kaum vorbei, schon lässt das Warten auf Ab- oder Zusagen die Nerven erneut vibrieren.

Der Zeitraum, in dem Sie eine Rückmeldung erhalten, ist von Firma zu Firma sehr unterschiedlich. Gerade größere Unternehmen legen sich gern einen Vorrat an interessanten Bewerbungen an, um dann im Block den nächsten Schritt in der Auswahl von geeigneten Bewerberinnen und Bewerbern durchzuführen. Wenn Sie sich für ein Trainee-Programm beworben haben, müssen Sie damit rechnen, auf Gruppenauswahlverfahren zu treffen. Hierzu gehören Assessment Center, Bewerbertage und Gesprächsrunden. Diese Maßnahmen werden jedoch nicht ständig durchgeführt. Bis zu einer Einladung zu einer weiterführenden Personalauswahlmaßnahme kann deshalb einige Zeit vergehen.

Bis zu einer Rückmeldung kann einige Zeit vergehen

Wir empfehlen Ihnen, noch während Ihrer Studienzeit in das Bewerbungsverfahren einzusteigen. So minimieren Sie die Lücke zwischen Studienabschluss und Berufseinstieg. Lassen Sie diese Lücke zu groß werden, werden Sie für viele Unternehmen uninteressant. Wenn Sie zu viel Zeit nach Ihrem Studienabschluss verstreichen lassen, gehen die meisten Unternehmen davon aus, dass Sie mit bisherigen Bewerbungen keinen Erfolg gehabt haben. Diese Bewerber werden dann mit dem Etikett »zweite Wahl« belegt.

Nach dem Abschicken Ihrer Bewerbungsunterlagen müssen Sie erreichbar sein. Zwar lassen sich einige Unternehmen Zeit damit, Sie in die zweite Auswahlrunde einzuladen, andere Unternehmen reagieren jedoch sehr schnell. Dies gilt insbesondere für den Direkteinstieg. Wenn Sie zu einem Bewerbungsgespräch eingeladen werden und nicht erreichbar sind beziehungsweise nicht reagieren, wird das Unternehmen andere Bewerber vorziehen.

Sie müssen erreichbar sein

Die Schnelligkeit und die Art und Weise, wie die Unternehmen auf Ihre Bewerbungsmappe reagieren, ermöglicht Ihnen bereits erste Rückschlüsse hinsichtlich des Unternehmensklimas und der späteren Arbeitsbedingungen. Ein Zwischenbescheid, dass Ihre Bewerbungsmappe eingetroffen ist und nun weiter bearbeitet wird, ist leider nicht bei allen Unternehmen selbstverständlich.

Große Unternehmen senden Ihnen oft als erste Reaktion einen Personalerfassungsbogen zu. Sie werden gebeten, auf diesem Bogen stichwortartig nähere Angaben über Ihre Ausbildung, Ihre derzeitige berufliche Position, Ihre Gehaltsvorstellungen und Ihren Gesundheitszustand zu machen. Der Personalerfassungsbogen ist aber nicht als Vorbote eines Arbeitsvertrags misszuverstehen. Es handelt sich um eine rein verwaltende Maßnahme der Personalabteilung. Ein Urteil über Ihre fachlichen Kenntnisse und persönlichen Fähigkeiten wird mit dem Personalerfassungsbogen nicht getroffen.

Der Personalerfassungsbogen – eine Verwaltungsmaßnahme

Telefonisch nachfassen

Eine Frage, die uns viele Berufseinsteiger stellen, dürfte auch Sie beschäftigen: »Wann darf ich bei einer Firma anrufen und fragen, ob ich zu einem Vorstellungsgespräch eingeladen werde?« Prinzipiell gilt, dass es bei großen Firmen länger dauert, bis alle an der Entscheidung Beteiligten sich eine erste Meinung über

»Ihre Qualifikation überzeugt mich – und Ihr guter Geschmack!«

die Bewerber gebildet haben. Dementsprechend können bis zur Einladung zu einem Vorstellungsgespräch zwei bis drei Monate vergehen. Mittelgroße und kleine Unternehmen sind dagegen in der Lage, schneller zu entscheiden. Ein Termin für ein Vorstellungsgespräch wird häufig bereits sechs Wochen nach dem Eingang der Bewerbungsmappe vereinbart.

Sechs Wochen nach dem Absenden Ihrer Unterlagen dürfen Sie in jedem Fall bei der Personalabteilung anrufen und um Informationen über den aktuellen Stand bitten. Ganz wichtig bei Ihrer Nachfassaktion ist, dass Sie eine freundliche und nette Telefonstimme einsetzen. Das Bewerbungsverfahren läuft schließlich noch und Sie telefonieren mit einem Beteiligten aus der Personalabteilung.

Nach dem Stand der Dinge fragen

Auf inhaltliche Rückfragen, beispielsweise »Glauben Sie, dass ich noch Chancen habe, die Stelle zu bekommen?« oder »Welchen Eindruck haben Sie von meinen Bewerbungsunterlagen?«, sollten Sie verzichten. Beschränken Sie sich auf rein formale Fragen zum weiteren Zeitablauf. Beispielsweise: »Gibt es einen Zeitrahmen, in dem die Entscheidung über die Einladung zu einem Vorstellungsgespräch fällt?« oder »Bis wann kann ich mit einer Nachricht von Ihnen rechnen?«

Wenn Sie zur Bewerbergruppe von stark nachgefragten Studiengängen gehören, so können Sie auch etwas Schwung in die Entscheidungsfindung Ihres Wunscharbeitgebers bringen. Weisen Sie darauf hin, dass Sie sehr daran interessiert sind, in diesem Haus anzufangen, dass aber bereits ein Arbeitsangebot von einem anderen Unternehmen vorliegt, sodass Sie sich momentan in einer Zwickmühle befinden. In den Fällen, in denen ein Unternehmen großes Interesse am Bewerber hat, können Termine für Vorstellungsgespräche dann schneller als üblich zustande kommen.

Die Entscheidungsfindung beschleunigen

Auch hier sollten Sie taktisch vorgehen. Verwenden Sie unsere Überzeugungsregel »Beschreiben statt bewerten«. Erwähnen Sie, dass eine andere Firma Ihnen einen Arbeitsvertrag angeboten hat, und fragen Sie, ob die Möglichkeit besteht, kurzfristig Ihr Qualifikationsprofil vorzustellen, bevor Sie bei der anderen Firma endgültig unterschreiben.

Der umworbene Informatiker

Ein Informatiker, der aufgrund seiner Qualifikationen ein Wunschkandidat für viele Firmen ist, verscherzt sich trotzdem die Sympathien möglicher Arbeitgeber, wenn er telefonisch so nachfasst: »Sie wissen ja, dass meine Qualifikationen gefragt sind. Ich möchte mich jetzt endlich entscheiden können. Warum dauert die Einladung zum Gespräch so lange? Wenn Sie noch länger warten, profitieren eben andere Firmen.«

Es ist durchaus möglich, sich als begehrter und umworbener Absolvent darzustellen. Eine für das Telefongespräch geeignetere Formulierung ist diese:

»Ich habe zwei Arbeitsverträge vorliegen. Nach wie vor möchte ich jedoch auch mit Ihnen in Kontakt kommen. Gibt es noch die Möglichkeit zum persönlichen Kennenlernen, bevor ich mich entscheiden muss?«

Wenn die angerufene Firma Sie fragt, wer denn noch an Ihnen interessiert sei, sollten Sie nicht Versteck spielen, sondern die Namen der anderen Firmen nennen. Sonst vermutet man, dass Sie bluffen.

Die Firma meldet sich

Wenn Sie Ihre Unterlagen abgeschickt haben, müssen Sie darauf vorbereitet sein, dass sich eine der angeschriebenen Firmen bei Ihnen meldet. Die Kontaktaufnahme zu Ihnen geschieht nicht immer schriftlich. Bei interessanten Kandidaten greifen Personalverantwortliche auch schon einmal zum Telefon. Zerstören Sie nicht das durch die schriftliche Bewerbung ausgelöste Interesse an Ihnen. Ihr erster Eindruck am Telefon sollte positiv sein.

Erster Telefonkontakt

Berufseinsteiger, die bei einem Anruf nicht wissen, um welche Stelle es geht und den Anrufer nicht einem bestimmten Unternehmen zuordnen können, säen Zweifel an ihrer positiven Darstellung in den schriftlichen Unterlagen. Jedes Unternehmen will in dem Glauben leben, dass der Bewerber sich bewusst für es entschieden hat. Wenn Bewerber zu Beginn des Telefongesprächs erst einmal die Namen mehrerer Unternehmen aufzählen, bis sie den richtigen erwähnen, hinterlassen sie einen planlosen Eindruck.

Legen Sie für jedes Unternehmen, bei dem Sie sich beworben haben, eine eigene Mappe an. Sie haben durch unsere Ausführungen schon gelernt, wie Sie Ihr individuelles Profil für unterschiedliche Firmen im Anschreiben und im Lebenslauf herausarbeiten. Deshalb reichen ein Standardanschreiben und -lebenslauf neben Ihrem Telefon nicht aus.

Legen Sie Listen an, auf die Sie zurückgreifen können

In jede Mappe gehören die Stellenanzeige, das individuelle Anschreiben und der auf das jeweilige Unternehmen zugeschnittene Lebenslauf. Fügen Sie jeder Mappe eine Liste der Korrespondenz mit dem Unternehmen bei. Notieren Sie das Datum von im Vorfeld der Bewerbung geführten Telefongesprächen und den dazugehörigen Gesprächspartner. Vermerken Sie das Datum, an dem Sie Ihre Bewerbungsmappe abgeschickt haben. Schreiben Sie auch die Reaktionen auf, die Sie auf Ihre Bewerbung erhalten haben, beispielsweise die Zusendung einer Eingangsbestätigung oder eines Personalerfassungsbogens. Orientieren Sie sich an unserer Beispielliste, so behalten Sie bei Telefongesprächen alle Daten im Blick.

Liste »Bewerbung im Blick«

Beispiel

Bewerbung bei Auto AG

- Position »Trainee-Programm Management-Nachwuchs«
- 02.02.2008, Stellenanzeige in der *FAZ*
- 05.02.2008, Telefongespräch mit Abteilung für Öffentlichkeitsarbeit, Gesprächspartnerin: Frau Dr. Reimers, Zusendung von Informationsmaterial

- 10.02.2008, Telefongespräch mit der Abteilung für Hochschulkommunikation, Personalassistent Herr Kerner, Hintergrundinformationen zur Spezialisierung im Trainee-Programm
- 12.02.2008, Bewerbung abgeschickt an Personalreferentin Frau Tscheslog
- 16.02.2008 Schriftliche Eingangsbestätigung der Firma

Um das Interesse an Ihrer Person zu erhöhen können Sie im Telefongespräch an passender Stelle einfließen lassen, dass Sie sich bereits erste Informationen haben zuschicken lassen. Sie können auch darauf hinweisen, dass Sie schon von sich aus in der Personalabteilung angerufen haben und sich genauer über die Einstiegsposition informiert haben.

Damit die Firma mit Ihnen einen Termin für ein Vorstellungsgespräch vereinbaren kann, sollte auch Ihr Terminkalender neben dem Telefon liegen.

Vermitteln Sie Ihr Qualifikationsprofil

Sollte es am Telefon nicht nur um Terminabsprachen gehen, sondern sich ein Dialog zwischen dem Personalverantwortlichen und Ihnen entwickeln, müssen Sie Kernpunkte aus Ihrem Qualifikationsprofil in wenigen Sätzen vermitteln können. Wie dies gelingt, haben wir Ihnen im Kapitel »Das Telefon: der schnelle Weg zum ersten Arbeitsplatz« ausführlich erläutert. Greifen Sie Anforderungen aus der Stellenanzeige auf, und belegen Sie mit Beispielen aus Ihren Praktika, dass Sie sie erfüllen. Verwenden Sie Schlüsselbegriffe aus der Arbeitswelt, um Ihre Kompetenz zu verdeutlichen. Fragen Sie am Ende des Telefonates, wie es weitergehen soll. Betonen Sie, dass Sie weiter sehr an der Stelle interessiert sind und gern ein vertiefendes Vorstellungsgespräch führen würden.

Nach der schriftlichen Bewerbung

- Die Art und Weise, wie Firmen auf Ihre Bewerbung reagieren, ermöglicht Ihnen bereits erste Rückschlüsse auf das Arbeitsklima und die Unternehmenskultur.

- Große Unternehmen legen sich häufig einen Vorrat an Bewerbungen von Absolventinnen und Absolventen an. Weil spezielle Auswahlverfahren in Blöcken durchgeführt werden, kann einige Zeit bis zur Einladung in die zweite Auswahlrunde vergehen.

- Sechs Wochen nach Ihrer schriftlichen Bewerbung können Sie bei der Personalabteilung telefonisch nachfassen. Beschränken Sie sich bei Ihrer Nachfrage aber auf formale Fragen.

- Verfügen Sie über besonders gefragte Qualifikationen, können Sie das Bewerbungsverfahren beschleunigen. Betonen Sie im Telefongespräch, dass Sie bei gerade diesem Unternehmen arbeiten möchten, aber bereits einen Arbeitsvertrag von einer anderen Firma angeboten bekommen haben.

- Stellen Sie sich darauf ein, dass Firmen, an die Sie Bewerbungsunterlagen geschickt haben, bei Ihnen anrufen.

- Legen Sie für jedes Unternehmen, bei dem Sie sich beworben haben, eine eigene Mappe an. In die Mappe gehören die Stellenausschreibung, das individuelle Anschreiben, der individuelle Lebenslauf und eine Liste der mit der Firma durchgeführten Korrespondenz.

Von der Theorie in die Praxis

Der Studienabschluss ist keine Garantie für den Berufseinstieg. Hochschulabsolventinnen und -absolventen haben mit ihren Bewerbungen nur dann Erfolg, wenn sie klar machen, dass sie sich von der Hochschule und dem Wissenschaftsbetrieb gelöst haben. Ihre Bewerbung gilt als erste Arbeitsprobe. Bei der Aufbereitung der Bewerbungsunterlagen müssen Sie zeigen, dass Sie über die Fähigkeit verfügen, Ihr erworbenes Wissen bei der Lösung von beruflichen Aufgaben einzusetzen.

So werden Sie Wunschkandidat Der Weg vom Bewerber bis zum Wunschkandidaten ist nicht leicht. Sie müssen viele Schritte gehen, um an Ihr Ziel zu kommen. In diesem Ratgeber haben Sie Schritt für Schritt gelernt, wie Sie mit ausgefeilter Detailarbeit Hindernisse bei der überzeugenden Selbstdarstellung aus dem Weg räumen. Sie kennen erfolgversprechende Strategien, haben sich mit Ihren eigenen Wünschen und Vorstellungen auseinander gesetzt und mithilfe unserer Beispiele und Übungen ein individuelles Profil entwickelt. Wunschkandidaten

- können ein individuelles Profil liefern,
- sind sich über ihre beruflichen Ziele im Klaren,
- kennen ihre fachlichen Kenntnisse und persönlichen Fähigkeiten,
- wissen, was in der Einstiegsposition von ihnen verlangt wird,
- sind in der Lage, von sich aus auf Unternehmen zuzugehen,

- können Bewerbungen telefonisch vorbereiten,
- versenden prüfungsfreundliche Bewerbungsunterlagen,
- liefern mit dem Anschreiben eine aussagekräftige Entscheidungsvorlage,
- können ihren Gehaltswunsch begründen,
- machen ihren Werdegang im Lebenslauf nachvollziehbar und
- liefern konkrete Belege für erste berufliche Erfahrungen.

Es gibt keine in der Praxis der Personalauswahl wirksamen Zaubersprüche, die Personalverantwortliche gefügig machen. Keine Geheimformel wird Ihre Wünsche im Handumdrehen erfüllen. Sie müssen sich aktiv mit Ihren Kenntnissen und Fähigkeiten auseinander setzen und auf die Anforderungen der Unternehmen eingehen.

Bekennen Sie sich zu Ihrer Individualität. Sie sind anders als die anderen Hochschulabsolventinnen und -absolventen, und gerade darin liegt Ihre Chance, Arbeitgeber für sich einzunehmen. Wir verlangen von Ihnen viel Vorarbeit bei der Erstellung Ihrer Bewerbungsmappe. Die Auseinandersetzung mit Ihrem eigenen Profil und den Anforderungen der Unternehmen ist aber unumgänglich. Nur so gelingt Ihnen der Berufseinstieg bei Ihrem Wunscharbeitgeber.

Ihr individuelles Profil zählt

Wir wünschen Ihnen viel Erfolg mit Ihrer schriftlichen Bewerbung.

Christian Püttjer und *Uwe Schnierda*

Register

Bewerben mit der
Püttjer & Schnierda-Profil-Methode

Gesichtslose Massenbewerber machen es sich und den Unternehmen unnötig schwer, zueinander zu finden. Machen Sie es besser: Sie werden sich im Bewerbungsverfahren mehr Gehör verschaffen, wenn Sie Ihr Profil vermitteln können.

Die Profil-Methode, die die Erfolgscoaches Christian Püttjer und Uwe Schnierda dazu in ihrer über 15-jährigen Beratungspraxis (www.karriereakademie.de) entwickelt haben, hat schon vielen Bewerbern zu mehr Erfolg verholfen.

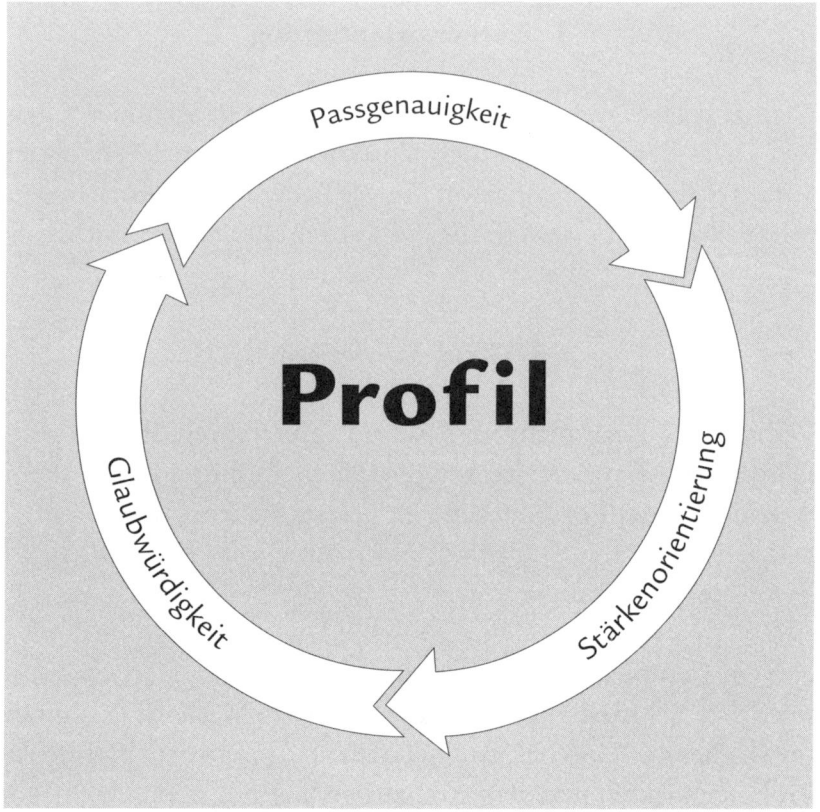

Drei Kernelemente kennzeichnen die Profil-Methode: Punkten Sie mit einer passgenauen Bewerbung, vermitteln Sie Ihre Stärken und treten Sie glaubwürdig auf.

1. Passgenauigkeit

Je besser Sie in Ihrer Bewerbung auf die Anforderungen einer Stelle eingehen, desto höher ist Ihre Erfolgsquote. Machen Sie sich den Blick der Personalverantwortlichen zu eigen. Argumentieren Sie von den Anforderungen der zu vergebenden Stelle her. So wird Ihre Bewerbung passgenau.

2. Stärkenorientierung

Niemand lässt sich durch Krisen- und Problemschilderungen von etwas überzeugen – auch Unternehmen nicht! Verzichten Sie auf Selbstabwertungen, stellen Sie lieber Ihre Vorzüge in den Mittelpunkt Ihrer Bewerbung. So werden Ihre Stärken sichtbar.

3. Glaubwürdigkeit

Verbiegen Sie sich nicht im Bewerbungsverfahren, Ihre Persönlichkeit ist gefragt! Verstecken Sie sich nicht hinter Leerfloskeln und abstrakten Formulierungen, liefern Sie statt dessen nachvollziehbare Beispiele, die Ihre Bewerbung mit Leben füllen. So gewinnen Sie Glaubwürdigkeit.

Alle im Campus Verlag erschienenen Bewerbungsratgeber von Püttjer & Schnierda basieren auf der Profil-Methode. Erfahren Sie in diesem Ratgeber, wie Sie Schritt für Schritt Ihr eigenes Profil entwickeln und vermitteln können.

Wir sind für Sie da

Püttjer & Schnierda: Coaching und Beratung

Unsere Angebote:

- Bewerbungsmappen-Check
- Vorbereitung auf Vorstellungsgespräche
- Assessment-Center-Intensivtraining
- Karriereplanung
- Rhetoriktraining
- Führungskräfte-Coaching

Preise und weitere Details zu den einzelnen Beratungsmodulen finden Sie im Internet unter www.karriereakademie.de

---

Püttjer & Schnierda

Raiffeisenstraße 26

24796 Bredenbek/Naturpark Westensee

Telefon (0 43 34) 18 37 87

Fax (0 43 34) 18 37 90

E-Mail team@karriereakademie.de

Kostenlos: Mehr als 100 Jobbörsen unter www.karriereakademie.de